CW00704387

DE
LA RÉPUBLIQUE
OU
DU MEILLEUR
GOUVERNEMENT.

A PARIS,

De l'imprimerie d'And. - Aug. LOTTIN,
rue d'Enfer, proche Notre-Dame.

DE
LA RÉPUBLIQUE
OU
DU MEILLEUR
GOUVERNEMENT,
OUVRAGE
TRADUIT DE CICERON,

ET rétabli d'après les fragmens et ses autres écrits, avec des Notes historiques et critiques, et une *Dissertation* sur l'origine des sciences, des arts, de la philosophie, etc., chez les Romains.

A PARIS,

CHEZ J.-J. FUCHS, Libraire, rue des Mathurins, Hôtel de Cluny, N°. 334.

AN SIXIÈME (1798).

DISCOURS PRELIMINAIRE.

L'OUVRAGE que je présente au public est le fruit du travail de plusieurs années. Le lecteur attentif s'appercevra sans peine, du tems qu'il a fallu employer, des recherches et des combinaisons qu'il a fallu faire, pour rassembler dans une collection aussi volumineuse que celle des *Oeuvres de Cicéron*, tous les passages au moyen desquels, j'ai tenté de redonner l'être, à un monument littéraire aussi précieux, que son *Traité de la République*. C'étoit tout ce que la philosophie des Romains avoit produit sur la politique. Le principal objet de Cicéron fut d'y prouver l'excellence de leur constitution. Elle fit en effet pendant quatre siècles l'admiration de l'univers. Le génie de la liberté animé par l'amour de la patrie et soutenu par le respect pour les lois de l'humanité, sans lesquels d'ailleurs la liberté n'est qu'un vain nom, enfanta des prodiges étonnans. Mais la corruption des mœurs, le desir insatiable des richesses et du pouvoir qui les procurent, firent, dans le court espace de quelques années, oublier ces jours de gloire, et commettre des crimes inouis jusques alors. Le tableau de ces tems si opposés est sans doute, ce qu'on peut offrir de plus intéressant à la méditation des sincères amis du gouvernement républicain ; sur-tout étant tracé par un homme, dont les talens brillèrent du plus grand éclat et dont le patriotisme aussi pur qu'éclairé, ne peut être accusé de partialité, soit quand il rappelle les vertus anciennes, soit quand il décrit les vices modernes.

Il est encore une circonstance que j'étois loin de prévoir, quand je commençai ce travail, et qui y donne une espèce de singularité ; je veux parler du rétablissement ou pour mieux dire de la résurrection de la république romaine, au moment où il est achevé. Quelle est la fatalité qui préside aux choses de ce monde! Qui eut dit à Cicéron, que les lambeaux de son *Traité de la République*, déchirés par les mains du tems, seroient, après une révolution d'environ vingt siècles, recousus dans un pays réputé de son tems pour le siège de la barbarie; et qu'à la même époque la liberté romaine, dont il fut un des plus illustres martyrs, seroit rétablie par la valeur de ce peuple, qu'on en regardoit comme le plus redoutable ennemi. Avant de mettre sous les yeux de mes lecteurs, le *Traité de la République*, tel que je l'ai restauré, il faut que j'entre dans quelques détails, sur la manière, dont je m'y suis pris, pour y réussir.

« Cicèron se trouvoit à sa maison de
» campagne de Cumes, dans le prin-
» tems de l'année 699 de la fondation
» de Rome, 55 ans avant J.-C. Il y
» commença un Traité *sur le meilleur*
» *Gouvernement* et *sur les devoirs du*
» *citoyen*. Il appelle cet ouvrage une
» grande et laborieuse entreprise, mais
» digne de tous ses soins, s'il pouvoit
» l'achever avec succès : *sinon*, dit-il,

» *je le jetterai dans la mer, que j'ai*
» *pour perspective en le composant,*
» *et je formerai quelqu'autre projet,*
» *car je ne puis rester oisif* (1) ».

« Ce Traité devoit être comme celui
» de l'orateur en forme de dialogue, et
» la scène devoit se passer entre les prin-
» cipaux personnages de l'ancienne Ré-
» publique. Les interlocuteurs étoient
» le second Africain, Lælius, Philus et
» Pœtus Manilius. Il ajouta deux jeunes
» gens Q. Tubéron et P. Rutilius, ainsi
» que deux gendres de Lælius, Scœ-
» vola et Fannius (2). Il devoit contenir

(1) *Ad Quint. fratr. epistol.* II. 14. Cicéron avoit alors cinquante-trois ans.

(2) *Ad Attic.* IV. 16. *De amicit.* 4. 7. Scipion en étoit le principal interlocuteur. Il est

» neuf livres, et chaque livre la dispute
» d'un jour. Lorsque Cicéron eut com-
» posé les deux premiers, il en fit la
» lecture à quelques-uns de ses amis,
» dans sa maison de Tusculum. Sal-
» luste (3), qui étoit de cette assem-
» blée, lui conseilla d'en changer le plan,
» et de suivre la méthode d'Aristote,

---

bien connu par ses vertus, ses lumières et ses exploits. On peut voir le bel éloge qu'en fait Cicéron, au commencement du Traité *De amicitia*. P. Philus qui avoit été consul en 617, y proposoit les argumens très-spécieux de Carnéades contre la justice. C'étoit Scipion qui les réfutoit.

(3) Il est parlé de plusieurs Sallustes dans les lettres de Cicéron. Celui dont il s'agit ici, étoit un de ses intimes amis. Ce n'étoit point l'historien de ce nom, avec qui il avoit eu des démêlés très-graves.

» qui avoit traité ces sortes de sujets dans
» sa propre personne. Il apportoit pour
» raison, que l'introduction de ces an-
» ciens personnages, donnoit à l'ou-
» vrage un air fabuleux; et que n'étant
» point question des petits raisonne-
» mens d'un sophiste, ni des spécula-
» tions d'un contemplatif, mais de tout
» ce que la prudence dans un Séna-
» teur-Consulaire, et l'expérience des
» grandes affaires dans un homme d'é-
» tat, avoient pu recueillir d'observa-
» tions utiles et certaines, son sujet
» auroit plus de poids et de dignité,
» lorsqu'il le traiteroit en son propre
» nom. Cet avis lui parut assez juste,
» pour le faire penser à changer sa mé-
» thode, sur-tout lorsqu'il fit réflexion,
» qu'en jettant la scène si loin derrière

» lui, il se retranchoit le pouvoir de
» toucher à toutes ces grandes révolu-
» tions de la République, qui étoient
» postérieures au tems, dans lequel il s'é-
» toit renfermé. Cependant après d'au-
» tres delibérations, et par goût pour
» ses deux premiers livres, qu'il regret-
» toit de rendre inutiles, il résolut de
» s'en tenir à son premier plan; d'au-
» tant plus que la crainte d'offenser ses
» contemporains, qui l'y avoit déterminé
» d'abord, étoit une raison qui subsis-
» toit toujours (4). Ainsi continuant
» son travail, il n'y fit pas d'autre chan-
» gement, que de réduire le nombre
» de ses livres à six, au lieu de neuf.
» C'est sous cette forme que l'ouvrage

---

(4) *Ad Quint. fratr. epist.* III. 5.

» fut publié, et qu'il se conserva pen-
» dant plusieurs siècles (5).

Ce *Traité de la République* a péri dans le naufrage, qui a englouti tant d'autres monumens de l'antiquité. Il ne nous en reste que des fragmens (6). C'étoit le chef-d'œuvre de Cicéron, qui l'avoit travaillé avec plus de soin que le reste de ses ouvrages philosophiques, tous

---

(5) *Hist. de Cicéron, par Mildton, tom.* II, *pag.* 386, *et suiv. in* 12.

(6) On s'étoit flatté pendant le cours du quinzième et du seizième siècles de pouvoir le recouvrer. Le Cardinal Bessarion, et suivant d'autres le Cardinal Polus, avoit dépensé beaucoup d'argent, à le faire chercher. Photius, *Cod.* 371, donne la notice d'un *Traité de la République*, divisé en six livres, comme celui de Cicéron; les principes fondamentaux en sont aussi les mêmes. Quelque Grec

écrits avec beaucoup de précipitation, et dans des circonstances, où le désordre des affaires publiques et les dangers, dont il étoit personnellement menacé, devoient lui causer de fortes distractions.

Le but principal de Cicéron avoit été de prouver, que la constitution de la République romaine étoit préférable, à toutes les autres constitutions politiques connues (7). Ainsi, quoiqu'il se fut

---

se seroit-il amusé à imiter ou à traduire l'ouvrage de Cicéron ? Il y a à la Bibliothèque nationale une assez mauvaise traduction manuscrite en grec, du songe de Scipion. Elle est de Planude, qui florissoit à C. P. au commencement du quatorzième siècle. On en imprima une autre aussi en grec, de Théodore Gaza, chez Simon de Colines en 1728.

(7) *Tuscul.* IV. *princ. Brutus.* 5. *De leg.* I. 6. II. 10. III. 5.

proposé d'imiter Platon, il différoit de lui autant par le choix des objets, que par les pensées; puisqu'au lieu de traiter comme le philosophe grec, d'une République purement fictive et imaginaire, il appliqua ses préceptes à une République réelle et existante, et les justifia par des exemples. L'un fit un roman propre tout au plus à amuser les lecteurs. L'autre les instruisit, par le tableau et l'examen d'une constitution, dont des siècles de succès et de gloire attestoient la sagesse et la solidité (8).

Cicéron paroît avoir beaucoup affectionné cet ouvrage. A l'exemple de tous

---

(8) *Macrob. in somn. Scipion.* I. 1. Cicéron réduit sa conformité avec Platon, au style. *De leg.* II. 7.

les philosophes et des Législateurs de l'antiquité, il avoit su y allier la morale à la politique. C'étoit là qu'il avoit déposé les principes qu'il se faisoit un devoir de suivre, dans sa vie soit publique, soit privée; et bien souvent il appelle le *Traité de la République*, le garant de sa conduite et de ses sentimens; plus souvent il y renvoit dans ses autres ouvrages, où il rappelle les matières qui y étoient discutées (9). Ces renvois joints aux fragmens qui nous restent, suffisent presque pour nous donner une idée assez juste du plan de cet ouvrage. Cicéron, à l'exemple encore de Platon, fit son *Traité des lois*, pour donner

(9) *Ad Attic.* VI. 1. 2. 6. VII. 3. *De leg.* 1. 7. III. 2. 13. *De offic.* II. 17. etc.

plus

plus en détail celles, qui dérivent des principes établis dans la république. Ce qui est purement théorique doit donc être le même, dans les deux Traités. Cicéron enfin se répète souvent. Pour peu qu'on soit familier avec ses ouvrages, on ne pourra en disconvenir. Il ne doit pas être impossible de découvrir dans ceux qui nous restent, bien des choses qui devoient se trouver dans ceux qui sont perdus.

C'est en faisant toutes ces réflexions, qu'il me vint en idée, de tenter de lier les fragmens qui se sont conservés, du *Traité de la République*, par des passages analogues tirés de ses autres ouvrages. Le succès le plus complet a prouvé la justesse de cette idée. Sigonius dans le seizième siècle, entreprit aussi de rétablir le *Traité de la consolation*, dont il ne nous reste également que des fragmens. Après les avoir liés par des supplémens, qu'il avoit lui-même composés, il crut pouvoir se permettre de donner sa compilation pour l'ouvrage de Cicéron, qu'il disoit avoir été retrouvé. Tel étoit le mérite de ce travail, qu'il fit illusion à des savans très-exercés dans la langue latine, et que ce ne fût qu'après un examen long et réfléchi, qu'on parvint à découvrir la supercherie. Cela n'a pas empêché que ce Traité ainsi restauré ne conserva le suffrage des gens de lettres ; et les meilleurs éditeurs de Cicéron, en l'insérant dans le recueil de ses véritables ouvrages, ont pensé qu'il pouvoit figurer avantageusement à leur suite.

N'ayant ni les talens, ni la témérité de Sigonius, c'est dans les ouvrages de Cicéron qui existent encore, que j'ai été chercher les supplémens, qui m'étoient nécessaires, pour remplir les lacunes du *Traité de la République.* J'y ai réussi sans aucun autre secours (10). On n'y trouvera plus à la vérité la forme du dialogue ; (mon entreprise eut été inexécutable) mais en faisant parler Cicéron directement, j'ai suivi l'idée, que Salluste lui avoit suggérée, et dont il paroissoit s'être écarté à regret. J'ai pu par ce moyen y faire entrer, tout

(10) Deux fragmens de Salluste, quelques passages très-courts de Tite-Live et de Florus, dont la liaison des faits m'a forcé de faire usage, voilà tout ce que j'ai emprunté au-dehors.

ce qui s'étoit passé à Rome, depuis l'époque de Scipion, où son premier plan l'avoit forcé de s'arrêter, jusques après la mort de César, qui touche de bien près à celle de Cicéron. C'est dans ses ouvrages que j'ai pris encore tous ce qui m'a servi à remplir cette période. On le verra sans doute avec plaisir nous peindre lui-même les causes de la décadence de cette constitution, dont il aura d'abord tracé les avantages; et nous faire le tableau des vices, qui entraînèrent si rapidement la République romaine à la servitude.

Dans ce nouveau *Traité de la République*, il y aura donc des choses, qui n'étoient pas dans l'ancien, comme il en manquera de celles qui s'y trouvoient. Mais ce seront toujours les principes, ou si l'on veut les pensées politiques de Cicéron, qui se trouvent éparses dans ses divers ouvrages. Toutes les maximes, qui forment la base de la science sociale, et qui peuvent dériver, soit de la morale, soit de la politique, s'y trouveront ; et si elles n'y ont pas toujours le développement, dont elles seroient susceptibles, c'est à la briéveté de plusieurs des passages, que j'ai été obligé d'employer, qu'il faut s'en prendre. Le lecteur intelligent saura bien y suppléer.

J'ai été fidèle, autant qu'il m'a été possible, à suivre les indications des fragmens, pour placer les matières, que j'avois à ordonner. Cela m'a entraîné quelquefois dans des digressions, qui paroissent au premier coup-d'œil déplacées et même étrangères au sujet (11).

Sigonius et Patricius avoient recueillis les fragmens *de la République* de Cicéron, et les avoient distribués, suivant l'ordre des livres, dont ils les croyoient extraits. Car ils n'avoient pas toujours eu pour cet arrangement, des indications bien sûres. La plupart de ces fragmens sont épars dans les anciens grammairiens ou glossateurs, et principale-

---

(11) Des gens de lettres très-éclairés avoient, par exemple, jugé telle l'histoire abrégée de l'éloquence, qu'on trouvera dans le cinquième livre. Je n'ai pas eu de la peine à leur prouver, qu'elle étoit appellée, par un fragment de ce même livre concernant l'éloquence de Ménélas, et dont les expressions se trouvent répétées dans le Traité intitulé, *Brut. cap.* 13, où Cicéron fait l'histoire de l'origine et des progrès de l'art de bien dire.

ment dans *Nonius*. Mais ces lambeaux rapportés par des auteurs de glossaires, qui n'avoient que la grammaire en vue, sont isolés, fort courts et n'apprennent rien ou peu de chose, au premier coup-d'œil. On trouve cependant quelques fragmens plus étendus dans Lactance et dans Saint-Augustin.

Ces pères ne citent pas toujours le livre, d'où ils les ont tirés. « Les cita-
» tions des grammairiens, suivant la re-
» marque du président de Brosses, qui
» avoit fait sur l'histoire de Salluste, le
» même travail, que j'ai fait sur la Ré-
» publique de Cicéron, méritent peu
» qu'on s'y arrête, comme on l'a fait
» jusques à présent, pour fixer en par-
» ticulier l'ordre des passages, et le li-
» vre duquel chacun d'eux faisoit partie.

» Ils citent souvent de mémoire, sans
» exactitude, sans fidélité, se trom-
» pant sans cesse, sur le chiffre du livre
(12) ».

Le président de Brosses s'étoit apperçu de l'infidélité de ces citations, parce qu'elles indiquoient, comme du commencement de l'histoire, ce qui étoit évidemment de la fin. Dans un ouvrage politique où il n'y a pas une suite de faits, qui décèle les méprises, il est impossible de s'en appercevoir, quand il n'y a pas d'autres indications; aussi j'ai été forcé de m'en rapporter à l'ordre des livres fixé par les critiques modernes; et c'est en conformité de cet ordre que j'ai cité les fragmens, dont j'ai fait usage.

---

(12)) *Mémoir. de Littér tom.* 25. *p.* 372.

Mais en même-tems j'ai pris la liberté d'en transposer quelques-uns, lorsqu'il m'a paru qu'ils seroient mieux placés dans un autre livre.

Je ne m'en suis pas tenu uniquement aux fragmens du *Traité de la République*. Il en existe un grand nombre d'autres de plusieurs ouvrages de Cicéron, qui sont également perdus. Je les ai employés de préférence aux passages des Traités, que nous avons encore, lorsque j'ai pu y donner place, dans les lacunes que j'avois à remplir. J'ai mis par là à portée d'être mieux connus une infinité de lambeaux précieux, auxquels peu de gens faisoient attention, et qui méritoient d'autant plus d'être tirés de l'obscurité, qu'ils devoient être les endroits les plus saillans des ouvrages, dont ils étoient extraits (13).

Nous voyons par une lettre de Cicéron à Atticus, qu'il avoit placé à la tête de chacun des livres *de sa République*, des espèces de préambules (14). J'ai suivi la même méthode, quoique tous ces préambules soient perdus, à l'exception néanmoins de celui du cinquième livre, que j'ai parconséquent laissé subsister. Quant aux autres, je les

---

(13) Un des ouvrages de Cicéron, que le tems nous a ravi, et qui mérite le plus nos regrets après le *Traité de la République*, est celui qu'il avoit entrepris, pour la défense de *la Philosophie*, et qu'il intitula *Hortensius*, pour faire honneur à la mémoire de cet illustre orateur, avec qui il étoit extrêmement lié, malgré la rivalité qu'il y avoit entre eux. Il m'a fourni beaucoup de fragmens.

(14) *Ad Attic.* IV. 5.

ai remplacés par des morceaux choisis, d'après les indications des anciens auteurs ou des fragmens, ou d'après la nature des questions, qui devoient être traitées dans chaque livre.

Quoique nous ayions des traductions de tous les ouvrages de Cicéron, et que j'eusse pu facilement completter mon travail, en prenant dans chacune d'elles les morceaux, que je jugeois à propos d'employer, j'ai préféré de les traduire moi-même, pour donner à l'ensemble de l'ouvrage un coloris uniforme. J'ai cependant adopté la Traduction de d'Olivet, pour le songe de Scipion, qui terminoit le *Traité de la République*, et qui est le plus long fragment, qui nous en soit resté. C'est un morceau très-difficile à rendre en français, à cause qu'on y trouve des allusions continuelles à des opinions très-peu connues de l'antiquité, et des comparaisons tirées des sciences les plus abstraites. D'Olivet l'avoit traduit avec beaucoup de soin et de fidélité. Il m'a paru, que ce seroit en vain que je tenterois de faire mieux.

En traduisant les différens passages dont je me suis servi, j'ai été quelquefois obligé de les resserrer, pour les proportionner aux autres parties de l'ouvrage. Ceux qui, comme Montaigne, se plaindroient de la prolixité de Cicéron, de la longueur de ses préfaces, de la fréquence de ses définitions, pétitions et étymologies, et qui prétendroient, *que ce qu'il y a de vif et de moelle en lui, est étouffé, par ces longueries d'ap-*

prêt, trouveront peut-être qu'il ne perd rien à être abrégé.

C'est par ces moyens que je suis parvenu à rassembler et à enchasser tous ces fragmens, à l'exception d'un bien petit nombre absolument insignifians, et auxquels je n'ai pu par conséquent assigner une place (15). J'ai négligé également quelques étymologies, que les glossateurs ont conservées. Cicéron, à l'exemple des Académiciens et des Stoiciens, en a souvent donné dans ses écrits philosophiques. Mais cette partie ingrate par elle-même, n'étoit pas celle où brilloit le plus la sagacité des écrivains grecs ou romains.

---

(15) Les fragmens seront indiqués par des guillemets placés au commencement et à la fin de chacun d'eux.

Le *Traité de la République* ainsi restauré contiendra un tableau historique des institutions romaines, des discussions sur les questions les plus importantes de la morale et de la politique; telles que l'origine de la société, l'essence de la loi et du devoir, la différence éternelle du bien et du mal, les fondemens du bonheur public et particulier. On y trouvera les fameux argumens de Carnéades contre la justice et le droit naturel. Lactance qui les rapporte, les avoit puisés dans la République de Cicéron. Il les jugeoit insolubles à la raison humaine, destituée du secours de la religion. Il a négligé de nous faire connoître les réponses, que Cicéron y avoit faites. J'ai suppléé à cette omission, comme pour tout le reste, en cherchant dans ses autres ouvrages. J'ose me flatter que ces recherches n'ont point été infructueuses.

La nature et le caractère de chaque gouvernement y seront exactement désignés. On y parlera des orages inséparables du gouvernement populaire, mais aussi du triomphe tardif peut-être, mais presque toujours assuré de la vertu injustement opprimée. L'influence du climat, qu'on croyoit une découverte moderne n'y est point oubliée. La nécessité de l'éducation, les règles qui doivent la diriger, les devoirs du Magistrat et du Citoyen, le respect dû aux propriétés, occupent presque tout le quatrième livre; les causes principales de la grandeur et de la décadence de la République romaine forment le sujet du Vme.

Les *Oeuvres de Cicéron* sont une mine très-riche d'érudition antique. On verra tout ce que j'en ai tiré, sur une infinité de sujets. Il s'en faut de beaucoup que je l'aie épuisée. Cicéron avoit fait sur-tout une étude très-approfondie des dogmes de l'école de Pythagore et de celle de Platon, qui étoient ceux de l'ancienne philosophie ou de l'ancienne théologie, entre lesquelles il n'y avoit point de distinction, dans le principe. Outre divers passages concernant l'existence de Dieu, la nature et l'immortalité de l'ame répandus dans les autres livres, les dogmes religieux de l'ancienne philosophie seront tous exposés dans le sixième, consacré uniquement à ces matières. Le songe de Scipion qui le termine, est un excellent abrégé de la la doctrine de l'antiquité, sur ce point important.

D'après ce que nous avons dit des connoissances philosophiques de Cicéron, il est évident qu'on doit retrouver dans ses ouvrages les opinions et les maximes des plus célèbres philosophes de la Grèce. Il en fait souvent usage dans ses plaidoyers; et ses Traités philosophiques renferment tous, des morceaux choisis dans les écrits d'Archytas, de Platon, d'Aristote, ou d'autres philosophes moins connus aujourd'hui, et qui y sont rendus d'une manière, qui ne le cède point à l'original (16). Il devoit y en avoir un grand nombre dans

(16) Le Traité des devoirs n'est presque que la traduction d'un ouvrage de Panætius

le *Traité de la République*, puisqu'on en remarque encore parmi les fragmens qui nous en sont restés.

Pour ne pas trop charger les marges du livre de notes et d'indications, j'ai renvoyé à la fin de l'ouvrage, celles des textes qui m'ont servi à le composer. J'y ai ajouté par intervalles, quelques éclaircissemens relatifs à des difficultés du texte, ou bien des développemens nécessaires pour l'intelligence des matières, qui y sont traitées. Il m'eut été aisé de m'étendre et de faire parade d'une grande érudition. Le champ étoit vaste. J'ai été réservé le plus qu'il m'a

---

sur la même matière. Il n'y a guères de Cicéron que le troisième livre, et quelques exemples tirés de l'histoire romaine. *Ad Att.* XVI. 11.

été possible. Je n'ai point tenté d'éclaircir ou de concilier l'obscurité et les contradictions que présente l'histoire des premiers siècles de Rome. Les vains efforts de plusieurs savans pour y réussir, prouvent assez, qu'on ne fait souvent qu'épaissir les ténèbres, à force de vouloir les dissiper. Je me suis contenté de faire observer ces ténèbres et ces contradictions.

Cependant Cicéron parle si souvent de la philosophie de la Grande-Grèce, des lumières, qu'elle communiqua aux premiers Romains, qu'on est en coutume de regarder comme des barbares et des ignorans, jusques au moment où la Grèce proprement dite vint les polir et les éclairer, que j'ai cru que ce point méritoit d'être éclairci. J'ai donc fait une *Dissertation* à part, où j'examine les progrès des arts, des sciences, de la philosophie, du luxe même chez les Romains. Cicéron a été encore mon principal guide dans ce travail. Tous ces détails ne pouvoient être insérés dans le *Traité de la République*, ni dispersés dans les autres notes, où ils n'auroient pas formé un ensemble. Il a donc fallu en faire une note particulière, qui servira très-bien à l'intelligence du texte, et à éclaircir divers points importans de l'histoire romaine, sur lesquels, j'ose le dire, on a été dans l'erreur jusques à présent.

J'avois d'abord eu le projet de joindre à ma traduction le texte latin. Mais la grosseur du volume, qui a été plus considérable, que je ne l'avois cru, m'en a empêché. Je le donnerai à part, si le public paroît le desirer.

Pour faciliter l'intelligence de cet ouvrage, je vais faire ici une courte analyse des principes politiques, qui en sont la base. Les hommes, suivant Cicéron, vivoient d'abord isolés dans les bois, ne connaissant d'autre droit que celui du plus fort. Quelque génie extraordinaire les retire de cet état sauvage, en les rapprochant entre eux. Alors la société s'établit, les villes sont construites. Des divisions naissent; pour les faire cesser, on a recours à un personnage recommandable par sa sagesse. On lui confie l'autorité nécessaire, pour réprimer ceux qui tenteront de troubler le repos public; on promet d'obéir aux ordres qu'il donnera. Tous les pouvoirs se trouvoient concentrés en un seul homme. Il étoit à-la-fois législateur et juge. Il n'y avoit pas de lois écrites ; on ne connoissoit que les lois éternelles de la justice, qui parloient fortement à la conscience de tous.

Une autorité aussi illimitée devint bientôt arbitraire et oppressive. On eut alors recours aux lois, qui avoient un même langage pour tout le monde; on créa des magistrats, qui n'en furent plus que les exécuteurs. Ainsi se formèrent les deux pouvoirs principaux, celui de faire les lois, et celui de les faire exécuter. La perfection d'un gouvernement ne consista plus qu'à diviser ces pouvoirs, de manière qu'ils se balançassent, sans se contrarier. L'expérience a prouvé que la chose n'étoit pas facile.

La plupart des anciens (et les modernes les ont imités en cela) distinguent plutôt les gouvernemens par leur forme extérieure, c'est-à-dire, par le nombre de ceux, qui sont chargés de les diriger, que par leur essence intérieure, qui consiste dans la distribution des pouvoirs et dans l'usage que l'on en fait. Les gouvernemens sont, suivant eux , ou monarchiques, ou aristocratiques , ou démocratiques , selon qu'ils sont entre les mains d'un seul , de plusieurs, ou de la multitude. Ce sont là les trois principales formes de gouvernement , qu'on a cru avoir apperçu.

Cicéron avoit d'autres idées là-dessus. « La République, disoit-il, est la chose » de tous. Elle n'existe réellement, qu'en » tant qu'elle est justement et sagement

» administrée, soit par un seul, soit
» par les principaux, soit par le peuple
» en corps. Dans le cas contraire, elle
» n'est pas la chose de tous; elle n'est
» donc plus (17) ». L'usage qu'on fait de l'autorité et non le nombre de ceux qui l'exercent, caractérise donc les gouvernemens, suivant Cicéron. D'où l'on peut conclure, que les révolutions qu'ils éprouvent ne sont la plupart du tems, que des déplacemens du pouvoir (18).

---

(17) *Fragm. reipub. Lib.* III. Ce fragment est rapporté plus au long, ci-après *Liv.* III. *pag.* 123. Je dois avertir ici, que par le mot *république*, les anciens n'entendoient pas comme nous le gouvernement de plusieurs, mais un gouvernement quelconque, quand il étoit réglé par les lois.

(18) Aristote est celui des anciens, dont les idées se rapprochent le plus de celles de

La classification des citoyens fut, après la distribution des pouvoirs, le premier soin des législateurs. Quoique les hommes considérés en masse, paroissent se ressembler tous, quand on les examine en détail, on s'apperçoit bientôt que, comme dit Montaigne : *il y a plus de dis-*

Cicéron. Malgré sa manie des distinctions plus subtiles que solides, il paroît toujours s'arrêter, pour caractériser un gouvernement plutôt à l'usage qu'on y fait de l'autorité, qu'à sa forme extérieure. Voici un autre exemple de la manière, dont les anciens jugeoient de la nature d'un gouvernement. Suivant l'école de Pythagore, la meilleure forme étoit celle, qui réunissoit le mélange de la royauté, de l'aristocratie et de la démocratie. Plusieurs philosophes ont prétendu la retrouver, dans des gouvernemens, où le nom de roi étoit inconnu et même détesté. Nous verrons ailleurs, que, suivant Cicéron, c'étoit là le gouvernement romain, où il y avoit des consuls annuels.

tance de tel homme à tel homme, qu'il n'y a de tel homme à telle bête. Une infinité d'autres rapports résultant de l'ordre social, doivent être pris en considération, dans la classification, que l'on fait de ses membres. L'égalité doit sans doute y régner ; mais cette égalité excellente et véritable est celle qui, suivant Platon, fait une juste distribution des honneurs et des autres avantages, à proportion du mérite de chacun. Cicéron n'en avoit pas une autre idée ; et c'étoit dans l'observance de cette égalité, qu'il faisoit consister la justice, l'ame et le fondement de la société (19).

La classification des citoyens romains

---

(19) *Plat. de leg.* III. *Cicer. ad Herenn.* III. 2. *De invent.* II. 53.

fut, à ce qu'on croit communément, l'ouvrage de Servius Tullius. Elle étoit si sagement combinée, que Cicéron ne balance pas de la regarder comme la principale cause de la gloire et de la prospérité, où s'éleva la République romaine. Ce qu'il y a de remarquable, c'est que tandis que Servius Tullius régloit par ses lois les destinées de Rome, Solon son contemporain, en faisoit autant pour Athènes, qui inférieure à la première par la puissance, l'emporta sur elle par l'éclat plus durable et l'ascendant plus impérieux du génie.

L'origine de ces cités célèbres se perd dans une vénérable obscurité. Elles furent d'abord gouvernées par des rois. Athènes dût son affranchissement au dévouement généreux de Codrus, Rome à l'expulsion honteuse des Tarquins. Des Archontes d'abord à vie, ensuite décennaux, puis annuels, marquent les pas lents et progressifs de la liberté athénienne. Des consuls d'abord annuels, des tribuns destinés bientôt après à en modérer l'autorité, indiquent la marche rapide de la liberté romaine.

Mais ce qui fit à-la-fois la gloire et la force d'Athènes et de Rome, ce fut la bonté des mœurs jointe à l'amour de la patrie, qu'elle fit naître et qu'elle soutint. L'intérêt de la patrie étoit le premier de tous; on n'en connoissoit pas d'autre. Les passions particulières se taisoient en sa présence. Cicéron étoit si persuadé, que la République ne subsistoit que par les bonnes mœurs, que c'est à leur corruption qu'il en attribue la décadence.

Il regardoit comme vaines les spéculations de ces politiques, dont l'attention ne se fixe, que sur le méchanisme extérieur d'une constitution. Tandis qu'ils s'extasient sur les perfections, qu'ils croient y appercevoir; les passions auxquelles ils ne pensoient même pas, s'irritent et s'agitent avec violence; dans les combats qu'elles se livrent, on voit s'écrouler le frêle édifice, dont l'apparence étoit si imposante.

Athènes et Rome ne prospérèrent, qu'autant qu'il y eut des mœurs. La multitude n'y décidoit point alors souverainement de toutes choses. L'aréopage dans l'une, et le sénat dans l'autre, avoient la principale influence dans la direction des affaires. L'âge et la sagesse étoient respectés et leurs avis écoutés.

Les dangers extérieurs maintenoient cet esprit de modération. La crainte des Perses contenoit les Athéniens, celle des Carthaginois les Romains. Mais après la bataille de Salamine, comme après la prise de Carthage, le cœur de la multitude fut enflé par ces succès; des flatteurs, qui vouloient dominer par elle, achevèrent de la corrompre. Alors les leçons et les exemples des anciens furent méprisés, les lois avilies; le gouvernement tomba dans la confusion, et la liberté s'évanouit.

Cicéron qui avoit long-tems médité sur les causes, qui élévent ou abaissent les Empires, et qui avoit lu avec réflexion les écrits des anciens sages, sur cette importante matière, donnoit toujours à leur exemple, pour base à ses lois la morale, la religion, la providence, la justice divines, ainsi que la convenance et les rapports, qu'elle a mis en toutes choses (20).

Cicéron faisoit ensuite consister la perfection du gouvernement, dont le but unique étoit, suivant lui, de rendre tous les citoyens heureux, dans l'harmonie et l'accord des différens ordres, et le concours de toutes les volontés vers le bon-

---

(20) En commençant son Traité des lois, il prie Atticus, un des interlocuteurs, et qui, en qualité d'Epicurien, nioit la providence, de lui accorder que la nature entière est régie par la force, la puissance, la raison et l'esprit des dieux immortels, sans quoi il lui seroit impossible de remonter à la source primitive des lois, qui doit être prise dans leur nature même. *De legib.* I. 7. Le *Traité de la République* débutoit sans doute à-peu-près de

heur commun. En se rapprochant du gouvernement romain, qui étoit son objet principal, il vouloit qu'il y existât une balance si juste entre la souveraine autorité du peuple et le pouvoir du sénat, que la force législative fut d'un côté, et le conseil de l'autre ; c'est-à-dire, que le pouvoir du peuple fut réglé, par l'influence du sénat. Tel fut le gouvernement romain à l'époque de sa splendeur

---

même. Car, suivant un fragment *Lib.* I. *Non. cituma*, un des interlocuteurs prioit un autre, de ramener son discours du ciel vers la terre. Malgré cette indication, nous n'avons pas commencé par là le nouveau Traité de la république. Il auroit fallu emprunter le commencement de celui des loix ; ce qui auroit mis trop de ressemblance entre les deux ouvrages. Ces maximes reviennent d'ailleurs en plusieurs endroits, et notamment dans le troisième livre.

et

et de sa plus grande prospérité; tel il avoit été décrit par Scipion, dans le *Traité de la République*. Quoique dans sa jeunesse, Cicéron eut donné des éloges aux Gracques, qui les premiers portèrent atteinte à l'autorité du sénat, il ne les regarda plus ensuite, malgré tous leurs talens, que comme des factieux, et il applaudit plusieurs fois au sort qu'ils éprouvèrent. Malgré enfin l'horreur que lui inspiroient les cruautés de Sylla, il ne pouvoit s'empêcher de rendre justice aux lois, par lesquelles en rétablissant l'autorité du sénat, il assura encore pour quelques années la durée de la République. Tels étoient les principes politiques de Cicéron (21).

---

(21) Voyez ci-après, *livre* II. *p.* 48. 57. 69.

Quant à sa vie soit publique, soit privée, tant d'habiles gens en ont écrit, que ce seroit au moins inutile d'en parler longuement. Malgré les reproches d'amour-propre, de foiblesse, d'imprévoyance, que l'envie ou la préocupation lui a faits, la liberté n'eut jamais d'ami plus constant et plus sincère, la ty-

---

Cicéron ne s'étoit jamais écarté de ces principes, toutes les fois qu'il avoit eu occasion de parler ou d'écrire, sur des matières politiques *Ad Attic.* II. 3. L'opinion si fortement prononcée d'un homme comme Cicéron, dont le zèle pour la cause de la liberté n'étoit point équivoque, doit suffire pour dissiper les doutes, que des modernes ont voulu élever sur la nature du gouvernement romain. S'il falloit les en croire, le sénat auroit été constamment oppresseur ; le peuple toujours esclave, et la liberté romaine si vantée n'auroit été qu'une

rannie d'ennemi plus implacable. Dans sa jeunesse, lorsque tout trembloit à Rome sous le glaive sanglant de Sylla, lui seul ose en quelque sorte le braver, en dévoilant publiquement les infamies, d'un de ses plus redoutables satellites. Par son courage, autant que par son éloquence, il parvient à lui arracher une victime innocente, qu'il ne vouloit im-

chimère. Ces erreurs déparent le tableau du gouvernement de la République romaine, qu'a donné Marmontel, dans la préface de sa traduction de la Pharsale. Il élève jusques aux nues les Gracques; il contredit Lucain même, dans le jugement, qu'il porte de César; il n'apprécie bien que Pompée, parce qu'il a pris ce qu'il en dit dans Cicéron. L'illustre et respectable écrivain dont je parle, s'est laissé sans doute entraîner par un zèle bien louable, quoiqu'outré pour la cause de la liberté.

moler, que pour s'enrichir de sa dépouille. On eut dit qu'il étoit destiné à combattre sans cesse contre des factieux et des scélérats. Quelle énergie, quelle fermeté ne déploya-t-il pas, pour déconcerter les efforts de ceux, qui, sous son consulat, vouloient ensevelir la République, au milieu des ruines, du pillage, de l'incendie de Rome et du massacre de ses meilleurs citoyens? Et remarquez bien que c'est un homme *nouveau*, qui lutte ici contre les membres les plus distingués de la noblesse, chefs ou partisans secrets de la conspiration. Ils ne lui pardonnèrent jamais d'avoir fait échouer leurs projets parricides; ils eurent toujours sur le cœur le supplice qu'il fit infliger à quelques-uns d'entre eux; ils le poursuivirent avec acharnement le reste de sa vie. Mais ni les menaces des méchans, ni leurs efforts pour le perdre, ne purent l'intimider; l'exil, auquel ils parvinrent à le faire condamner, ne put l'abbattre. La patrie le trouva toujours prêt, quand elle eut besoin de son secours.

Ce qui doit achever de fixer notre opinion sur le compte de Cicéron, c'est l'estime dont l'honorèrent ses contemporains, l'affection constante que lui témoignèrent les bons citoyens. Ils partagèrent toujours ses triomphes et ses disgraces. Ils lui donnèrent le nom de *Père de la patrie*, et ce titre que l'adulation prostitua ensuite à des tyrans, ne fut à l'égard de Cicéron, que l'expression de la reconnoissance générale. Son retour de l'exil fut un vrai triomphe.

La philosophie n'étoit point chez lui comme chez tant d'autres, une hypocrisie méprisable ou une vaine parade. Tous ceux qui revêtus d'un grand pouvoir, veulent le faire servir au but, pour lequel il leur est confié, qui est le bonheur général, devroient avoir sans cesse sous les yeux, la lettre dans laquelle Cicéron trace à son frère Quintus, les règles qu'il devoit suivre dans l'administration de sa province. La gloire, la sagesse et l'intégrité avec lesquelles il gouverna lui-même la Cilicie, prouvèrent qu'il savoit joindre l'exemple aux préceptes.

Il fut toujours étranger aux factions qui divisèrent et troublèrent Rome, pendant presque tout le cours de sa vie. Il ne connut jamais d'autre parti que celui de la République. Quand il vit la guerre civile prête à s'allumer, et la rage de se battre s'emparer non seulement des méchans, mais encore de ceux qui passoient pour bons, quels efforts ne fit-il pas pour conjurer ce fléau, qu'il regardoit comme le plus terrible de tous? Il balança long-tems de prendre un parti; et il étoit tenté de violer la loi de Solon, qui prononçoit la peine de mort contre ceux, qui dans une sédition, seroient demeurés neutres; ce sont ses expressions (22). S'il se range ensuite sous les étendards de Pompée, parce qu'il les croit ceux de la République ; il ne s'aveugle pas sur l'abus que ce général auroit fait de la victoire, si elle lui étoit

(22) *Ad Attic.* X. 1.

restée. Il voyoit les passions également enflammées dans les deux partis, et il en redoutoit également les effets pour la chose publique (23).

Les principes de la philosophie, dont il faisoit profession, moins austères que ceux qu'avoit embrassés Caton, lui permirent de survivre sans déshonneur à l'usurpation de César. Quand une fois il eut pris ce parti, il se soumit avec résignation à tous les sacrifices, qui en étoient la suite. Desirer le mieux, prévenir les maux, savoir supporter ce qui arrivoit, voilà à quoi il réduisit sa phi-

(23) *Ad famil.* IV. 3. 9. 14. XVI. 12. *Ad Attic.* VII. 7. Si nous succombons, disoit-il, nous sommes proscrits ; si nous sommes vainqueurs, nous aurons un maître.

losophie (24). Aussi quelqu'impatience, que put lui causer la perte de la liberté, il mit la plus grande réserve, dans sa conduite à l'égard de César. « Je croyois, » dit-il, qu'il m'étoit permis de parler » librement, lorsque je vivois dans une » constitution libre. Mais après l'avoir » perdue, à quoi serviroit de choquer » par des propos, celui qui a tout pou- » voir en main, et ceux qui l'environnent? » Le sage, ajoutoit-il, ne peut être res- » ponsable que de ses fautes; et lors mê- » me qu'il apperçoit ce qui est le plus » juste, il n'est pas tenu pour y arriver, de » lutter avec de plus forts que lui. Il faut » savoir se plier aux circonstances, et » imiter l'exemple de tant d'illustres phi-

(23) *Ad famil.* IX. 17.

» losophes, qui ont su tolérer la tyran-
» nie à Athènes et à Syracuse, et rester
» en quelque sorte libres, au milieu de
» la servitude de leur pays (25) ».

Je ne sais encore sur quoi est fondé le reproche d'imprévoyance. Un historien contemporain convient qu'il avoit prédit tout ce qui arriva après lui (26). Sa correspondance avec Atticus, ou avec les autres personnages les plus recommandables de son tems, justifie la vérité de cette observation. Un passage d'une de ses lettres, que j'ai placé à la fin du cinquième livre, montre comment il avoit, à point nommé, prévu la chûte de César. A peine celui-ci fut-il mort,

(25) *Ibid.* I. 9. IX. 16.
(26) *Corn. Nep. vit. Attic. cap.* 16.

qu'il fit les plus grands efforts, pour ranimer le patriotisme expirant des républicains romains. Mais il ne tarda pas d'en sentir l'inutilité ; et cette idée désespéroit son ame. J'ai pleuré, dit-il, dans une de ses lettres, sur le sort de la République, avec plus de constance et d'amertume, qu'une mére tendre sur la perte d'un fils unique (27). Ailleurs, on voit que la vie lui étoit devenue à charge. Après avoir rappellé à un père, qu'il vouloit consoler de la mort de son fils, les lieux communs ordinaires en ces tristes occasions, il ne croit pas pouvoir employer de moyen plus efficace pour calmer sa douleur, qu'en lui présentant le tableau des maux, qui affli-

(27) *Ad famil.* IX. 20.

geoient ou qui menaçoient la République.

« Que ceux qui n'ont point d'enfans.
» s'écrie-t-il, sont heureux! et combien
» est léger le malheur de ceux qui les
» ont perdus ! La liberté et la sûreté
» ont disparu pour nous. A quoi ser-
» viroient désormais, les mœurs, la pro-
» bité , la vertu , le savoir , les talens
» (28) ? »

Cela explique la fermeté et l'indifference avec lesquelles il reçut la mort. L'assassinat des autres victimes de la proscription excita des regrets particuliers, mais celui de Cicéron, dit un ancien , causa un deuil général. La mé-

---

(28) *Ibid.* V. 16.

moire d'Antoine, ajoute un autre, ne se lavera jamais de ce forfait (29).

---

(29) *Cremutius Cordus et Cornelius Severus, apud Fabricium. histor. Cicer. in fine.*

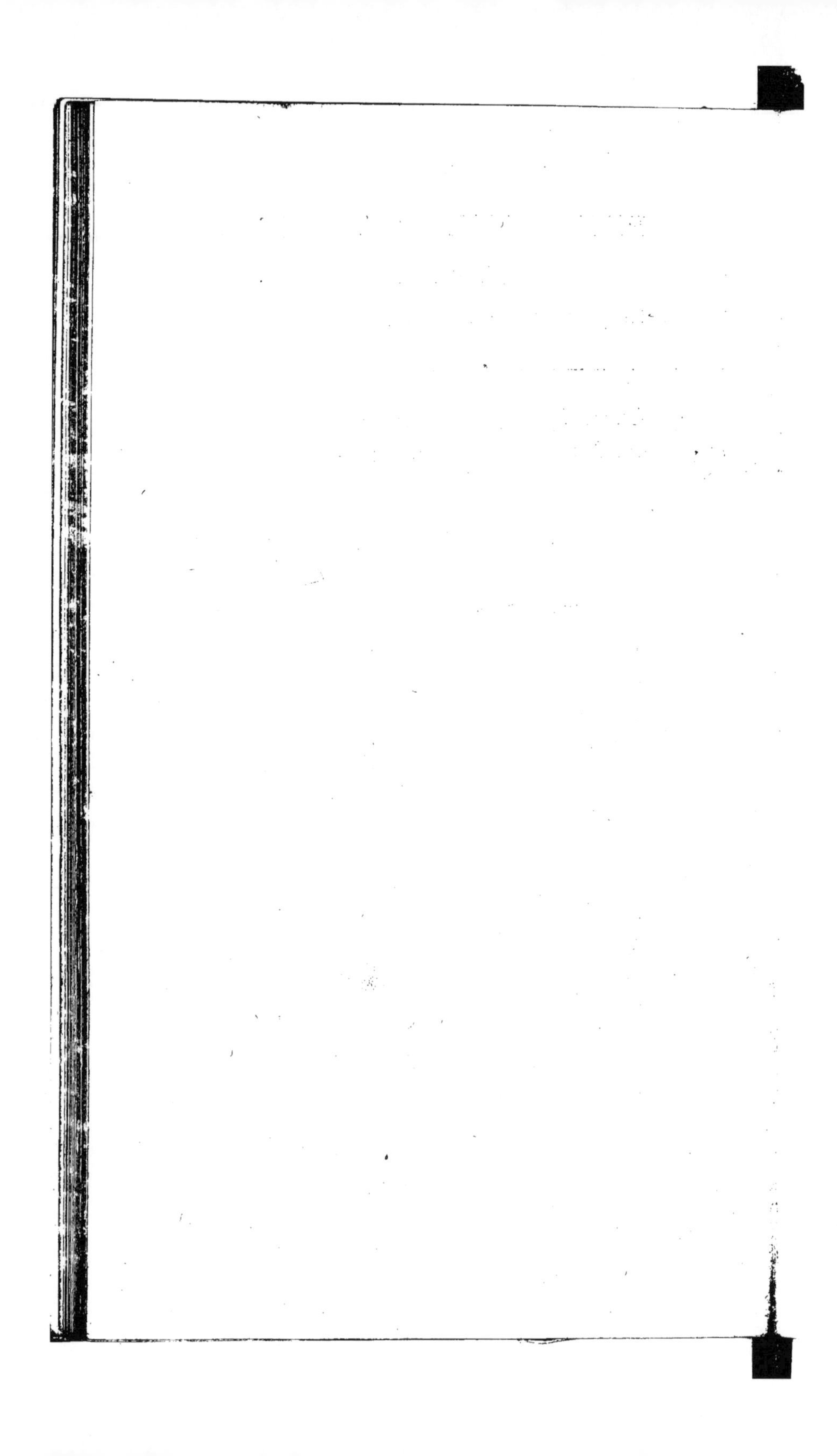

DE
LA RÉPUBLIQUE,
LIVRE PREMIER.

SOMMAIRE.

Dessein de l'auteur. Philosophes grecs qui ont écrit sur la politique. Fondation de Rome. Ses rois. Leur expulsion. Etablissement de la république. Ses différentes magistratures. Division des citoyens. Perfection des Lois romaines. Sagesse des anciens Romains. De l'amour de la Patrie. Deux classes de citoyens, populaires et principaux. Lois. Leur nécessité. De la liberté. De l'égalité.

J'AI depuis long-tems le dessein, et je l'ai même déjà exécuté en partie par plusieurs ouvrages, d'enrichir la langue latine des mêmes matières, sur lesquelles les philosophes se sont exercés en grec, avec autant de profondeur que de savoir. En ravissant ainsi à la Grèce, dans son déclin, ce genre de gloire, je l'ajouterai à tant d'autres non moins précieux, que nos pères ont acquis par leurs soins et leur industrie (1).

Si l'on me demandoit pourquoi j'ai tant tardé de me livrer à ce travail, la réponse seroit facile à faire : lorsque par les calamités de mon pays et le renversement total de la république, je me suis vu privé de mes anciens honneurs, j'ai cherché dans des études, qui avoient occupé les loisirs de ma jeunesse, un soulagement et une distraction à mes chagrins (2). Sans doute que si la république eut subsisté encore en son premier état, et qu'elle ne fût pas tombée entre les mains de gens, qui cherchent moins à corriger les abus, qu'à tout bouleverser, j'aurois continué comme auparavant à la servir plus par mes actions, que par mes écrits. Mais la république étant anéantie, le sénat sans existence et les jugemens sans vigueur, que me restoit-il de mieux à faire, que de me dérober dans l'obscurité, aux regards des scélérats, qui nous assiégent de toute part? J'ai borné mes desirs à pouvoir cultiver les lettres en paix, et à trouver ma sureté dans des occupations, où je ne cherchois autrefois que le plaisir. Ne pouvant plus être utile à ma patrie dans le sénat ou dans le barreau, je tâcherai de l'aider encore, en composant des livres, sur l'art de bien gouverner (3).

Je vais donc à l'exemple des plus savans hommes de la Grèce faire des recherches sur les mœurs et sur les lois ; écrire sur la politique, traiter de la meilleure forme de gouvernement, et de ce qui constitue le bon citoyen (4). C'est sans contredit un très-vaste sujet et très-propre à la philosophie (5). Dion et après lui le savant Panétius, sont les seuls cependant parmi les Stoiciens, qui aient écrit sur ces matières, mais d'une manière subtile et peu convenable à l'usage civil et populaire. Les Péripatéticiens et les Académiciens, qui diffèrent par le nom, mais s'accordent sur le fond des choses, ont donné les meilleurs ouvrages sur la politique.

Platon qu'on peut placer à la tête de tous ces philosophes, a fait un traité de la république, qui fut suivi d'un autre sur les lois (6). Nous devons à Aristote, qui tient le premier rang après Platon, la connoissance des mœurs, des institutions, de la police, de presque toutes les villes non-seulement de la Grèce, mais encore des peuples barbares; à Théophraste son disciple, celle de leurs lois. Ils nous ont enseigné l'un et l'autre, quelles sont les qualités requises dans les chefs d'une république; ils ont écrit fort au long sur la meilleure forme de gouvernement, et Théophraste s'est de plus attaché à faire connoître les causes des changemens et des révolutions dans un Etat, et de quelle manière il falloit s'y prendre, pour en prévenir les suites (7). Héraclide de Pont, disciple de Platon, a également écrit sur la politique, ainsi que Dicéarque formé à l'école d'Aristote (8).

Mais le plus admirable de tous a été Démétrius de Phalére, qui a réduit en pratique et produit au grand jour une science, confinée auparavant dans l'ombre et l'oisiveté des écoles. Il n'est pas rare de voir de grands politiques peu versés dans la philosophie, ou de très-habiles philosophes, sans aucune expérience dans le maniement des affaires publiques. Ce n'est qu'en Démétrius, que l'on rencontre la réunion des grandes lumières, avec un talent supérieur pour le gouvernement (9).

Quant à moi, je ne fais point uniquement profession de philosophie comme Héraclide de Pont (10); « et je puis paroître d'autant plus propre à tracer le plan d'une république », que je suis un consulaire versé dans les plus grandes affaires de la nôtre, dont j'ai autrefois tenu le gouvernail (11). J'ai choisi Platon pour mon modèle (12). C'est le plus savant et le plus grave des philosophes, qui ont écrit *de la république* (13). On ne peut cependant guère emprunter de lui, quand il est question de parler de la justice et de la bonne foi. Car ayant voulu les rendre sensibles par le discours, il a créé dans ses livres une cité chimérique; et ce qu'il a imaginé de dire de la justice, s'éloigne entièrement du train ordinaire de la vie, et des moeurs des autres cités (14).

Je transcrirai donc lorsque mon sujet le permettra des passages de Platon et même d'Aristote, ainsi qu'Ennius l'a fait d'Homère, et Afranius de Ménandre.

Ce sera, je pense, bien mériter de mes concitoyens, que de les mettre à portée de connoître ces génies divins (15). Mais, comme je crois que l'ancienne constitution de notre république, vaut mieux que toutes celles qui ont jamais existé; « je rapporterai à ce modéle, autant qu'il me sera possible, ce que je me propose de dire sur la meilleure forme de gouvernement (16) ». Nos institutions en effet sont préférables à celles des Grecs, et nous avons beaucoup perfectionné, ce que nous avons reçu d'eux, quand nous l'avons jugé digne de notre attention (17). Ainsi, s'il m'arrive de proposer des lois, qui n'aient dans aucun tems fait partie des nôtres, elles seront néanmoins puisées dans les coutumes de nos ancêtres, lesquelles s'observoient comme des lois (18).

« Pour bien faire connoître nos institutions, l'histoire et la discipline de notre république, j'aurai recours aux monumens, que nos annales nous ont conservés. On ne trouveroit nulle part, une plus grande abondance d'exemples aussi graves, fondés sur des témoignages incontestables, et dignes de servir de règle, soit dans l'action, soit dans le discours (19) ».

Romulus après avoir pris les auspices, fonda la ville de Rome, l'an troisième de la sixième Olympiade. Il avoit été, à ce qu'on prétend, nourri par une louve; et l'on voit au capitole une statue dorée, qui le représente suçant les mamelles de cet animal (20) : l'antiquité avoit cru rendre l'origine des villes plus respectable, en mettant du merveilleux dans l'histoire de leurs fondateurs (21). Il s'éleva une dispute entre lui et son frère Rémus, pour savoir lequel des deux donneroit son nom à la nouvelle ville. Romulus redoutant pour elle les suites de ce différend, fit périr son frère sous un prétexte frivole, et sacrifia ainsi la justice et l'humanité, à l'intérêt public (22).

La ville de Rome fut bâtie partie sur des collines, partie dans des vallées. Les maisons avoient plusieurs étages, les rues en étoient désagréables et les passages étroits, un fleuve couloit le long de ses remparts (23). Elle ne fut d'abord peuplée que de bergers et de gens ramassés de divers endroits. Romulus n'en exclut pas même ses ennemis, ainsi qu'il le fit voir en s'associant avec les Sabins ; alliance qui fut un des plus solides fondemens de l'empire et de la gloire du peuple romain (24).

« Bientôt cette multitude de gens rassemblés de toute part, forma une cité, par son union et sa concorde. Une cité n'est point la réunion d'une multitude quelconque. On ne pourroit donner ce nom à un rassemblement de bandits et de brigands. Ce ne peut être qu'une association de plusieurs hommes liés entr'eux par des lois et leur intérêt commun.

Toute cité qui présente une pareille association forme ce qu'on appelle une République. Ce qui porte le nom de ville n'est au contraire qu'un assemblage de plusieurs maisons, entouré d'un mur et d'autres fortifications, ouvrages de la nature ou de l'art, entre-mêlé de temples et de places publiques (25) ».

Romulus repoussa les agressions de ses voisins par sa prudence et sa sagesse (26). Il étoit très-versé dans l'art des augures et dans toutes les sciences divines et humaines (27). « Ses institutions durèrent plus de deux cent-trente ans, sans qu'on y porta la moindre atteinte (28) ». Celles des rois en général ont formé la base de la république. Dès la naissance de Rome, elles réglèrent d'une manière divine, tout ce qui concerne les auspices, les cérémonies, les comices, les appels, le sénat, la discipline militaire (29).

Les rois avoient en effet un sénat ;

c'étoit leur conseil-suprême, qu'on appelloit ainsi, parce qu'il n'étoit composé que de vieillards, dont l'âge attestoit la sagesse et la prudence. Ces princes observoient scrupuleusement les auspices (30). Il n'y avoit point sous eux de jugement arbitraire; nul citoyen ne pouvoit être condamné à une peine quelconque, que conformément aux lois. « Les apppels au peuple étoient déjà connus ». L'intrépide Horace coupable du meurtre de sa sœur, fut absous par les comices du peuple romain (31).

Par ses actions et ses vertus Romulus s'éleva jusques au ciel. « Ayant tout-à-coup disparu au milieu d'une éclipse, on crut qu'il avoit été transporté dans les cieux et placé au rang des Dieux; opinion que l'éclat de sa vertu pouvoit seule avoir fait naître (32) ».

Numa, prince très-éclairé, succéda à Romulus, quoiqu'étranger. La justice et la sagesse de son administration, ont fait dire aux uns, qu'il avoit des conférences avec la nymphe Egérie; aux autres, qu'il étoit disciple de Pythagore. Mais il a vécu plusieurs années avant ce Philosophe : il est d'autant plus digne d'admiration, qu'il mit en pratique l'art de bien gouverner, deux siècles avant que les Grecs en soupçonnassent même l'existence (33). Ses institutions religieuses ainsi que celles de Romulus, ont été le fondement de la grandeur romaine, qui ne seroit jamais parvenue au degré de splendeur où nous la voyons, sans une faveur marquée de la part des Dieux immortels (34). « Numa distribua au peuple par tête, les champs que Romulus avoit conquis (35) ».

Tullus Hostilius successeur de Numa, se distingua par ses exploits (36). Il fut tué par la foudre; « sans que cependant ce genre de mort l'ait fait mettre au rang des Dieux. Les Romains ne voulurent sans doute pas avilir les honneurs accordés à Romulus, en les prodiguant trop facilement à un autre (37) ».

Ancus Martius petit-fils de Numa, et d'un génie pareil, fut roi après Tullus (38). A sa mort, un autre étranger régna à Rome. Ce fut Tarquin l'ancien fils de Démarate, qui ne pouvant supporter la tyrannie de Cypsèle, s'enfuit de Corinthe à Tarquinies, où il établit son domicile, et où il eut plusieurs enfans (39). Les monumens de ces tems anciens sont si incertains; « qu'il y a deux rois de Rome, dont l'un n'a point de père et l'autre de mère. En effet on ne connoît point le père d'Ancus Martius. On sait seulement qu'il étoit le petit-fils de Numa, comme nous l'avons déjà dit. On est en doute sur la mère de Servius Tullius, qui succéda à Tarquin l'ancien (40) ».

Servius Tullius régna à Rome dans le tems que vivoient dans la Gréce Solon et Pisistrate. Il passe pour le principal législateur de Rome. Pendant son enfance, on apperçut un jour, tandis qu'il dormoit, sa tête toute rayonnante, ce qui fut regardé comme un signe de sa grandeur future (41).

Il eut pour successeur Tarquin. Ce prince superbe et cruel, ne sut se conduire ni lui, ni les siens (42). Lucrèce à qui un de ses enfans avoit fait violence, se tua elle-même, en implorant la vengeance de ses concitoyens. L'indignation que cette mort inspira au peuple, fut la cause de la liberté de Rome (43). Brutus qui avoit caché jusqu'alors une sagesse profonde, sous une imbécillité feinte, expulsa de Rome ce Prince puissant, descendant d'un roi illustre ; et après l'avoir délivrée d'une domination perpétuelle, la soumit à de nouvelles lois, et à des magistrats annuels, qu'on appella consuls (44). « Les faisceaux dont ils étoient précédés, furent baissés devant le peuple », source première de tous les pouvoirs (45). « Le droit de connoître des appels, et dont il avoit joui sous les rois même, lui fut confirmé (46) ».

Tarquin eut l'impudence de faire la guerre à ceux, qui n'avoient pu tolérer son orgueil. Il tenta en vain de remonter sur le trône par le secours des Véiens et des Latins. Il se retira ensuite à Cumes, où il mourut de vieillesse et de chagrin (47). « Tant que la crainte, qu'inspiroient Tarquin et la guerre d'Etrurie, subsista, les Sénateurs se conduisirent envers le peuple avec équité et modération. Mais à peine cette crainte fut-elle évanouie, que plus tyrans que les rois, ils le traitèrent en esclave (48) ». Le peuple eut cependant assez d'énergie, pour se soulever contre cette odieuse domination, et seize ans après l'expulsion des rois, il se retira en armes au-delà de l'Anio sur ce mont qu'on appelle aujourd'hui sacré, en mémoire du séjour qu'il y fit alors. Ce fut là qu'il rétablit les lois sacrées faites autrefois en sa faveur, et qu'il créa deux tribuns. L'année d'après le nombre en fut porté jusqu'à dix, dans des comices par curies, qui furent tenus après avoir pris les auspices (49) ». Le peuple pour inspirer plus de fermeté et de courage à ses tribuns, déclara leur personne sacrée et inviolable. Il leur donna le droit d'arrêter par leur opposition, toutes les délibérations publiques (50). Il s'établit dès-lors une guerre éternelle entre les tribuns et les consuls; d'où naquirentparmi nous des dissentions domestiques, que je passe sous silence(51). Quand elles devenoient trop sérieuses, on créoit, si le sénat le jugeoit à propos, un magistrat suprême, dont l'autorité réunissoit celle des deux consuls, et ne pouvoit durer au-delà de six mois. Ses décisions étoient sans appel. « Nous l'appellons Dictateur, et c'est le nom qu'on lui donne dans l'histoire. Chez nos ancêtres, il portoit le nom de Maître du du peuple. Le Lieutenant qu'il se nomme, s'appelle encore Maître de la cavalerie (52) ».

Pour mettre un frein à l'autorité trop arbitraire des consuls, les tribuns firent créer des décemvirs, qu'on investit d'une puissance illimitée, et qu'on chargea de rédiger des lois, qui fixassent d'une manière plus équitable les droits du peuple et du sénat (53). Ces décemvirs devoient être des hommes éclairés; car toutes les parties et tous les intérêts de la république sont parfaitement bien réglés, dans leurs lois (54). « Mais la dureté de la domination qu'ils s'obstinèrent à retenir, souleva toute la ville (55) ». Non-seulement les décemvirs finirent comme les rois, ce fut encore la même cause qui les perdit (56). Appius Claudius l'un d'entr'eux voulut faire violence à la fille d'un Plébéien; mais le père L. Virginius plutôt que de l'abandonner à sa brutalité, préféra de la tuer de sa propre main.

Cet évènement arriva soixante ans après l'expulsion des rois (57).

L'indignation que le peuple avoit conçue contre la tyrannie décemvirale, s'étendit jusques sur le sénat. Le peuple s'étoit de nouveau retiré en armes. sur le Mont-Aventin, et delà sur le Mont-Sacré. Trois sénateurs consulaires qu'on lui députa, l'engagèrent à retourner dans la ville. « Il s'arrêta au Mont-Aventin et se rendit ensuite au capitole, où le grand Pontife, à défaut des autres magistrats, tenant l'assemblée, il créa dix tribuns ». L. Valérius Potitus acheva de le calmer, par ses discours et par ses lois (58).

Bientôt après les fastes, dont les Patriciens étoient seuls dépositaires, et qu'ils cachoient soigneusement, attendu que par ce moyen, ils étoient les maîtres absolus des affaires tant publiques que privées, « furent publiés par Cn. Flavius. Le peuple en eut une grande joie », et en récompense, il fit Flavius Edile (59).

Ainsi une fois que la république fut délivrée de la domination des rois, tout y marcha vers la perfection d'une manière étonnante et même incroyable. Chacune de ses parties se trouva réglée par les lois et soumise à leur autorité (60). Le peuple fut distribué suivant le cens, l'ordre et l'âge de chacun (61), et divisé en trente-cinq tribus et trente curies (62) : il y eut encore les centuries des jeunes gens, des vieillards et des cavaliers, qui furent partagées en cinq classes (63). Toutes les autorités, les charges, les emplois publics émanèrent du peuple. Nul n'eut droit d'en exercer aucun que par son ordre (64); et par le choix qu'il en feroit dans les comices par centuries ou par tribus. Ceux par curies les plus anciens de tous, n'existèrent plus qu'à cause des auspices (65).

La différence des ordres fut très-bien marquée (66). Le sénat forma le premier et le plus distingué de tous (67). Après, vient l'ordre equestre (68). Il existe même une distinction entre les Patriciens de grande ou de moindre famille. On compte également parmi les Plébéiens des familles honorables et illustres (69).

Le consulat est dans notre république le terme et le faite des honneurs. C'est dans cette dignité suprême, que résidoit d'abord la plénitude de l'autorité (70). Les charges que l'on créa dans la suite n'en furent que des démembremens. Ainsi les consuls occupés sans cesse à des expéditions militaires, ne pouvant plus rendre la justice, on établit des préteurs, qui furent les juges ordinaires des affaires des particuliers, les gardiens et les conservateurs du droit civil. Ils remplissoient encore les autres fonctions des consuls, en leur absence (71). La même cause donna lieu à l'établissement des censeurs, qui étoient les surveillans des mœurs, et les conservateurs de l'ancienne discipline (72). Il y avoit encore des Ediles chargés de l'intendance des jeux publics, et des temples, de la police et de l'approvisionnement de la ville (73); des questeurs, qui avoient l'administration des finances (74).

Le principal mérite de nos ancêtres fut, après l'expulsion des rois, de n'avoir laissé dans la constitution d'un peuple libre, aucune trace de leur domination tyrannique. Nous sommes redevables ensuite à plusieurs grands hommes, d'avoir voulu que notre liberté fut plutôt consolidée par des lois douces et indulgentes, que souillée par des peines sévères et atroces (75). Nos lois étoient en effet la source la plus pure de la philosophie. Qu'on soit révolté de ma proposition, cependant il faut que je le dise; si l'on doit juger des choses par leur autorité et l'utilité, qu'on en retire, je trouve plus de vraie philosophie, dans le petit recueil des Lois des XII Tables, que dans les bibliothèques de tous les philosophes (76). L'on faisoit très-sagement, lorsque dans notre jeune âge, on nous faisoit apprendre ces lois par cœur, comme une chose nécessaire à connoître; pratique que l'on néglige mal-à-propos aujourd'hui (77). Je crois être bien fondé à soutenir, comme je le fais journellement, que nous avons surpassé en sagesse, les autres peuples et notamment les Grecs; si l'on veut s'en convaincre, on n'a qu'à comparer nos lois, avec celles de Lycurgue, de Dracon et de Solon. Il est incroyable combien leur droit civil, est incomplet et presque ridicule, en comparaison du nôtre (78).

Tout nous doit donc porter à croire, que nos ancêtres avoient joint de bonneheure l'étude à la pratique de la sagesse. Voisins de cette partie de l'Italie, qu'on appelloit la Grande-Grèce, et qui, aujourd'hui dans l'obscurité, brilloit alors par de grandes et puissantes villes, où la philosophie de Pythagore étoit enseignée avec éclat ; pourra-t-on croire qu'une doctrine, qui avoit eu tant de succès, et qui s'étoit répandue si loin, ne soit point parvenue jusques dans notre ville, et que nos ancêtres seuls aient été insensibles à ses charmes? C'est sans doute à cause de l'admiration générale, que l'on avoit pour la doctrine de Pythagore, que des gens peu versés d'ailleurs dans la chronologie, ont imaginé que Numa si recommandable par sa sagesse, avoit été son Disciple, comme nous l'avons déjà dit. On trouveroit en outre dans nos anciens usages beaucoup de vestiges de la doctrine Pythagoricienne (79). Le nom des Pythagoriciens fut long-tems célèbre et respecté dans la Grande-Grèce. Ils y furent les seuls dépositaires des sciences ; de façon qu'il n'y avoit qu'eux qui fussent réputés savans (80). « Platon, au retour du voyage qu'il avoit fait en Égypte, après la mort de Socrate, dans le dessein de s'y instruire, vint en Italie », pour lier connoissance avec les plus célèbres Pythagoriciens. Il y fréquenta particulièrement Timée et Archytas, de qui il apprit toute la doctrine Pythagoricienne. Il assista à Tarente à la fameuse conférence, qu'Archytas tint sur la Volupté (81). Nous avons eu également de très-bonne-heure des Poëtes, des Orateurs, des Historiens; et la rapidité avec laquelle ils se sont perfectionnés, prouve que nous avons été capables de tout, aussi-tôt que nous avons voulu l'entreprendre (82).

La vertu est donc particulière au sang et à la race de Romains. Avec quel soin ne devons-nous pas conserver cet héritage précieux, que nos ancêtres nous ont transmis. Lorsque tout est incertain, fragile et passager, la vertu seule profondément enracinée demeure fixe et inébranlable, au milieu des efforts que l'on fait pour la renverser. C'est par elle que nos ancêtres ont dabord vaincu l'Italie, et ont ensuite soumis à leur empire, tant de rois et de peuples puissans (83).

Ils n'avoient rien de plus cher dans la vie, que la patrie. Ils croyoient ne pouvoir mettre de bornes à leur attachement, pour cette patrie, qui étoit le seul siège dans le monde de la vertu, de la dignité et de l'empire, et dont la sagesse brille autant dans les lois qu'elle a faites, que dans le puissant empire qu'elle a formé (84). «Elle étoit, suivant eux, notre première mère; et ses nombreux bienfaits envers nous, lui méritoient de notre part, une reconnoissance bien supérieure à celle, que nous devons aux parens, qui nous ont donné le jour. Elle avoit en un mot droit d'exiger que toutes les facultés de notre ame et de notre esprit, fussent employées d'une manière avantageuse pour elle (85)». Celui qui trahit sa patrie est aussi criminel, que celui qui sacrifie le salut et l'intérêt de tous, à son salut et à son intérêt particuliers. Notre devoir est de réunir sur notre patrie toutes les affections que nous partageons entre nos parens, nos enfans, nos proches, nos amis; et nul bon citoyen, ne doit balancer de sacrifier sa vie pour elle, si ce sacrifice, peut lui être de quelque avantage. D'où l'on voit combien est exécrable la barbarie de ceux, qui déchirant par toutes sortes de crimes le sein de cette bonne mère, n'ont été comme ils ne sont encore occupés, qu'à la détruire entièrement (86).

Quant à ceux qui en prennent la défense de tout leur pouvoir, ils doivent être regardés, comme les principaux, les seuls vrais et bons citoyens, de quelque ordre qu'ils soient (87). Il a toujours existé dans cette ville deux classes d'hommes, qui veulent également gouverner et dominer dans la république. Les uns se donnent pour populaires, les autres prétendent être les principaux et les bons citoyens. Les premiers ne s'attachent qu'à plaire à la multitude par leurs discours et par leurs actions; les seconds, qu'à mériter le suffrage de tous les gens de bien. Si l'on demande à quoi l'on peut reconnoître ceux-ci, si c'est à leurs principes, à leur profession, à leur conduite; je dirai d'abord, que quant à leur nombre, il est immense et composé de citoyens de toutes les classes. S'il en étoit autrement, il y a long-tems que nous n'existerions plus.

Mais pour les désigner d'une manière plus précise, j'ajouterai que ce sont tous ceux dont la vie est irréprochable, dont les mœurs sont douces; les inclinations honnêtes, et les affaires domestiques en bon état. Leur but est de maintenir ce que les citoyens ont de plus précieux et de plus desirable, leur dignitê et leur repos; et pour cela ils se croient obligés de défendre même au péril de leur vie, ce qu'ils regardent comme le fondement et les principales parties de la république, la religion, les auspices, le pouvoir des magistrats, l'autorité du sénat, les lois, les mœurs antiques, les jugemens, la jurisdiction, la bonne foi, les provinces, les alliés, la dignité de l'empire, la discipline militaire, les finances (88).

C'est en effet de toutes ces choses là, que dépendent notre bonheur et notre tranquillité. Les lois sont la source de la justice, la base de la liberté, l'esprit et l'ame d'une cité. Elle n'est plus sans elles, que comme un corps sans ame. Qui que nous soyons, magistrats, juges, et même simples citoyens, nous ne serons jamais libres, si nous ne commençons par être esclaves de la loi (89).

La liberté ne peut pas consister toujours à faire ce que l'on veut. Malheur à ceux qui croiroient que tout leur est permis! « Car vouloir ce qui ne convient point est une chose très-misérable; il est moins malheureux de ne point obtenir ce que l'on desire, que de desirer d'obtenir ce qu'il ne faut point (90) ». Celui-là seul vit à sa volonté, qui ne cherche que la justice, se plait uniquement dans son devoir; qui n'obéit pas seulement aux lois par crainte, mais les respecte et les révère encore, comme ce qu'il y a de plus salutaire parmi les hommes; qui ne dit, ne fait, ne pense même rien que librement et de son gré; qui enfin maître de ses desseins, comme de ses actions, indépendant de toute impulsion étrangère, et marchant toujours vers le même but, sait, s'il le faut, dominer la fortune même (91).

La liberté est le premier des biens non-seulement pour les hommes, mais pour les animaux mêmes. Il est en effet en nous un tel penchant à l'indépendance et à la domination, qu'un homme dont les inclinations naturelles ne sont point perverties, ne consentira jamais d'obéir à un autre, qu'autant qu'il sera convaincu de la légitimité, de la justice et des avantages de l'autorité qu'on exercera sur lui. Un pareil instinct se fait remarquer dans les animaux, que nous tenons renfermés, pour notre amusement. Bien que nous les nourrissions mieux que s'ils étoient libres, ils sont loin de se plaire dans cette contrainte ; « et ils ne laissent échapper aucune des occasions, qui se présentent, pour recouvrer leur liberté (92) ».

La servitude est donc le dernier des maux. Il n'est aucun danger auquel, on ne doive s'exposer, pour s'en délivrer(93). C'est la dégradation entière de l'homme, puisqu'elle consiste dans la soumission aveugle d'un esprit abattu, avili, et n'ayant plus aucune volonté, qui lui soit propre. Tel est sur-tout l'état des hommes légers, envieux, méchants, de tous ceux, en un mot, qui se laissent dominer par leurs passions. La liberté est-elle compatible avec une telle domination ? peut-elle exister dans un homme emporté, par exemple, et qui s'abandonne entièrement à sa colère (94)?

« La retrouvera-t-on davantage au milieu de la volupté, que Platon appelle avec tant de raison, l'appas et l'aliment de tous les maux. Qu'elle est en effet la maladie, l'altération quelconque des traits ou des parties du corps humain, quel est le dommage honteux, le déshonneur enfin, qui ne soient occasionnés ou attirés par la volupté? Plus ses mouvemens sont désordonnés, plus ils sont ennemis de la philosophie. Les plaisirs du corps ne sauroient se concilier avec aucune grande pensée. Car quel est celui qui dans les momens des plus grandes jouissances de la volupté, pourroit appliquer son esprit, faire usage de sa raison, penser en un mot à quelqu'autre chose? Quel est l'homme assez dépravé, pour desirer que nuit et jour sans aucun relâche, ses sens fussent remués comme ils le sont dans l'excès de la volupté? Quel est le sage qui n'aimât mieux que la nature eût refusé à l'homme une passion aussi funeste (95) »?

Toutes les autres passions sont également pernicieuses, lorsqu'on s'en laisse maîtriser. L'homme est alors le plus misérable de tous les êtres. «Car il n'est aucun de nous, qui ne préféra de mourir, plutôt que d'être transformé en bête, dussions-nous conserver notre raison; et combien n'est-on pas plus malheureux, d'avoir une ame féroce, sous une figure humaine (96) »?

Mais pour en revenir à notre sujet. Ceux qui ont la prétention de gouverner une république, doivent toujours avoir devant les yeux, deux préceptes de Platon; le premier, de mettre à l'écart dans leurs actions, tout intérêt particulier, pour ne s'occuper que du bien général; le second, de s'attacher à être utile au corps entier de la république, et non à une seule de ses parties. Car en favorisant une

une classe de citoyens, au préjudice des autres, ils excitent infailliblement dans la cité, deux choses très-pernicieuses, la sédition et la discorde (97).

« On ne peut se flatter de faire régner la concorde dans une république, que lorsque tout y est dirigé vers le bien commun; et qu'il y existe une égalité, qui seule en affermit la constitution, et de laquelle des hommes libres ne peuvent se passer long-tems (98) ». L'égalité fut toujours le but des bonnes institutions (99). Le droit civil ne fut même établi, que pour la maintenir dans les affaires et les différends, que les citoyens ont entr'eux (100). La justice n'est que l'égalité, donnant à chacun ce qui lui est dû, suivant sa dignité et son mérite (101).

Les hommes portent naturellement envie à leurs égaux ou à leurs inférieurs, lorsqu'ils les voient s'élever au-dessus d'eux. Ils éprouvent ce sentiment d'une manière plus forte encore, quand ceux, qui leur sont supérieurs, se conduisent avec trop d'ostentation, et s'écartent trop de l'égalité commune, par leur fortune ou par leur mérite (102). Car la supériorité leur est insuportable, dans la vertu même. Héraclite le physicien vouloit qu'on condamna à mort tous les Ephésiens, pour avoir dit en exilant Hermodore, un de leurs principaux citoyens: *Qu'aucun de nous ne surpasse les autres; autrement qu'il s'en aille dans un autre lieu.* Ne retrouve-t-on pas la même manière de penser chez tous les peuples? Aristide (j'aime mieux citer les exemples des Grecs que les nôtres), ne fut-il pas exilé, pour cela seul qu'il étoit juste à l'excès (103)?

Le vrai moyen de maintenir l'égalité est de faire en sorte que, par l'équité des lois et des jugemens, chacun conserve ce qui lui appartient; que les foibles soient à l'abri de l'oppression, et les riches des efforts de l'envie, qui cherche à les dépouiller (104) Que seroient la justice et l'égalité, si l'on parvenoit à s'élever au-dessus de tous les autres, à les asservir à ses volontés, et à ne reconnoître ni les même lois, ni le même droit? Telles sont cependant les prétentions de ces factieux, qui se montrent si souvent dans la république, et qui, en prenant des formes populaires, n'ont dans le fond d'autre objet que d'amasser de grandes richesses, et de dominer par la force sur les autres, dont ils ne veulent pas être les égaux, sous la protection des lois (105).

L'avarice est un des vices les plus redoutables, dans ceux principalement, qui sont à la tête d'une république. Ce que disoit l'Oracle d'Apollon, que Sparte ne périroit. que par l'avarice, peut s'appliquer non-seulement à cette ville, mais encore à tous les peuples, chez qui les richesses tiennent le premier rang (106). Elles furent la cause de la ruine de Carthage, si puissante sur terre et sur mer, et qui maîtresse des deux Espagnes, fut si long-tems la terreur de cet empire. «Elle n'auroit pas résisté six cents ans à leur funeste influence, si elle n'avoit eu d'ailleurs une excellente constitution (107) ».

De combien de fléaux n'avons-nous pas été affligés, depuis que C. Gracchus, ayant l'air de prendre dans ses discours la défense du trésor public , l'épuisoit réellement par ses dissipations, « en distribuant au peuple et son propre bien, et celui d'autrui (108) »? Il vouloit dominer par ce moyen, comme avoit fait son frère. Les funestes présages que l'on avoit tirés de son tribunat, ne se sont que trop vérifiés. Le mal presqu'insensible dans son principe, s'étend avec rapidité, lorsque la corruption qu'il a introduite, en favorise les progrès (109). On vit ce tribun factieux porter l'audace «jusques à attaquer le grand Scipion (110)». Mais à quoi sert de rappeller des choses si connues? Imitons plutôt le sage nautonnier, « qui lorsque la mer vient à se courroucer », cherche à se mettre à l'abri dans quelque port ; voyons comment par le secours des lois, on peut parvenir à dompter les passions, et à les empêcher de nous devenir funestes (111).

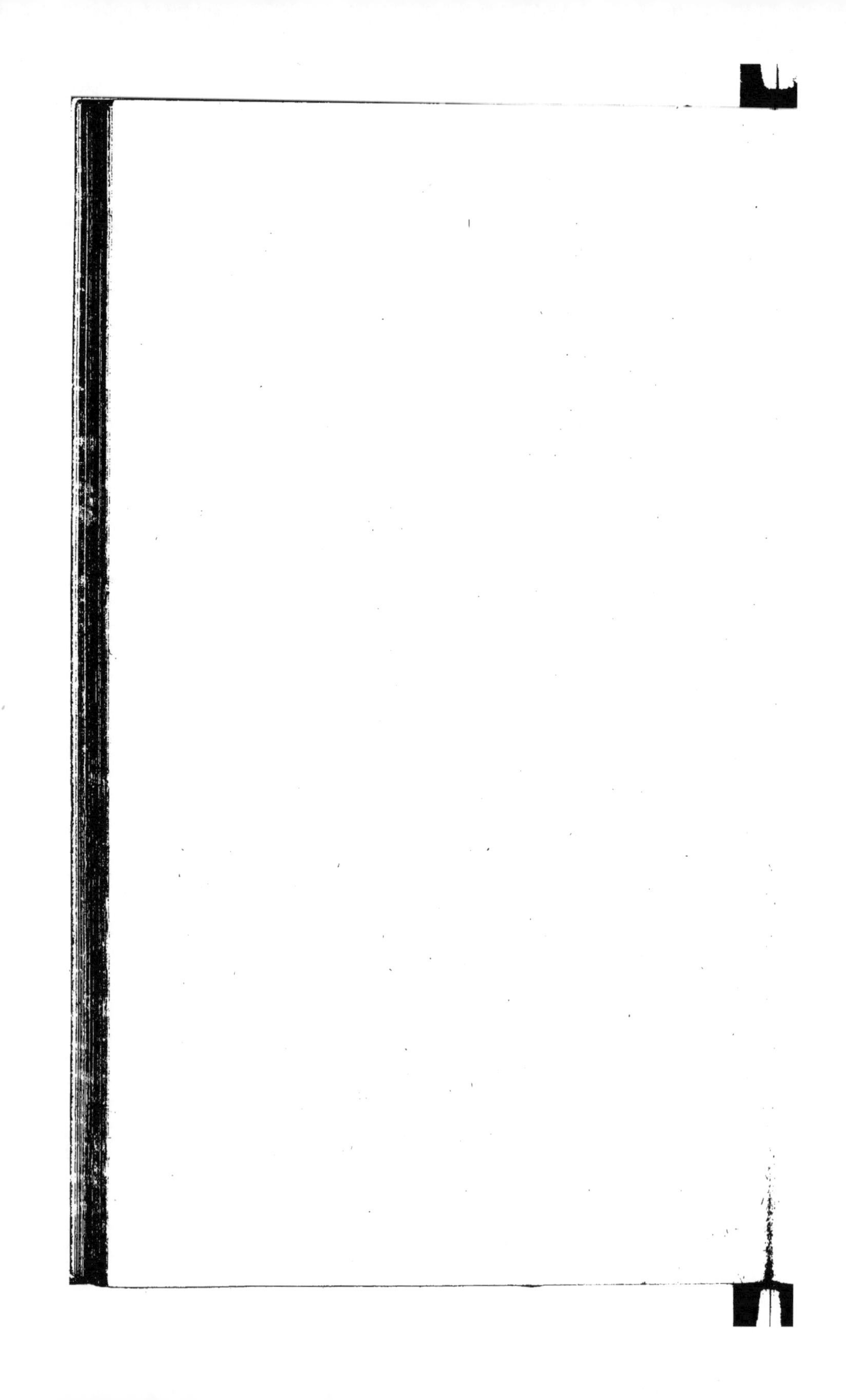

LIVRE II.

SOMMAIRE

Division de l'ame suivant Pythagore et Platon. Des effets des passions. Nécessité des lois pour les contenir. Origine de la société et des gouvernemens. De leurs diverses espèces; de la royauté, de l'aristocratie et de la democratie. Inconveniens de la dernière. Le meilleur gouvernement est celui qui réunit les trois espèces. Nature de celui de Rome et des pouvoirs qui le composoient. Noblesse. Tribuns. Comices bien réglés. Du scrutin. De la justice.

PYTHAGORE, et après lui Platon, divisent l'ame en deux parties, dont l'une participe à la raison, et l'autre en est entièrement dépourvue. Ils supposent la première toujours tranquille, et dans un état calme et constant. Ils placent dans la seconde les mouvemens désordonnés, soit de la colère, soit de la cupidité, toujours contraires et opposés à la raison (1). « L'on remarque en effet dans tous les hommes, quelque chose de remuant, qui fait que tantôt ils sont exaltés par le plaisir, tantôt abattus par l'inquiétude (2) ». Le desir vain et immodéré des richesses, de la gloire, de la domination, de la volupté, forme la principale maladie de l'ame. C'est de-là que naissent les haines, les dissentions, les discordes, les séditions, les guerres, qui détruisent non-seulement de simples particuliers, mais encore des familles entières, et bouleversent les républiques. Ce n'est pas seulement par leur effet extérieur, et en se portant sur autrui, par une impulsion aveugle, que ces passions se manifestent; elles se livrent encore une guerre intestine dans le cœur, qui les renferme, et remplissent nécessairement la vie d'amertume (3).

« Quel être plus malheureux qu'un homme en proie à la tristesse, à l'ennui, à l'inquiétude, cherchant sans cesse à se tourmenter »? Chaque passion trouble l'âme à sa manière. Mais le chagrin a quelque chose de plus poignant. C'est un supplice, qui la déchire, la ronge et la dévore (4). « Qu'y-a-t-il encore de plus à plaindre, que ceux, qui sont atterrés par la peur et la lâcheté (5) »?

La tempérance ne peut plus être là, où règne l'amour du plaisir, ni la vertu exister, « dans celui qui s'abandonne à la débauche, et qui aime à se vautrer dans la plus sale volupté (6) ». Ennius dit que la colère est le commencement de la folie. Rien en effet n'y ressemble davantage. La couleur, la voix, les yeux d'un homme que la colère agite, tout annonce qu'il n'est point dans son assiette naturelle. En attendant qu'il soit remis, on est obligé d'ôter de devant ses yeux, les personnes à qui il en veut. Qu'il est terrible encore dans sa maison, pour sa femme, ses enfans, sa famille! Combien est admirable «Archytas de Tarente, qui, au retour d'un voyage, trouvant dans sa campagne les choses tout autrement qu'elles ne devoient être, dit à son fermier : *Comme je te traiterois, si je n'étois point en colère* (7)»!

L'homme donc qui enflammé par ses desirs, se porte vers tous les objets, avec une ardeur et une rage, que la jouissance irrite encore davantage, ressemble, suivant moi, «à un cocher malhabile, qui est renversé de son char, et qui en est écrasé et déchiré (8)». Il est donc nécessaire à notre bonheur, que nous nous attachions à contenir et à calmer nos passions, et à faire en sorte que la raison souveraine, qui, lorsqu'elle est entièrement développée, est la vertu dans sa perfection, commande à cette partie de l'ame, qui est faite pour obéir (9). Nous avons déjà montré dans les Tusculanes l'usage que l'on pouvoit faire de la philosophie, pour corriger les défauts et les vices (10). Il est question aujourd'hui d'apprendre d'elle, à mettre un frein à nos desirs, à soumettre nos passions à l'autorité et à la direction des lois; et comment, en défendant ce qui nous appartient, nous devons écarter non-seulement nos mains, mais encore nos regards et nos pensées, de ce qui appartient à autrui (11).

Quand je parle des lois, je n'entends autre chose, que l'autorité suprême sans laquelle, ni une famille, ni une cité, ni une nation, ni le genre humain, ni la nature entière, ni le monde ne sauroient subsister. Car le monde obéit à Dieu; au monde sont soumis les terres et les mers; et la vie des hommes est réglée, par les dispositions d'une loi souveraine (12).

Il fut un tems, où les hommes ne connoissant encore ni le droit naturel ni le droit civil, vivoient répandus et dispersés dans les champs, n'ayant d'autres moyens de subsister, que ce qu'ils pouvoient arracher ou conserver, par le meurtre ou par la violence. Les premiers qui parmi eux se distinguèrent par leur vertu et par leur sagesse, ayant apperçu la docilité et le caractére de l'espèce humaine, la tirèrent de cet état sauvage, en l'amenant à un genre de vie plus doux et plus juste, et en réunissant en un seul lieu, ceux qui vivoient auparavant isolés. Alors celui qui dominoit par la force, voulut bien renoncer à cet avantage, et se soumettre à des lois qui le mettoient de pair avec les plus foibles, et abandonner ainsi volontairement l'habitude, où il étoit de se faire justice lui-même; habitude très-agréable, et que son ancienneté faisoit regarder, comme une loi de la nature. Alors encore naquit le droit divin et humain; sous ses auspices se formèrent ces républiques établies pour l'intérêt général; ces réunions d'hommes auxquelles on a donné le nom de cités; on bâtit et on entoura de murs ces assemblages de maisons, que nous appellons villes. C'est le droit ou la force qui fait toute la différence entre l'état sauvage et barbare, et l'état policé et humain. Il faut nécessairement que l'un ou l'autre gouverne les hommes. S'ils veulent réprimer la force, il faut donner à la loi la plus grande vigueur ; si la loi est détruite ou est sans force, la violence dominera immanquablement (13).

Il faut donc nécessairement des magistrats, sans les soins et la prudence desquels une cité ne sauroit subsister. Leurs fonctions sont de prescrire ce qui est juste, utile et conforme aux lois. Car de même que les lois dirigent le magistrat, celui-ci dirigera le peuple; et l'on peut dire avec raison, que si le magistrat est une loi parlante, la loi est aussi un magistrat muet (14). C'est la composition de la magistrature d'une république, qui détermine la nature de son gouvernement (15). La philosophie et Platon nous apprennent, que les gouvernemens sont naturellement sujets à des révolutions, de façon que tantôt ils sont régis par les principaux citoyens, tantôt par le peuple en corps, tantôt ils se trouvent dans les mains d'un seul (16). Ce sont là les trois principales espèces de gouvernement.

Tous les anciens peuples obéirent d'abord à des rois, qu'ils choisirent parmi les hommes les plus recommandables, par leur justice et par leur sagesse. Car ce ne fut pas uniquement chez les Mèdes, comme le dit Hérodote, mais encore chez nos ancêtres, que pour faire observer la justice, on établit autrefois des rois vertueux. Car, comme la multitude étoit opprimée par les hommes puissans, on avoit recours à quelque personnage recommandable par sa vertu, qui en faisant régner la justice, et en prenant la défense des foibles, les rendoit par ce moyen les égaux des plus forts. Quelquefois l'autorité confiée à ces rois passoit à leurs descendans; et c'est ce qui se pratique aujourd'hui, dans toutes les monarchies, que nous connoissons.

La même cause qui avoit fait établir la royauté, donna naissance au gouvernement républicain. C'étoit toujours l'égalité sans laquelle, le droit que l'on avoit en vue ne pouvoit exister. S'il étoit possible de se la procurer par le secours d'un homme juste et vertueux, on s'en contentoit. Mais lorsqu'il ne répondoit point aux espérances que l'on en avoit conçues, alors on recouroit aux lois, qui n'avoient qu'un même langage, pour tous les citoyens. D'où il résulte évidemment, qu'on choisissoit pour gouverner, ceux de la justice desquels le peuple avoit une grande idée (17). Platon, si distingué par la beauté de son génie et l'étendue de son savoir, pensoit donc avec raison, qu'un état ne pouvoit être heureux, qu'autant qu'il étoit dirigé par des hommes sages et éclairés, ou qui mettoient tous leurs soins à acquérir les lumières et la sagesse nécessaires, pour bien remplir leurs fonctions. Il attendoit pour le bien public, les plus heureux résultats, de cette réunion de l'autorité et de la sagesse (18).

Le meilleur gouvernement est donc celui qui est entre les mains des principaux citoyens. Le peuple a besoin, pour se bien conduire, d'être assisté de leurs lumières, et dirigé par leur autorité. Qui mieux qu'eux pourra prononcer, quand il sera question de décider qu'elle est la meilleure forme de gouvernement; quelles sont les mœurs et les lois utiles ou funestes (19)? Ce qu'il y a de plus vicieux dans une multitude, ignorante et grossière, je veux dire la légéreté, l'inconstance, et une variété dans les opinions aussi fréquente que celle du tems, n'est pas à craindre, dans une réunion composée de gens

graves

graves et sages, que les lumières et l'expérience préservent de la mobilité, et dont les opinions sont dirigées par des règles fixes et certaines, par l'autorité des exemples et des anciens monumens (20).

La sage Athènes n'a maintenu si long-tems sa constitution primitive, qu'en suivant les conseils de l'aréopage, établi par Solon son législateur (21). Tant que les lois de Licurgue ont été observées, Lacédémone a brillé par son courage; et sa police s'est soutenue dans toute sa vigueur. Seule, dans tout l'univers, elle a su pendant sept cents ans conserver ses mœurs, et ne varier jamais dans ses lois. Lycurgue les avoit fait approuver par Apollon, et avoit placé la principale autorité, dans un sénat composé uniquement de vieillards (22).

Je ne dois pas oublier Marseille qui par la sagesse de son gouvernement, mérite, suivant moi, la préférence, non-seulement sur la Grèce, mais encore sur tous les peuples connus. Car quoique, séparée des autres Grecs par un si grand intervalle, différent d'eux et par ses mœurs et par son langage, et placée dans un lieu écarté, au milieu des Gaulois, elle soit pour ainsi dire battue des flots de la Barbarie, cependant elle est si bien gouvernée par le conseil de ses principaux citoyens, qu'il est plus aisé de louer ses institutions, que de les imiter (23.)

Un gouvernement purement populaire, ne m'a donc jamais plu (24). Le peuple dans ses assemblées ne juge point; il se laisse presque toujours entrainer à la faveur. Il cède aux prières, il favorise celui qui le flatte davantage. S'il veut juger, ce n'est point la sagesse ou le discernement qui le dirige, mais une impulsion aveugle et une espèce de témérité. Car il n'y a dans le vulgaire, ni prévoyance, ni raison, ni prudence, ni discernement (25). Il n'y a rien de si inconsistant, de si foible, de si variable, de si flexible, que sa volonté et son opinion. On le voit tour-à-tour s'indigner contre le vice, et montrer du dégoût pour la vertu. Il s'irrite et se calme avec la même facilité (26).

Quel est le détroit, quel est l'euripe qui présente des flux et des reflux aussi fréquens et aussi variés, que les mouvemens des assemblées populaires? Dans nos comices, un jour ou une nuit d'intervalle dérange tous les projets, et le bruit le plus léger fait changer toutes les opinions. Souvent, sans aucune cause apparente, il arrive si bien l'opposé de ce que l'on attendoit, que le peuple en est lui-même surpris, tout comme si ce n'étoit pas son ouvrage. De même que les orages sont souvent précédés de signes, qui les annoncent, et que d'autrefois ils arrivent subitement, ainsi tantôt on apperçoit la cause des résolutions populaires, tantôt elles paroissent être l'effet du hasard (27).

Dans cette ville, où il règne un si bel

ordre, où les jugemens sont si bien réglés, où l'on trouve tant de magistrats et d'excellens citoyens, où la surveillance du sénat prévient tant d'écarts, en rappellant chacun à son devoir, quelles agitations ne voyons-nous cependant pas, dans les assemblées publiques (28)? Que ne doit-il pas arriver dans celles, où des furies déchaînées semblent venir assister aux funérailles de la république? Où les décrets se rendent sans discussions, sans être précédés d'aucun serment, et sont exprimés en levant la main et par les cris tumultueux d'une populace séduite, ou égarée (29)? Qui ignore l'effet que peut produire dans une pareille assemblée, une harangue séditieuse (30)?

C'est cependant par la témérité des assemblées de cette espèce, que les républiques de la Grèce, sont encore aujourd'hui gouvernées. Il est inutile d'en parler vu l'état pitoyable, où elles se trouvent. Mais cette ancienne Grèce, qui brilla tant autrefois par ses richesses, sa gloire, l'étendue de son empire, ne périt que par la liberté immodérée et la licence de ses assemblées. Lorsque des hommes grossiers sans lumières et sans expérience, venoient prendre place dans un théâtre, et y prononcer sur les affaires publiques; on les voyoit entreprendre des guerres inutiles, mettre des factieux à la tête de la république, et en exiler les meilleurs citoyens. Si cela arrivoit presque toujours à Athènes, qui l'emportoit par ses lumières, non-seulement sur les Grecs, mais encore sur tous les autres peuples, que ne devoit-on pas faire, dans le reste de la Grèce (31)?

Les chefs des factions parmi les Grecs sont encore aujourd'hui, des hommes vils, qui n'ont d'autre talent, que celui de parler beaucoup, et qui sont souvent notés par les jugemens les plus infâmes. Ils écartent des délibérations publiques, les hommes riches et prudens, en les intimidant, par des dénonciations. Ils gagnent les indigens et les gens frivoles par les largesses, par les services qu'ils leur rendent, ou les promesses qu'ils leur font. Ils sont par ces moyens les maîtres des ouvriers et de toute la lie des cités, qu'ils agitent à leur gré, et à qui ils font approuver tout ce qu'ils proposent. Les décrets naissent alors, mais ce n'est plus l'expression de la volonté de tous les citoyens, ce n'est que celle de la témérité du vulgaire, de la voix et du fracas des gens sans expériences, des mouvemens désordonnés de la plus légère des nations (32). C'est donc avec raison que les sages ont dit, qu'il falloit supporter ce que le peuple faisoit, mais qu'on ne devoit pas toujours le louer. Chrysippe et Diogènes prétendoient même, que, toute utilité mise à l'écart, le suffrage du peuple ne valoit pas la peine, que l'on étendit le doigt, pour se le procurer (33). S'il y avoit en effet dans une cité seulement dix hommes bons, sages et justes, qui jugeassent quelqu'un indigne d'un emploi, ce jugement me paroîtroit d'un bien plus grand poids, que s'il étoit rendu par le peuple en corps. Il est en effet un très-mauvais juge du mérite de chacun, parce qu'il n'est jamais dirigé que par la faveur ou par l'envie. On ne doit donc ni desirer la renommée qu'il donne, ni craindre l'oubli auquel il condamne. Quoi de plus insensé, que de faire cas en masse, de ceux que l'on méprise en détail, comme des hommes grossiers et des mercenaires (34)?

Ces inconvéniens du gouvernement populaire, que les sages ont apperçus, ont été sans doute la cause, que dans les plans qu'ils ont donnés d'un bon gouvernement, ils ont desiré, pour qu'il se distinguat de tous les autres, par sa durée et par sa solidité, qu'on y fit entrer quelque chose des trois espèces, que nous avons distinguées ci-dessus, et que les autorités qu'on y établiroit se balançassent mutuellement, sans se contrarier (35). C'étoit ce qu'avoit fait Lycurgue à Sparte, où, indépendamment des assemblées populaires et du sénat, dont nous avons déjà parlé, il établit deux rois (36). « Je conclus donc avec Platon que la meilleure forme de gouvernement, est celle qui offre l'heureux alliage, de la royauté, de l'aristocratie et de la démocratie, et qui ne rend pas les ames dures et féroces par la sévérité de ses lois, ni ne corrompt point les citoyens par la licence et par l'impunité (37) »

Tel étoit à-peu-près notre ancien gouvernement ; et comme mon but est de prouver, que c'est le meilleur qui ait jamais existé, il est nécessaire que j'entre ici dans quelques détails, sur la nature des institutions de nos ancêtres, de la police et de la discipline de notre cité (38).

Deux magistrats qu'on appelle indifféremment préteurs, juges, consuls, sont à la tête de la république avec une puissance vraiment royale. Ils ont dans le militaire une autorité suprême et sans appel. Ils ne reconnoissent point de supérieurs (39). Après l'expulsion des rois, il plut à nos ancêtres d'établir un magistrat, auquel tous les autres seroient soumis. Car en expulsant les rois, leur intention ne fut pas de n'obéir plus à personne, mais seulement de ne pas toujours obéir au même; et comme le gouvernement royal, qu'on avoit d'abord adopté, fut anéanti, moins pour ses propres défauts, que pour les vices de ceux à qui il étoit confié; ce fut le nom seul de roi, que l'on rejetta: la chose resta, du moment qu'il y eut un magistrat, qui eut le droit de commander à tous les autres (40).

Le peuple a ensuite donné au sénat une autorité, dont ce corps respectable se sert, comme des rênes, pour le conduire (41). Le sénat est de cette façon le conseil perpétuel, et le gardien de la république. C'est le choix du peuple, qui y donne entrée, et l'accès en est ouvert aux talens et aux vertus de tous les citoyens. Les sénateurs occupent ainsi le premier rang, par les bienfaits du peuple romain. Mais de combien de commodités ne sont-ils pas privés; à quelles fonctions pénibles et fâcheuses ne sont-ils pas assujettis? Cet ordre ne semble avoir été placé si haut, que pour être exposé davantage à tous les orages de l'envie. Les autres ordres sont exempts de ces désagrémens. On a tâché de les compenser par les honneurs, et par cette espèce de grandeur qui suit par-tout un sénateur (42).

« Tous les gens de bien favorisent dailleurs la noblesse, qui n'est autre chose chez nous que la vertu bien constatée (43) ». L'on est persuadé, qu'il est utile à la république, que les nobles se montrent dignes de leurs ancêtres, et que la mémoire des hommes illustres, qui ont bien mérité de la patrie, soit en vénération même après leur mort. Jamais la noblesse pure et sans tache n'a souffert de rebut de la part du peuple romain, lorsqu'elle s'est montrée modeste et suppliante; tandis que les hommes nouveaux ne sont parvenus aux dignités, qu'après de longues et pénibles épreuves, et long-tems après avoir passé l'âge, auquel la loi leur permettoit d'y atteindre (44). La clientèle unissoit en quelque sorte la noblesse avec les ordres inférieurs. Dans les beaux tems de la république, les plus grands hommes de notre cité regardoient comme un devoir, glorieux et indispensable pour eux, de prendre sous leur protection, la personne et la fortune de leurs cliens (45).

Mais de-même qu'à Lacédémone Théopompe opposa les éphores aux rois, on opposa parmi nous les tribuns aux consuls. Ce fut une grande atteinte que l'on porta à l'autorité de ces derniers; car non-seulement les tribuns ne leur furent pas subordonnés comme les autres magistrats, mais au contraire ils prétèrent souvent main-forte non-seulement aux magistrats inférieurs, mais encore aux particuliers, qui refusoient d'obéir aux consuls. Cet établissement fit décheoir la puissance des grands et prévaloir celle de la multitude. Il a trouvé bien des censeurs. On lui a reproché d'être né au milieu des troubles et des séditions, et d'avoir contribué à en exciter d'autres. Il priva, dit-on, le sénat de tous ses honneurs, troubla et confondit tout, en égalant ce qu'il y avoit de plus bas, à ce qui existoit de plus grand. Après avoir détruit l'influence des principaux, il n'en fut pas pour cela plus paisible. Pour ne pas parler des faits anciens, quelle autorité le tribunat de T. Gracchus laissa-t-il aux gens de bien? Cinq ans auparavant ne vit-on pas le plus vil et le plus méprisable des hommes, le tribun C. Curatius, faire traduire enprison (chose qu'on avoit pas vue auparavant), les consuls D. Brutus et P. Scipion, ces personnages si respectables?

C. Gracchus ne bouleversa-t-il pas entièrement la république, par les semences de discorde qu'il jetta parmi les citoyens? Que dirai-je du supplice de Saturnin et des autres, dont la république ne put se débarrasser que par la force? L'on ne peut donc que louer Sylla, de ce qu'en laissant aux tribuns, la puissance nécessaire pour faire le bien, il leur ôta le pouvoir de faire le mal; et Pompée qui le leur rendit, ne mérite assurément aucun éloge à ce sujet (46).

Quelques spécieux que soient ces reproches, il y a cependant de l'injustice à taire les avantages d'une chose, et à n'en montrer que les vices et les inconvéniens. Il seroit aisé de dénigrer ainsi le consulat, en recueillant, ce que je suis loin d'entreprendre, les fautes des consuls. L'autorité des tribuns est sans doute excessive; personne ne le nie. Mais la force du peuple est bien plus violente et bien plus redoutable, si elle marche à l'aveugle et sans un chef, qui la dirige. Quand elle en a un, qui pense qu'il sera responsable des évènemens, elle est plus avisée, et plus facile à se calmer. Mais un tribun s'irrite quelquefois; il s'appaise de même. Fut-il un collége assez mal composé, pour que sur dix membres, il n'y en eut au moins un de sensé et de raisonnable? T. Gracchus dont on parle, ne se perdit-il pas, pour vouloir ôter à un de ses collégues le droit d'opposition? Qu'on remarque ici la sagesse de nos ancêtres; dès que le tribunat eut été accordé au peuple, les troubles qui existoient alors se calmèrent. Ce fut le seul expédient, que l'on trouva pour sauver la république, en faisant accroire aux plus petits, qu'ils devenoient par le moyèn du tribunat, les égaux des plus grands. D'ailleurs, si vous en exceptez les Gracques, vous ne trouverez aucun tribun, qui ait été pernicieux à la république, malgré l'esprit léger et turbulent de quelques-uns. Par l'établissement des tribuns, le premier ordre a été à l'abri de l'envie, et le peuple n'a plus de lui-même suscité des contestations dangereuses (47). Peut-on d'ailleurs contester l'utilité de leur droit d'opposition, en plusieurs occasions ? Ne vaut-il pas mieux encore qu'on s'oppose à une bonne chose, que d'en laisser passer une mauvaise (48) ?

Enfin il falloit, ou ne pas chasser les rois, ou accorder au peuple une liberté réelle, et non en paroles seulement. Les concessions qu'on lui a faites n'ont pas empêché, qu'il n'ait montré de la déférence pour les hommes qui la méritoient, et qu'il n'ait cédé, quand il le falloit, à leur autorité. Pompée fit sans doute moins ce qui étoit le mieux, que ce que les circonstances exigeoient. Il vit bien qu'on ne pouvoit refuser plus long-tems au peuple le rétablissement des prérogatives du tribunat. Car l'ayant demandé avec tant d'ardeur, avant de le connoître, pouvoit-il s'en passer après l'avoir connu ? Il étoit d'un homme sage de ne pas laisser aux citoyens populaires, un prétexte si plausible d'exciter de nouveaux troubles (49).

Mais reprenons notre sujet. Tous les pouvoirs, toutes les autorités, toutes les magistratures dérivent du peuple. Les jugemens sont encore en sa puissance, par l'appel qu'on est en droit de lui porter. Cet appel est le conservateur de la cité et la sauvegarde de la liberté. Il existoit sous les rois même, ainsi que nous l'avons dit plus haut. Telle a été la prévoyance de nos ancêtres, que dans le tems, où l'on ne connoissoit pas encore les tribuns du peuple, et où l'on ne songeoit pas même à eux, ils ne voulurent point que l'on pût faire des lois contre des personnes privées (ce qu'on appelle privilège, la plus injuste des inventions). Car la force de la loi étant telle qu'elle doit concerner tout le monde, il ne fut pas permis de rien proposer contre un simple citoyen, ni de rendre un jugement capital contre

lui

lui, que dans les comices par centuries. Les lois sacrées et celles des XII tables établirent cette sage disposition (51).

C'étoient là des coutumes et des règles bien belles et bien utiles, que nos ancêtres nous avoient transmises, et qui, je ne sais comment, sont sur le point de nous échapper. Ces hommes si sages et si vertueux n'accordoient aucune autorité aux assemblées confuses et tumultueuses du peuple. Ils pensoient que sa véritable volonté ne pouvoit bien se manifester, que dans des assemblées régulières, où les citoyens classés suivant leur rang, leur âge et leur fortune, distribués par tribus ou par centuries prononceroient en connoissance de cause, après avoir oui à diverses reprises les auteurs et les contradicteurs des lois, qu'on leur proposoit, et qui étoient d'ailleurs affichées publiquement, plusieurs jours avant la discussion (52). Malgré ces précautions, l'autorité du sénat fut telle dans le principe, que les délibérations populaires n'étoient valables qu'autant qu'il les avoit confirmées. La loi *Moenia* lui enleva cette prérogative, en l'obligeant de donner son approbation, avant que le peuple eut porté son suffrage (53).

De plus, il n'étoit pas permis de tenir les comices lorsqu'il tonnòit ou qu'il faisoit des éclairs. Cela fut établi pour l'avantage de la république. Car on vouloit avoir des prétextes ou pour ne pas tenir, ou pour rompre les comices. Les principaux de la ville, qui étoient les maîtres des auspices, devenoïent par-là, en quelque sorte les arbitres des assemblées, que le peuple tenoit soit pour juger, soit pour faire des lois, soit pour élire les magistrats. Ils pouvoient les rompre à leur gré ou les retarder, et souvent ils s'étoient servis de ce moyen, pour réprimer l'aveugle impétuosité du peuple (54). Enfin les affranchis qui dabord bornés aux tribus de la ville, s'étoient ensuite répandus dans celles de la campagne, et mettoient le trouble et la confusion dans les comices, furent de nouveau incorporés dans les tribus de la ville, par T. Sempronius Gracchus; opération qui sauva pour-lors la république (55).

Il reste un article très-difficile et sur lequel on a long-tems contesté, savoir s'il valoit mieux donner les suffrages par scrutin ou de vive voix, soit dans l'élection des magistrats, soit dans les jugemens, soit dans la confection des lois. La dernière méthode me plairoit davantage. Mais elle n'est peut-être pas toujours praticable. Le scrutin qui cache l'intention et donne au peuple la liberté de faire ce qu'il veut, est infiniment de son goût. Mais il n'est pas de celui des grands; ceux-ci craignent dans les jugemens, qui les concernent, la témérité de la multitude, et la liberté démésurée, que le scrutin lui laisse. Le scrutin détruit d'ailleurs leur influence, et le peuple ne l'a desiré, que pour se délivrer de leur oppression.

L'on peut cependant dire que le peuple satisfait d'avoir le droit de faire quelque chose, n'en a presque jamais abusé; et l'on voit des jugemens plus sévères rendus contre des hommes très-puissans, lorsque les suffrages se donnoient de vive voix, que lorsqu'ils se sont donnés au scrutin. Il eut été néanmoins à desirer, que l'on eut trouvé un moyen de diminuer l'influence des grands sur les suffrages, autre que celui du scrutin, qui est pour le peuple une espèce de caverne, où il cache aux yeux de tous, un suffrage souvent honteux. Aussi parmi tous ceux, qui ont le plus contribué à faire adopter cet usage, ne trouve-t-on aucun bon citoyen (56).

Telle est la forme admirable que nos ancêtres avoient donnée à la république; forme, que je juge préférable à toutes les autres (57). Elle reposoit sur deux bases principales, l'autorité du sénat et la concorde de tous les ordres (58). Ces bases, on ne pouvoit les maintenir, qu'en établissant, comme l'on fit, une balance si juste, entre la souveraine autorité du peuple et le pouvoir du sénat, que la force législative fut d'un côté et le conseil de l'autre; c'est-à-dire, que le pouvoir du peuple fut réglé par l'influence du sénat (59). « Car de même que dans le jeu des instrumens soit à vent, soit à cordes, ou dans les parties chantantes, on forme un concert avec des sons distincts, et dont les dissonances affectent désagréablement les oreilles exercées; et que ce concert quoique composé d'un mélange de voix très-différentes, ne laisse pas d'être harmonieux et agréable; de même une cité se compose de l'accord de parties dissemblables, de la réunion des ordres supérieurs, intermédiaires et inférieurs, qui sont entr'eux comme les intervalles dans la musique; et ce que les musiciens appellent harmonie dans le chant, est la concorde dans une cité. C'est le plus sûr garant de sa tranquillité et de sa durée. Mais cette concorde ne sauroit exister sans la justice (60) ».

La justice est la première et la reine des vertus ; elle les renferme pour ainsi dire toutes. Car la justice ne consistant, comme nous l'avons déjà dit, qu'à rendre à chacun, ce qui lui est dû, selon son mérite, elle maintient ainsi d'une manière aussi équitable que merveilleuse, la société et les liens, qui unissent les hommes entr'eux. La piété, la bonté, la douceur, la libéralité, la bienfaisance en sont une suite nécessaire. Les hommes ayant un penchant naturel et inné à vivre ensemble, toutes les vertus doivent se rapporter à cette affection mutuelle, qui les rapproche; et la justice qui, dans la pratique dirige les autres vertus, se confond nécessairement avec elles. Il n'y a en effet de vraiment juste, qu'un homme sage et généreux (61).

« Tel est un des caractères particuliers de la justice; plus que les autres vertus, elle s'étend et s'applique à l'avantage d'autrui. Elle se montre avec plus d'éclat, et est pour ainsi dire, toute en dehors (62) ». Sa force est telle que même ceux qui ne vivent que de crimes, ne peuvent exister, sans quelque étincelle de justice. En effet, les brigands n'autorisent point les vols qui se feroient parmi eux; et un chef de pirates, qui ne partageroit pas également le butin avec ses compagnons, bientôt seroit tué ou abandonné. Si tel est le pouvoir de la justice, qu'elle seule affermit les sociétés des brigands, quel effet ne doit-elle pas produire dans les républiques, où il y a des lois, des jugemens et de institutions (63) ?

Les bons effets de la justice se remarquent encore mieux, par les maux que cause le vice qui y est opposé, je veux dire l'injustice, « qui se repait de sang, et se plait tellement à le répandre, que le carnage le plus affreux a de la peine à la satisfaire ». La cruauté ne peut cependant jamais être utile, et rien n'est plus contraire à cette nature de l'homme, qui doit nous servir de guide (64). Mais, ô déplorable condition de l'humanité! s'il est d'un côté incontestable, que la réunion des hommes entre eux, leur rapporte de grands avantages, il ne l'est pas moins de l'autre, qu'il n'est aucune espèce de maux, qu'ils ne se causent mutuellement. Il y a un ouvrage de Dicéarque fameux péripatéticien, sur les causes de la destruction de l'espèce humaine, où après avoir recueilli toutes celles qui proviennent des déluges, des ravages de la peste et des autres maladies contagieuses, même de l'irruption imprévue d'une multitude d'animaux, et après les avoir comparées à celles qui naissent de la violence des hommes eux-mêmes, c'est-à-dire, des guerres et des séditions; il trouve que ces dernières seules, leur ont fait plus de mal, que toutes les autres ensemble. Dès-qu'il est convenu que les hommes peuvent se servir ou se nuire extrêmement, le but des lois doit être de les porter à s'aider réciproquement, en maintenant la concorde parmi eux, par le secours de la justice (65). « Mais afin de répondre à Carnéades, qui pour montrer la subtilité de son esprit, sembloit se jouer des meilleures causes, il faut que je parle plus amplement de la justice, et que je traite à fond, ce qui la concerne. Je ne continuerai donc point à parler de la république, avant d'avoir prouvé, qu'il est non-seulement faux, qu'elle ne peut exister sans injustice, mais encore qu'il est très-vrai, qu'elle ne sauroit être bien gouvernée, sans la justice la plus rigoureuse (66) ».

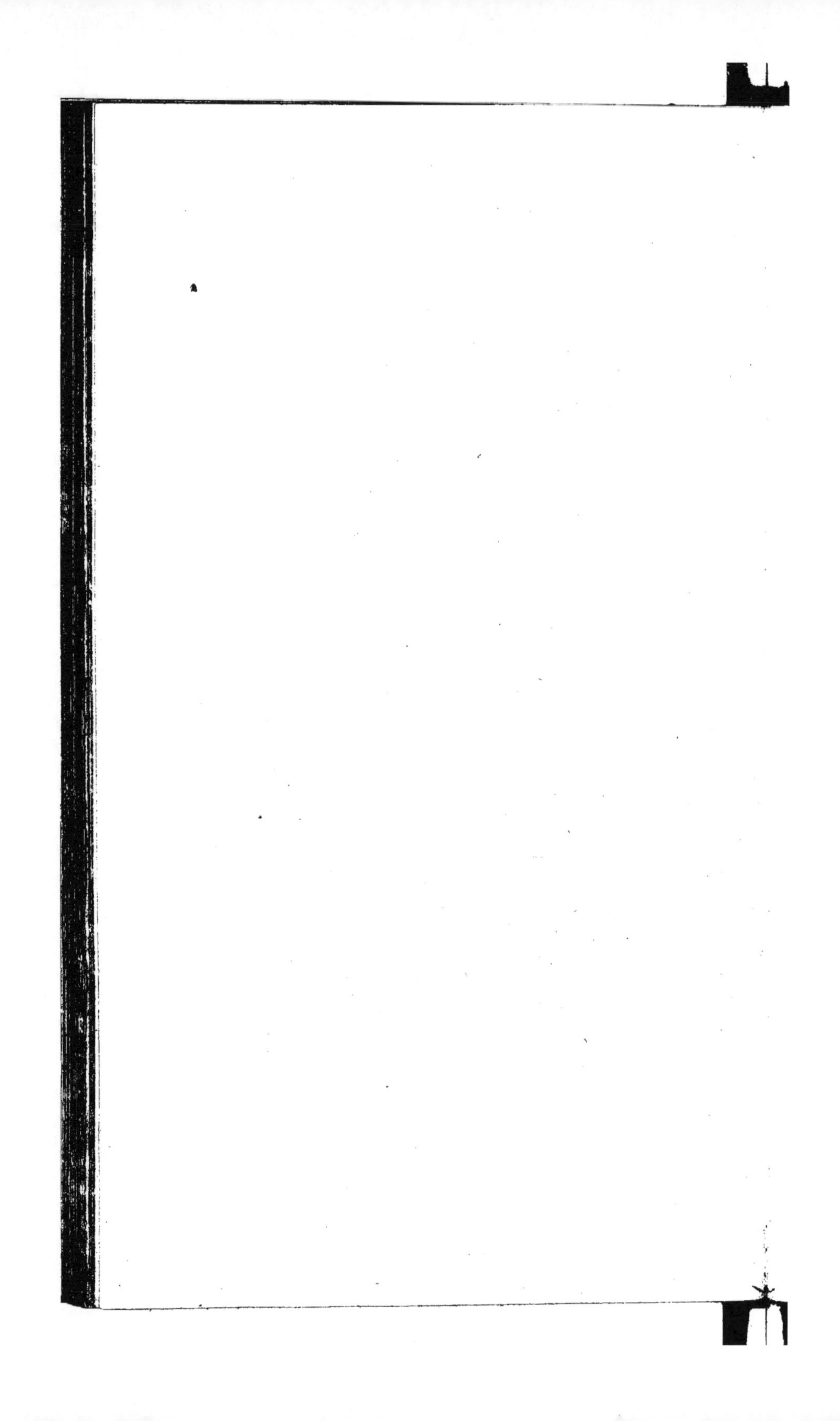

LIVRE III.

SOMMAIRE.

De la vraie et de la fausse philosophie. Argumens de Carnéades contre la justice. Réfutation. Loi naturelle. Ses conséquences. Du juste et de l'injuste. De la vertu, de sa force et de sa récompense. Qu'il n'y a de véritable république, que là où règne la justice.

LA philosophie, cette mère de tous les arts, est comme le dit Platon, un présent et une invention des Dieux. C'est la science des choses divines et humaines, dont elle nous développe les causes et les principes. Elle nous fait connoître le culte, qui est dû à la divinité, les lois, qui établissent et conservent la société, parmi les hommes. Quelque importante que cette grande science soit par elle-même, elle tire son principal lustre de l'utilité, qu'elle apporte au genre humain. Qu'est-ce en effet que la connoissance et la contemplation de la nature, qu'une chose vaine et tronquée, s'il n'en résulte des actions, dont la société retire quelque avantage (1) ?

« Je ne balance donc pas de mettre fort au-dessus des simples philosophes, les sages qui gouvernent les républiques, qui établissent de nouvelles cités, ou conservent par leur équité celles qui existent déjà ; et qui protègent la vie, la liberté des citoyens, par la bonté de leurs lois, la sagesse de leurs conseils, ou la gravité de leurs jugemens (2) ».

« La vraie philosophie est un présent que les Dieux ont fait à peu de monde. Ses principes, pour la plupart des hommes, sont enveloppés d'épaisses ténèbres ». Qu'il est peu encore de ces prétendus sages, dont la vie, les mœurs, les opinions et les actions soient toujours conformes à la raison! Combien n'en est-il pas, qui se décorent de ce nom, plutôt pour faire parade de leur science, que pour mener une vie plus réglée ? Quel contraste le plus souvent entre leurs préceptes et leurs actions? Ne les voit-on pas sujets aux mêmes passions que les autres hommes, à l'avarice, à l'orgueil, à l'ambition, à la volupté (3) ? « Ainsi quoique leurs discussions présentent des sources très-abondantes de science et de vertu, si cependant on les compare avec les avantages qui en sont résultés, pour l'humanité, on trouvera qu'elles n'en ont produit d'autre, que de fournir aux gens oisifs, un moyen de passer leur tems (4) ». Qu'elle est d'ailleurs l'absurdité, qui n'ait pas été soutenue par quelque philosophe (5)? « Loin de nous donc ceux, qui ne peuvent nous apprendre à mener une vie plus sage et plus réglée », et dont les préceptes n'ont point pour objet d'accroître et d'affermir la prospérité publique, de corriger les peuples de leurs vices, et de les guérir de leurs erreurs (6).

Lors même qu'ils entreprennent de disputer sur la nature de la justice et des diverses espèces de droit, qui régissent les hommes et les sociétés, matière qui va nous occuper en ce moment, on trouve parmi eux une grande diversité d'opinions (7). C'est ce qui me met dans la nécessité de n'avancer que des principes bien évidens et discutés avec exactitude. Je ne prétend cependant pas qu'ils soient approuvés par tous les philosophes (la chose est impossible); je voudrois du moins qu'ils le fussent par ceux qui font profession d'enseigner, que le juste et l'honnête doivent être recherchés pour eux-mêmes; et qu'on ne doit compter parmi les vrais biens, que ce qui est louable de soi-même. Ce furent là des opinions communes aux péripatéticiens et aux anciens académiciens, qui ne différoient entre eux que par la manière d'enseigner, et aux Stoiciens qui d'accord avec ces deux sectes pour le fond des choses, avoient seulement changé les expressions. Je laisse à l'écart les Épicuriens qui n'ont jamais connu, ni voulu connoître aucune partie de la politique. Arcésilas et Carnéades chefs de la nouvelle académie, sont les adversaires, que nous avons le plus à redouter (8).

Carnéades faisoit profession de disputer pour et contre, sur tous les sujets qu'on lui proposoit; et telle étoit la force et la variété de son éloquence et de sa dialectique, qu'il ne soutint jamais aucune proposition sans la prouver, ni n'en attaqua aucune sans la renverser. Il a jetté de grands doutes sur la matière, que nous allons traiter (9). Voici le précis exact de ses argumens contre la justice (10). « Les hommes, disoit-il, n'ont établi le droit que pour leur utilité ; il a donc varié suivant les mœurs, et changé suivant les circonstances. Il n'y a aucun droit naturel. Les hommes, comme les animaux sont portés par la nature à rechercher leur propre avantage ; ainsi la justice qui s'occuperoit de celui d'autrui et négligeroit le sien propre, mériteroit à juste titre le nom de folie. Si les peuples qui commandent à d'autres, les Romains eux-mêmes, qui sont les maîtres de l'univers, vouloient suivre la justice et rendre à chacun ce qu'ils lui ont ravi par la force et par les armes, ils seroient obligés de retourner à leurs cabanes et à leur pauvreté primitives. S'ils le faisoient nous admirerions leur justice; mais nous serions nécessités de les taxer de folie, parce qu'en voulant faire l'avantage d'autrui, ils se seroient nuis eux-mêmes (12) ». « C'est cependant un genre de servitude très-injuste, que des peuples qui pourroient

être

être indépendans, soient soumis de force à un autre (12) ».

« Passant ensuite de ces observations générales a des exemples particuliers, si un honnète homme, ajoutoit-il, possède un esclave habitué à s'enfuir, ou une maison mal-saine, et dont lui seul connoit les vices, sera-t-il obligé, en cas de vente, de les découvrir à l'acheteur? S'il le fait, il passera pour un homme de bien, parce qu'il ne trompera point, mais il sera en même-tems taxé de folie, parce qu'il ne vendra alors qu'à très-bas prix, ou ne vendra pas même du-tout. S'il les cache au contraire, il sera avisé, parce qu'il fera son propre intérêt, mais il sera malhonnète parce qu'il trompera. S'il trouve ensuite un homme, qui vende par méprise de l'or pour du laiton, ou de l'argent pour du plomb, et qu'il ait besoin d'en acheter; fera-t-il ou non appercevoir le marchand de son erreur? S'il le fait, il passera pour juste, parce qu'il ne trompera point; mais cette justice sera encore taxée de folie, parce qu'il ne procurera l'avantage d'autrui, qu'à son propre préjudice.

Il venoit après cela à des cas plus sérieux encore, et où un homme ne peut être juste, qu'au péril de sa propre vie. La justice, disoit-il, défend d'attenter à la vie d'autrui, et de lui ravir ce qui lui appartient; que fera cependant l'homme juste, si sa vie se trouve en un tel danger, qu'il lui faille ou périr, ou s'emparer, de ce qui est à un autre? Il peut en effet arriver que dans un naufrage, il trouve quelqu'un plus foible que lui, qui se sauve par le secours d'une planche; ou qu'après la défaite d'une armée, il rencontre en fuiant, un homme blessé, monté sur un cheval. Otera-t-il à l'un sa planche, ou à l'autre son cheval, pour se sauver lui-même? S'il veut être juste, il n'en fera rien; mais s'il ne le fait point, il passera pour malavisé, en exposant sa propre vie, pour épargner celle d'autrui. S'il le fait au contraire, il paroîtra sage en veillant à sa conservation ; mais il passera pour malhonnête, en nuisant à un autre (13) ».

« La justice, concluoit-il, n'est donc qu'une généreuse folie (14). L'intérêt particulier doit seul nous guider ; et le droit naturel n'est autre chose, que ce qui est utile au plus fort (15) ». Il confirmoit cette conséquence, en faisant observer, que les gouvernemens même, quels qu'ils fussent, n'étoient au fond que d'illustres brigandages ; et qu'ils ne différoient des associations, auxquelles on donne ce nom, que par la force et l'impunité, dont ils jouissent. Rien de mieux dit, suivant lui, et de plus juste à ce sujet, que la réponse que fit à Alexandre-le-Grand, un Pirate qu'il avoit fait prisonnier. Car, comme il lui demandoit, de quel droit il s'avisoit d'infester les mers avec son bâtiment : *du même droit*, lui répondit-il avec hardiesse, *que tu trou-*

bles l'univers. Mais parce que je n'ai qu'un petit vaisseau l'on m'appelle brigand, tandis que l'on t'appelle conquérant, parce que tu as une grande flotte (16) ».

Enfin, il terminoit tous ces raisonnemens en faisant voir que le sage, qui entendroit ses intérêts, préféreroit d'être méchant, avec une bonne réputation, à être honnête, avec une mauvaise (17). « Supposons, disoit-il, deux hommes, dont l'un soit d'une vertu, d'une probité, d'une justice, d'une bonne foi à toute épreuve; l'autre d'une audace, d'une scélératesse extrêmes; que la cité soit cependant dans l'erreur sur leur compte, jusques au point de regarder l'homme de bien comme un scélérat, un méchant, un pervers; et le scélérat comme un modèle de probité et de bonne foi : que d'après cette opinion de tous les citoyens, l'homme de bien soit vexé, enlevé, maltraité, traîné dans les prisons ; qu'on lui crève les yeux, qu'on lui coupe les mains, qu'on le condamne à l'indigence, aux fers, à la mort; qu'enfin il paroisse avec raison très-malheureux, aux yeux de tout le monde. Qu'au contraire le méchant soit loué, accueilli, courtisé d'un chacun; qu'on accumule sur lui tous les honneurs, les emplois, les richesses; qu'une voix générale le déclare digne de l'estime universelle, et de la plus haute fortune: qui sera assez insensé, pour balancer un seul instant, lequel des deux il voudroit être (18) »?

Ainsi raisonnoit Carnéades. Pour lui répondre, il faut nécessairement remonter aux principes de la justice et des lois: expliquer la nature du droit et la chercher dans celle de l'homme, d'où il tire son origine (19). « Si l'on considère la manière dont l'homme vient au monde, avec un corps nud, foible, et infirme; un esprit inquiet, timide et craintif, ayant peine à supporter le moindre travail, en proie d'ailleurs à toutes les passions; on trouvera que la nature l'a traité plutôt en marâtre, qu'en mère. Mais bientôt au milieu de tout cela, on apperçoit en lui des étincelles d'un génie et d'un esprit presque divins (20) ».

En effet, les philosophes, qui ont traité de la nature entière, supposent qu'après un long cours de siècles et plusieurs révolutions célestes, il se forma une matière propre à produire le genre humain; et que cette matière étant répandue et semée sur toute la terre, reçut des ames de la libéralité divine. L'homme retint donc de son origine mortelle, ce qu'il a de fragile et de périssable, mais son ame fut l'ouvrage de Dieu-même; d'où l'on peut conclure qu'il y a entre l'ame et Dieu une espèce d'alliance et de parenté.

La vertu est en effet la même dans Dieu et dans l'homme; elle n'appartient à aucune autre substance. Et la vertu n'est autre chose, que la nature portée à son dernier degré de perfection. De-là l'on voit pourquoi la nature produit avec tant de profusion, ce qui est nécessaire pour l'usage et la commodité des hommes; et sa libéralité, paroît plutôt l'effet de sa prévoyance pour eux, que celui du hasard. C'est ce que l'on remarque non-seulement dans les légumes et les fruits, que le sein dela terre fournit avec tant d'abondance, mais encore dans les animaux, dont une partie a été évidemment créée pour servir l'homme, le nourrir, ou l'enrichir de ses dépouilles. En suivant toujours les inspirations de la nature, on a inventé une infinité d'arts, que la raison a perfectionnés, et au moyen desquels, on s'est procuré les choses nécessaires à la vie (21).

C'est en effet par le don de cette raison, par celui d'un esprit vif et pénétrant, qui embrasse plusieurs objets à-la-fois, qui apperçoit les causes et les effets de toutes choses, qui sait saisir leur ressemblance, rapprocher les plus séparées, joindre le futur au présent, et porter ainsi sa prévoyance jusques dans l'avenir ; c'est par ce desir ardent de connoître la vérité, par cette affection particulière, pour la justice, la bonne foi, la sincérité, et cette aversion décidée pour la fraude, le parjure, la méchanceté, que la nature a mis dans l'homme, qu'elle l'a distingué principalement des autres animaux. Seul en effet il connoît ce que c'est que l'ordre, la décence, les bienséances qu'il faut observer soit dans les actions, soit dans les paroles. Seul, dans les objets extérieurs, il apperçoit la beauté, la grace, le rapport que leurs diverses parties ont entre elles. La nature et la raison lui apprennant à transporter ces observations, des yeux du corps à ceux de l'esprit, il juge encore mieux de la beauté, de la constance et de l'ordre, que l'on doit garder dans ses projets et dans ses actions (22).

Enfin, la nature a donné au corps de l'homme une forme propre et convenable à l'esprit, qu'il avoit reçu d'elle. Car tandis qu'elle a courbé tous les animaux vers la terre, pour qu'ils puissent y prendre leur nourriture, elle a fait l'homme seul debout, et portant ses regards vers le ciel, comme pour le faire souvenir de son origine. La forme de son visage est telle, qu'on y voit s'y retracer ses inclinations les plus cachées. La vivacité de ses yeux décèle dans son langage très intelligible, ses plus secrettes affections. Je passe sous silence les autres facultés et dispositions de son corps, l'organisation de sa voix, l'influence et la force du discours, qui est un des liens les plus fermes de la société (23).

Il suit delà qu'il y a une liaison naturelle entre les hommes, et qu'aucun d'entr'eux ne sauroit être étranger aux autres, par cela seul qu'il est homme (24). L'on ne peut guères en douter, lorsque l'on considère que l'homme abhorre naturellement la solitude. Car s'il existoit quelqu'un d'assez sauvage et d'assez misanthrope, pour éviter et haïr la fréquentation des autres hommes, à l'exemple de je ne sais quel Timon, qu'on dit avoir vécu à Athènes, il lui faudroit toujours appeller quelqu'un auprès de lui, sur qui il put se décharger de sa bile (25).

Il n'y a donc rien de si vrai, que ce qu'une ancienne tradition attribue à Archytas de Tarente; que si un homme étoit monté au ciel, et qu'il eut apperçu la nature dn monde et la beauté des astres, cette sublime jouissance n'auroit d'agrément pour lui, qu'autant qu'il existeroit quelqu'un, à qui il put en faire le récit (26).

Dès qu'il est convenu que l'homme est destiné par la nature à vivre en société, nous n'avons pas besoin de chercher d'autre argument, pour répondre à Carnéades (27). Suivant les Stoiciens, c'est la réunion des hommes entr'eux, et les rapports qui en sont résultés, qui ont produit la justice, laquelle rend à chacun ce qui lui appartient; d'où il suit que nous sommes nés pour la justice, et que ce n'est pas l'opinion, mais bien la nature elle-même, qui a établi le droit (28).

Le premier devoir, que nous prescrit la justice, c'est de ne faire tort à personne et de travailler pour le bien commun de la société (29). Cette affection naturelle, qui attache les hommes, les uns aux autres, se porte d'abord vers ceux à qui l'on a donné le jour. Elle unit les familles par les liens du sang et du mariage. Elle s'étend ensuite en dehors aux parens, aux alliés, aux amis, aux voisins, et embrasse enfin tout le genre humain. On apperçoit alors que, comme l'écrivoit Platon à Archytas, on n'est pas né uniquement pour soi-même; mais aussi pour sa patrie et pour les siens; et que la plus petite partie de son existence, est celle qui nous appartient. Cette disposition de l'ame, qui fait rendre à chacun ce qui lui est du, et maintient d'une manière aussi grande qu'équitable, l'association du genre humain, est précisément ce qu'on appelle la justice. La piété, la bonté, la libéralité, la bienfaisance, l'affabilité et toutes les autres vertus, ne sont que des branches différentes de la justice, dont elles sont inséparables, et qui dans la pratique se confond avec chacune d'elles. Leur but est le même; c'est toujours la conservation et le bonheur de la société humaine (30).

Il est donc certain que la nature nous a fait justes, pour que nous puissions vivre ensemble, et nous aider mutuellement. Quand je dis la nature, j'entends la nature dans sa pureté. Car telle est la force et la corruption des mauvaises habitudes, qu'elles peuvent étouffer en nous les inspirations de la nature, et y faire naître les vices opposés (31). « Car, de même que toutes les parties de l'univers sont unies et liées entr'elles, par une force unique et commune; de même, les hommes rapprochés par la nature, et pouvant trouver dans leur union un bonheur pareil à celui des Dieux, se divisent par la la corruption, et oublient qu'ils sont parens entr'eux, et soumis au même maître (32) ».

Mais si la réflexion, d'accord en cela avec la nature, faisoit sentir aux hommes que, comme le dit un poëte, tout ce qui touche à l'humanité ne sauroit leur être étranger, le droit seroit observé également par tous. Car la nature ne leur a pas donné seulement la raison, mais encore la droite raison, et par conséquent la loi (33).

« La véritable loi est en effet la droite raison, conforme à la nature, éternelle, immuable et répandue dans tous les hommes, qu'elle rappelle à leurs devoirs par ses Commandemens, et détourne du mal par ses défenses. Mais ses ordres suprêmes, qui ne parlent point envain aux gens de bien, ne font nulle impression sur les méchans. On ne peut rien ordonner qui soit contraire à cette loi; on ne peut ni en rien retrancher, ni l'abolir entièrement. Ni le Sénat, ni le peuple, n'ont le pouvoir de nous en dispenser. Elle n'a besoin ni d'explication, ni d'interprête. Elle n'est point autre à Rome, autre à Athènes, autre aujourd'hui, autre demain. Cette loi unique, indestructible, immortelle, régira tous les peuples dans tous les tems. Dieu, qui en est l'auteur, et qui l'a discutée, publiée, sera par elle le maître et le dominateur de l'univers. Quiconque refusera de s'y soumettre, méconnoîtra ses propres intérêts, avilira la nature de l'homme, et trouvera en cela même la plus affreuse punition, quand il éviteroit les autres espèces de supplice (34) ».

La force de cette loi a donc précédé

la naissance des peuples et des villes. Elle est aussi ancienne que Dieu même. Car l'esprit divin ne peut être sans la raison, et la raison divine a fixé nécessairement la différence du bien et du mal. Ainsi, quoiqu'il ne fut écrit nulle part qu'un seul se défendit à la tête d'un pont contre une armée entière, tandis qu'il ordonnoit de rompre ce pont par derrière; il n'en est pas moins vrai, que dans cette action héroïque, Horatius Coclès obéissoit à la loi qui nous fait un devoir de la valeur. Quoique du tems de Tarquin, il n'y eut point encore de loi écrite contre le viol, le fils de ce prince en faisant violence à Lucrèce, n'en pêcha pas moins contre cette loi, qui est de toute éternité. Il y avoit dès lors une raison, née de la nature même, qui portoit au bien et détournoit du mal; et cette raison a force de loi, non du jour qu'elle est écrite, mais du jour qu'elle a commencé avec l'intelligence divine (56).

Il y a donc un droit naturel. Ce n'est point l'opinion, mais plutôt une force innée, qui l'a créé en nous (36). Les lois qui ont été écrites en différens tems, ne méritent ce nom, qu'autant qu'elles sont conformes à ce premier modèle. Il est en effet indubitable que les lois n'ont été établies que pour le salut des citoyens, la conservation des cités, le bonheur et la tranquillité de tous. Ceux donc qui les premiers donnèrent des lois aux peuples, leur firent entendre, qu'ils n'en proposeroient que de capables de leur procurer, par leur observation, une vie honorable et heureuse. Tout ce qui fut arrêté et rédigé dans cette vue, reçut le nom de loi. D'où l'on peut conclure, que ceux qui ont dicté aux peuples des ordonnances injustes ou pernicieuses, ayant fait tout le contraire de ce qu'ils avoient promis, ne méritent point le nom de législateurs. En analysant le mot loi, on verra d'une manière évidente, qu'il emporte

porte

porte avec lui, le choix et la distinction de ce qui est juste et conforme au droit (37). Qu'importe après cela que l'on trouve des choses injustes et pernicieuses, autorisées chez plusieurs peuples. Elles ne méritent pas plus le nom de loix, que les conventions, que des brigands auroient faites entr'eux. Regarderoit - on comme de vraies ordonnances de médecine, celles par lesquelles des hommes ignorans et sans expérience, auroient prescrit des remèdes mortels, à la place de remèdes salutaires. Un décrèt pernicieux quelqu'il soit, n'est point obligatoire comme une loi, quand même tout un peuple l'auroit accepté (38).

Il est donc de la dernière extravagance de prétendre, que tout ce qui est réglé dans les coutumes et les institutions des peuples, fussent-elles l'ouvrage de quelques tyrans, doit être censé juste? Quoi donc, de ce que les trente tyrans auront voulu imposer aux Athéniens des loix oppressives, et que les Athéniens auront jugé à propos de s'y soumettre, s'ensuivra-t-il de-là, que ces loix étoient justes? Si la justice consiste à obéir aux institutions et aux loix écrites des peuples, ou si, comme le disent les Epicuriens, notre utilité privée doit être la règle de nos actions, il sera permis d'enfreindre ces loix à tous ceux qui le pourront impunément, dès qu'ils y trouveront leur avantage. Delà il suit qu'il n'y a point de justice, si elle ne vient de la nature; car la justice que l'utilité privée fait naître, est détruite par une utilité contraire. Si la volonté des peuples, les décrets des princes, ou les sentences des juges suffisoient pour établir le droit, le brigandage, l'adultère, la supposition des testamens deviendroient des choses justes, si-tôt qu'une multitude égarée auroit jugé à-propos de les trouver telles.

Mais si les insensés ont l'autorité de pouvoir détruire à volonté la nature des choses, pourquoi n'ordonnent-ils pas que ce qui est mauvais et pernicieux, devienne bon et salutaire? Car si la loi peut faire le juste de l'injuste, elle pourra également faire le bien du mal? La nature peut donc seule nous fournir la règle, qui nous fera discerner un loi bonne d'une mauvaise. Que dis-je? elle nous apprend encore à distinguer l'honnète du honteux. Une intelligence, commune à tous les hommes, nous a donné les premières notions des choses et les a ébauchées dans nos ames, de faoçn que nous rapportons à la vertu ce qui est honnête, et au vice ce qui est honteux. C'est une démence de supposer, que c'est là le seul effet de l'opinion et non de la nature. Ce qu'on appelle la vertu d'un arbre et d'un cheval (en quoi l'on abuse de ce nom) n'est pas seulement dans l'opinion, mais dans la nature. A plus forte raison, c'est la nature qui doit nous apprendre à distinguer l'honnète du honteux (39).

S'il n'y avoit d'autre règle du juste et

de l'injuste, que notre propre utilité, d'où naîtroient ces remords, qui, indépendamment même de la crainte du châtiment, accompagnent toujours les mauvaises actions? Pourquoi le plus grand supplice des scélérats vient-il moins des peines établies par les loix, qui n'ont pas toujours existé, et qu'on viole si ouvertement aujourd'hui, que des furies, qui ne les agitent, ni ne les poursuivent pas avec des torches ardentes, comme on le voit dans les tragédies, mais les tourmentent par les angoisses, le trouble et les terreurs, que le crime excite dans leur conscience? Vit-on jamais un homme assez scélérat pour ne pas dénier une action criminelle, ou pour ne pas chercher du moins dans la loi naturelle, une raison, un prétexte, pour l'excuser? Si cette loi est invoquée par les impies même, quel respect ne doivent pas lui porter les gens de bien?

Que si la peine seule ou la crainte du supplice, et non la propre turpitude du crime, nous engage à nous en abstenir, il n'y aura plus personne d'injuste, et les méchans ne seront tout au plus que des mal-adroits. De même, si nous ne sommes honnêtes gens, qu'en vue de quelqu'avantage particulier, nous sommes plutôt rusés que vertueux. Car que fera dans les ténèbres, celui qui ne craint que les témoins et les juges : s'il trouve, par exemple, dans un lieu écarté, un homme seul et foible, chargé d'une grande quantité d'or, dont il peut facilement le dépouiller? L'homme que nous supposons naturellement bon et juste, l'aborderoit, lui donneroit du secours, le remetteroit dans son chemin. Mais que croyez-vous que fera celui qui mesure tout par son propre intérêt? Peut-être assurera-t-il qu'il ne le tueroit, ni ne le voleroit pas; mais ce n'est pas qu'il regardât une telle action comme honteuse, c'est qu'il craindroit d'être découvert et puni. O sentiment qui feroit rougir non-seulement les personnes éclairées, mais encore les gens les plus grossiers (40)!

Que d'actions criminelles ne peut-on cependant pas commettre, auxquelles personne ne pourroit trouver à redire! Mais, telle est la force de la nature, que les philosophes mêmes, qui soutiennent que l'on doit tout rapporter à son propre avantage, ou, comme ils disent, à l'utilité, font souvent des choses, dans lesquelles ils paroissent suivre plutôt leur devoir, que leur intérêt. La bonté de la nature l'emporte alors sur une raison dépravée. Si tu sais, dit Carnéade lui-même, un serpent caché en un lieu, où, sans y penser, va s'asseoir celui de la mort duquel tu espères du profit, tu fais méchamment, si tu ne l'en avertis. Ce sera néanmoins impunément, puisque ton action n'est connue que de toi. Mais en voilà assez; il est bien évident que si l'équité, la bonne foi, la justice ne viennent de la nature, et que tout doive être réglé par l'utilité, il n'y a point de véritable homme de bien (41).

Ce qui nous fait prendre le change, c'est la diversité des opinions, qui règnent parmi les hommes, et les divisions qu'elles excitent entr'eux. Comme cela n'arrive point dans nos sens, nous croyons leur rapport infaillible, tandis que l'esprit montrant les choses d'une façon aux uns, aux autres d'une autre, et souvent d'une manière différente aux mêmes personnes, tout nous paroît illusion. Cela n'est point cependant ainsi. Il y a plusieurs causes qui tendent à corrompre notre esprit, et dont nous parlerons ailleurs, qui n'ont aucune prise sur nos sens (42).

Malgré cela, il n'est personne qui n'approuve et ne loue la disposition d'un cœur, qui non-seulement n'agit point suivant son intérêt, mais abandonne encore cet intérêt, pour rester fidèle à la probité. Quel est l'homme vil, au point de ne pas éprouver en lui-même de l'aversion pour ce qui est honteux, et de l'attrait pour ce qui est honnête? Qui ne méprise point un jeune homme dissolu et débauché, et ne chérit point, dans cet âge, même sans y avoir intérêt, la pudeur et la fermeté? Qui ne déteste les traîtres, lors même qu'il profite de leurs trahisons; qui ne loue ceux qui ont contribué à la conservation de leur patrie? Qui n'a pas en horreur le nom des scélèrats, et ne chérit point la mémoire des gens de bien? Pouvons-nous oublier les transports que nous éprouvons, lorsque nous lisons, ou que nous entendons raconter quelques traits remarquables de piété, d'amitié, de grandeur d'ame? Que dis-je de nous, que la naissance et l'éducation semblent avoir formés pour la louange et pour la gloire? quelles acclamations les traits de ce genre n'excitent ils pas, même dans les gens grossiers, lorsqu'ils sont rappellés sur le théâtre (43)?

Concluons donc de tout cela, qu'il y a un droit naturel, et par une conséquence nécessaire, une justice (44). Or, la justice, comme nous l'avons déjà dit, consiste à ne faire tort à personne et à procurer l'avantage commun (45). En effet, enlever quelque chose à autrui, et tirer du profit de son dommage, c'est plus contre la nature, que la mort, la pauvreté, la douleur et tous les accidens, qui peuvent arriver au corps et aux autres biens extérieurs. Car c'est détruire par les fondemens, l'union et la société, que la nature a établies parmi les hommes. C'est comme si un membre de notre corps alloit s'imaginer qu'il s'en porteroit mieux, s'il attiroit à lui, ce qui sert à nourrir le membre, qui le touche. Ne causeroit-il pas par-là nécessairement, l'affoiblissement et même la perte de tout le corps (46)?

« La sagesse nous fait à la vérité un devoir d'augmenter nos biens et d'accroître nos richesses; pourvu que ce ne soit pas, par des moyens honteux, et que nous ne fassions tort à personne ». (47) Car nous ne sommes point obligés de rejetter ce qui peut nous être utile, et de l'abandonner à d'autres, lorsque nous en avons besoin, pour nous mêmes. Ceux qui courent dans le stade, disoit Chrysippe, doivent bien faire tous leurs efforts, pour se procurer la victoire. Mais ils ne peuvent point arrêter leurs rivaux avec la main, ni leur tendre la jambe, pour les faire tomber. Ainsi, dans l'usage de la vie, il est permis à chacun de se procurer ce qui lui est nécessaire ; mais le droit défend de l'enlever à un autre (48).

Cela n'est pas seulement prohibé par la nature, c'est-à-dire, par le droit des gens, mais encore par les institutions, qui chez tous les peuples, forment la baze du gouvernement. C'est le but de toutes les loix ; c'est par-là qu'elles maintiennent l'union parmi les hommes. Elles prononcent la mort, l'exil, la prison, les dommages et intérêts, contre ceux qui veulent y porter atteinte. Que chacun soit donc bien persuadé, que l'intérêt particulier est inséparable de l'intérêt général, et que si la nature nous fait un devoir d'être utiles à un homme quelconque, par cela seul qu'il est homme, il faut nécessairement, suivant cette même nature, qu'il n'y ait qu'un même intérêt pour tous, parce que nous sommes tous nés sujets à une seule et même loi. Le principe ne peut être vrai et la conséquence fausse (49).

S'il étoit donc des cas où l'utile parut être opposé à l'honnête, cette opposition ne seroit qu'apparente ; et il ne nous est pas permis de soutenir, qu'elle puisse être réelle ; il n'y a d'utile que ce qui est honnête ; et l'honnête est en même-tems toujours utile (50). On peut être d'abord séduit par une apparence d'utilité. Mais si, en réfléchissant, on y apperçoit quelque chose de honteux, on doit être persuadé, que là, où il y a de la honte, il ne sauroit y avoir de l'utilité. La nature a fait l'homme pour l'honnête, qui doit être, suivant Zénon, le seul objet de ses desirs, ou qui, suivant Aristote, mérite la préférence sur tous les autres biens. D'où il suit, que l'honnête est le seul bien, ou le premier de tous; or ce qui est bien, est utile (51). Socrate avoit donc raison de maudire celui qui le premier avoit distingué l'utile de l'honnête. Cette distinction avoit été, suivant lui, la cause de tous les crimes (52).

Ceux donc qui ont fait quelque progrès dans la véritable sagesse, regarderont comme une chose impie et bien coupable, de mettre en délibération, si l'on doit suivre ce qu'on voit être honnête, ou bien se souiller volontairement d'un crime. Ce doute seul est criminel. Fussions-nous assurés de dérober aux

Dieux et aux hommes la connoissance de nos actions, nous ne devrions pas nous croire autorisés par-là, à en commettre, qu'on put taxer d'avarice, d'injustice ou d'incontinence. Un sage qui auroit l'anneau de Gygès, n'en seroit pas pour cela moins réservé. Car l'homme de bien ne cherche que ce qui est honnête et non ce qui est caché (53).

Ces principes nous dirigeront, dans la décision des cas, dont Carnéades a appuyé ses argumens. Dès que par les premières loix et les premiers principes de la nature, l'homme doit travailler au bien général de la société, et n'en séparer jamais son intérêt particulier, il s'ensuit qu'il ne lui est pas permis, dans la vue de cet intérêt, de cacher ce qui peut faire l'avantage des autres (5D). Qu'un homme honnête vende un esclave menteur, ou habitué à s'enfuir, ou une maison malsaine, il n'en laissera point ignorer les vices à l'acheteur, bien qu'il soit le seul à les connoître. Il ne profitera pas non plus de l'erreur de celui, qui vendroit de l'or pour du laiton (55).

Il n'importe de dire, que taire une chose, ce n'est point la cacher. C'est toujours tromper celui avec qui vous traitez, puisque vous lui laissez ignorer pour votre avantage, ce dont vous êtes instruit vous-même, et qu'il seroit de son intérêt de savoir; et certainement, ce n'est point là la conduite d'un homme franc, juste et honnête, mais plutôt d'un homme double, rusé, trompeur (56).

Nos loix civiles obligent le vendeur d'un fonds, d'en déclarer les vices qui sont à sa connoissance ; il en est autrement responsable. Il est impossible que les loix puissent statuer sur tous les cas; mais leurs dispositions, à l'égard de ceux qu'elles ont prévus, sont exactement suivies. Chez nos ancètres, comme on voit, rien n'excusoit les ruses ni les tromperies (57); mais les loix les répriment d'une manière, la phisosophie d'une autre: les loix, autant que leur autorité peut les atteindre; la philosophie, par la raison et l'intelligence. Or la raison défend de ne rien faire par ruse, par dissimulation et par tromperie. Ne sont-ce pas des embûches que de tendre des pièges, quand vous ne feriez nul mouvement pour y attirer les gens? Les animaux ne tombent-ils pas souvent dans les pièges qu'on leur dresse, bien que personne ne les poursuive? Mettre en vente une maison mal-saine, n'est-ce pas tendre un piège, dans lequel un mal avisé peut donner (58)? Quoique la dépravation des mœurs semble autoriser cet usage, et que la loi civile ne le prohibe point, il n'en est pas moins condamné par la loi naturelle. Car la bonne foi doit être la bâse des contrats, qui sont un des liens de la société (59).

Quant à la planche disputée entre deux personnes, dans un naufrage, c'est à celui dont la vie peut être la plus utile à la république, qu'elle doit rester. S'il y a égalité entr'eux à cet égard, elle sera à celui à qui le sort ou la force la donnera (60).

Les circonstances font cependant quelquefois, que ce qui paroissoit dabord malhonnête, ne l'est point. Ainsi, quoique les premières loix de la nature nous fassent un devoir d'observer nos promesses, de rendre le dépot qui nous est confié, elles nous dispensent en certains cas, de ces obligations. Si un insensé vous redemande une épée qu'il vous a remise en son bon sens, c'est un crime de la rendre, un devoir de la refuser. Si celui qui vous a confié un dépot, déclare la guerre à la patrie, vous ne le lui rendrez point, afin qu'il ne puisse pas s'en servir contr'elle. Mais on voit qu'ici la nature du droit n'est pas changée. C'est l'utilité, soit privée, soit générale, qui en est l'objet immuable, qui cause cette variation apparente (61).

Autre cas. Tout homme coupable d'un meurtre,

meurtre, est indigne, suivant la loi, de voir le jour. Car quel crime plus grand peut-on commettre, que de tuer un homme, et principalement un ami? Mais ce ne sera plus un crime, si on a tué un tyran, fut-il notre ami : ça toujours été une des actions les plus louables, aux yeux du peuple romain. Il ne peut y avoir de société entre un tyran et nous; il y a au contraire une guerre éternelle. C'est une espèce impie et funeste, qu'il faut exterminer du milieu des hommes. Ainsi, de même qu'on coupe un membre dont la vie est éteinte et qui peut nuire au reste du corps, il faut retrancher de la société ces bêtes féroces, qui n'ont que la forme humaine. Les Grecs rendent les honneurs divins à ceux qui se sont défaits de ces monstres. Que n'ai-je point vu en ce genre à Athènes et dans le reste de la Grèce! Quels chants, quelles fêtes, quels sacrifices, pour consacrer et immortaliser les noms, de ces bienfaiteurs de l'humanité (62)!

« Il est également quelquefois juste ; que des hommes dominent sur d'autres hommes. C'est pour l'avantage des derniers, que cette domination est établie. Car il est très bien fait de priver les méchans du pouvoir de faire du mal et de leur ôter une liberté, dont ils ont abusé. Ne voyons-nous pas d'ailleurs, que la nature a donné l'empire aux êtres supérieurs, au grand avantage de ceux, qui leur sont subordonnés? Dieu ne commande-t-il pas à l'homme, l'esprit au corps, la raison à la cupidité, à la colère, et aux autres parties vicieuses de l'ame (63)? Mais il faut distinguer diverses manières de commander et d'obéir. Car, comme on dit que l'ame gouverne le corps, on dit également qu'elle gouverne les passions. Mais elle traite le corps avec cette modération que les pères conservent à l'égard de leurs enfans, les rois, les sénateurs, les magistrats, les peuples mêmes, à l'égard des citoyens ou des alliés, sur lesquels ils sont préposés; tandis que la partie éminente de l'ame, c'est-à-dire la sagesse, dompte et contient les passions, avec la sévérité d'un maître, qui lasse et fatigue ses esclaves par le travail (64) ».

Il y a en outre des devoirs et des règles à suivre dans la guerre même. Car il y a deux manières de combattre; par le droit, ou par la force. La première convient principalement à l'homme; la seconde aux animaux. On ne doit recourir à celle-ci, que lorsqu'il n'est plus possible de faire usage de l'autre. Cela est parfaitement bien réglé parmi nous, par le droit sacré des féciaux (65).

« D'ailleurs, un gouvernement juste ne fait la guerre, que pour garantir ses promesses, ou pour son repos et sa conservation »; une paix solide et honorable en est toujours l'objet (66). Ce n'est qu'en prenant la défense de ses alliés, que le peuple Romain est devenu le maître de l'univers (67), « Un état veille à sa sûreté, parce que sa constitution doit être telle, qu'elle soit éternelle. Les particuliers en se donnant la mort peuvent échapper à la pauvreté, à l'exil, à la prison, aux tourmens, et à toutes les autres peines, auxquelles les lâches seuls sont exposés. Mais la mort qui les exempte de ces peines, en est une pour les cités. Elle n'est jamais naturelle pour elles, comme pour l'homme, à qui elle est toujours nécessaire et quelquefois desirable. Lorsqu'une cité est détruite ou anéantie, c'est, autant qu'on peut comparer les choses petites aux grandes, comme si l'univers entier tomboit et périssoit (68) ».

Quant au Juste outragé et opprimé, les revers qu'il éprouve sont pour lui des coups du sort et non un supplice. Car le supplice est la peine d'un crime; il n'existe donc que pour les coupables (69). Ces philosophes mêmes, qui ne définissent le mal que par la douleur, et le bien que par le plaisir, ont une si grande idée de la force de la vertu, qu'ils pensent qu'un homme de bien, ne sauroit être malheureux dans les situations les plus fâcheuses (70) ». Le bonheur n'est en effet, que la prospérité des choses honnêtes, ou pour mieux dire, c'est la fortune favorisant les bons desseins, qui seuls peuvent faire la félicité des hommes. Cette félicité n'a donc jamais pu se trouver dans les projets pervers et impies de César. Camille fut plus heureux suivant moi, dans l'exil, que Manlius son contemporain, ne l'eut jamais été; quand même, le dessein qu'il avoit formé de régner, eût réussi (71) ».

Je ne saurois jamais penser que Régulus ait pu être malheureux. Les Carthaginois eurent beau tourmenter son corps. Ils n'eurent jamais de prise sur son ame, sur sa constance, sa fermeté, son patriotisme. Il avoit dirigé des guerres importantes; il avoit été deux fois consul; il avoit triomphé; cependant toute cette gloire n'étoit rien à ses yeux, auprès de celle qu'il acquéroit, dans cette dernière scène de sa vie, où il se sacrifioit à la fidélité, qu'il croyoit devoir à sa parole. Insensés que nous sommes! Nous ne connoissons de la vertu que le nom. Nous ignorons toute la force et l'énergie que l'adversité lui donne. Les menaces de la mort, ou de l'exil ne sauroient l'ébranler. Elle se soumet avec résignation aux accidens, qui peuvent être la suite de l'ingratitude ou du désordre d'un état. En un mot, elle est au-dessus des atteintes de la fortune et des injures de ses ennemis (72).

« Ce n'est pas que la vertu dédaigne les honneurs; ils sont la seule récompense digne d'elle. Mais si elle les accepte sans répugnance, elle ne met nulle ardeur à les poursuivre. Quelles richesses, quelles dignités, quel royaume offrirez-vous à celui qui regarde tout cela, comme des biens fragiles et périssables, tandis que ceux dont il jouit sont divins et immuables? Aussi, quand l'ingratitude, l'envie ou l'acharnement de ses ennemis parviennent à le priver des récompenses qui lui sont dues, il trouve sa consolation dans sa propre gloire, et dans cette grandeur d'ame, qui lui fait regarder avec mépris tout ce qui dépend de l'opinion des hommes (73) ».

D'ailleurs, la vertu est tôt ou tard reconnue et récompensée. L'on a presque toujours vu les bons citoyens, que le peuple avoit flétris par un jugement injuste et précipité, rappellés et rétablis dans leurs honneurs, en jouir tranquillement le reste de leur vie ; tandis que ceux qui, pour flatter une populace aveugle et insensée, ont foulé aux pieds les loix et les institutions de leur patrie, ont constamment expié leur crime, ou par la mort, ou par un bannissement honteux. Parmi les Athéniens, peuple Grec, dont la sagesse n'est en rien comparable à la nôtre, l'on vit de tous les tems de bons citoyens, qui osèrent prendre la défense de la République, contre la fureur et la légèreté du peuple, malgré l'exil qui fut toujours leur récompense. Ni les malheurs de Miltiade, ni le bannissement d'Aristide, le plus juste des hommes, n'empêchèrent point Thémistocle, et tant d'autres qu'il seroit inutile de nommer, de marcher sur leurs traces. La postérité les a vengés de l'ingratitude de leurs concitoyens. Leur gloire s'est répandue non-seulement dans la Grèce, mais encore chez nous et dans tout l'univers; tandis que le nom de leurs oppresseurs est enseveli dans l'oubli le plus profond; il n'est personne qui ne préférât le sort des premiers, à la domination passagère que leurs ennemis exercèrent. Qui, parmi les Carthaginois, fut plus grand qu'Annibal, en conseils, en vertu, et en actions éclatantes, lui, qui combattit si long-tems avec nos généraux, pour l'empire et pour la gloire. Ses concitoyens l'exilèrent de leur ville, et nous, quoique notre ennemi, nous l'avons célébré dans nos écrits et dans notre histoire (74).

« Le corps des hommes vaillans et illustres, est mortel à la vérité; aussi n'a-t-il point été transporté dans le Ciel; car tout ce qui nait de la terre doit naturellement y rester (75) ». Mais une gloire éternelle est le partage de leurs ames vertueuses. Hercule, dont le corps fut consumé sur un bûcher, eut l'immortalité en récompense de ses exploits et de ses vertus (76) ». S'il est permis à quelqu'un, dit l'Africain, chez Ennius, de pénétrer jusqu'au ciel, c'est à moi que la grande porte doit en être ouverte, comme elle l'a été pour Hercule (77) ».

Ce fut une politique commune à tous les peuples, de placer dans le Ciel, et de rendre les honneurs divins, à ceux dont ils avoient reçus des bienfaits signalés. Par là, on aiguillonnoit la vertu, et on excitoit les gens de bien, à prendre avec plus de courage la défense de la patrie (78). Romulus, parmi nous, fut mis au rang des Dieux, à cause de ses grandes actions et de ses vertus (79). « Son apothéose est d'autant plus étonnante, que ceux qui avoient reçu le même honneur avant lui, avoient vêcu dans des siècles moins éclairés, et où il étoit parconséquent plus facile de créer des fictions et de les faire adopter. Il y avoit au contraire, de son tems, plusieurs années qu'Homère avoit paru. Les lumières étoient alors si répandues, qu'il paroissoit presqu'impossible d'accréditer des choses feintes. Car si l'antiquité a souvent reçu sans examen des fables absurdes, les siècles éclairés rejettent tout ce qui leur paroît impossible (80) ».

Après avoir prouvé l'existence de la

justice, revenons à notre sujet, savoir, la république; mais, à l'exemple de Platon et d'Aristote, commençons par la définition. C'est le vrai moyen de se bien entendre, et de connoître clairement le sujet que l'on traite (81) ». La république, comme nous l'avons déjà dit, est la chose du peuple. Par le peuple, on ne doit point entendre l'assemblage d'une multitude quelconque, mais une société, formée sous la protection des loix, qu'elle s'est données, pour l'utilité générale de ses membres ».

« Ainsi, c'est vraiment une république, lorsque cette société est gouvernée avec justice et avec équité, soit par un roi, soit par les principaux, soit par le peuple en corps. Mais, lorsque le roi est injuste (ce qu'on appelle tyran), ou que ce sont les principaux (dont la coalition porte dans ce cas le nom de faction), ou bien enfin le peuple (pour lequel je ne trouve point de nom reçu, à moins que je ne lui donne aussi celui de tyran,) alors la république non seulement est corrompue, mais encore elle n'existe plus. Car elle n'est plus la chose du peuple, dès que la tyrannie s'en est emparée. Un peuple injuste n'est pas même véritablement un peuple, puisqu'il n'est plus une réunion d'hommes, liés par des loix et pour leur avantage commun (82) ».

« Chez un pareil peuple, il n'y a plus de justice; et là où la justice n'est pas, il ne sauroit y avoir de droit. Car, ainsi que nous l'avons déjà dit, on ne peut donner le nom de loix, ni considérer comme telles, les institutions injustes des hommes; parce qu'ils sont convenus eux-mêmes de n'en point reconnoître d'autres, que celles qui dérivent des sources même de la justice. Il est donc très faux, comme le disent certaines personnes égarées, que le droit ne soit autre chose que ce qui est utile au plus fort (83) ».

LIVRE IV.

SOMMAIRE.

De l'ame et de sa nature. Influence du climat. Caractère différent de plusieurs nations. Des causes de nos erreurs. De l'éducation. Des mœurs. De la culture de l'esprit. Poëtes ; comment ils doivent être traités. Comédiens honorés en Grèce, avilis à Rome. Différence des mœurs des Grecs et de celles Romaines. Justice, fondement de toutes les vertus. Devoirs du citoyen et du magistrat. De la propriété. Des loix agraires et de leur injustice.

Si l'ame n'étoit pour l'homme qu'un principe de vie, il ne différeroit en rien des plantes; s'il n'avoit que cet instinct, qui porte à fuir ou à rechercher certaines choses, il seroit confondu avec tous les animaux. Mais ce qui le distingue et des plantes et des animaux, c'est « cette mémoire qui lui retrace le passé, et cette prévoyance qui perce dans l'avenir (1) ». Quelle est donc la nature de la mémoire, et d'où procède sa vertu? Je ne rougirai point comme certains philosophes, d'avouer que j'ignore ce qu'en effet je ne sais point.

Ce que je sais, du moins, ce qui me paroit évident, est que l'ame est un être divin. Avec des facultés si admirables, et qui sont ce qu'il y a de plus excellent dans les Dieux mêmes, pourroit-elle n'être qu'un assemblage de parties terrestres, qu'un amas d'air grossier et nébuleux (2)?

Il n'y a rien en elle de mixte ou de composé : on ne doit donc point chercher son origine sur la terre. Il n'est rien, dans la nature de toutes les choses qu'elle renferme, qui ait la force de la mémoire, de l'intelligence, de la réflexion, qui puisse tout-à-la-fois s'occuper du présent, rappeller le passé et prévoir l'avenir. Ce sont là des facultés toutes divines, et qui ne peuvent par conséquent venir que de Dieu seul; elles n'ont rien de commun avec les élémens que nous connoissons. Quelle que soit donc la nature de cet être, qui a sentiment, vie, intelligence, volonté, il est céleste, et par conséquent immortel. Pouvons-nous nous faire une autre idée de Dieu, qu'en nous le représentant sous celle d'un être pur, sans mélange, dégagé de toute matière corruptible, qui connoît tout, qui meut tout, et ayant en lui-même le principe d'un mouvement éternel? Tel, et de même espèce, est l'esprit humain (3).

Qu'importe, que nous ne puissions connoître ni sa forme, ni la place qu'il occupe? Quand nous voyons la beauté et la splendeur du ciel, la rapidité de son roulement, que la pensée peut à peine saisir; la vicissitude des jours et des nuits, « dont les uns servent au travail, et les autres favorisent le repos par leur ombre; » la succession perpétuelle des quatre saisons, dont le soleil est le guide et le conducteur « l'automne, recevant les semences des récoltes; l'hiver, les resserrant pour les faire germer; le printems, les faisant éclore; l'été, les faisant mûrir (4); « l'admirable spectacle que présente le firmament; les mouvemens inégaux, mais toujours uniformes, des astres qui l'occupent; le globe de la terre, placé dans le centre du monde; les champs, les mers qui le décorent, les animaux qui le peuplent, et qui tous, semblent avoir été créés pour les divers besoins de l'homme; l'homme lui-même, destiné à contempler le ciel et les Dieux, et à les révérer : pouvons-nous, à cette vue, douter qu'un être supérieur n'ait créé le monde,

monde, (si toutefois, suivant l'opinion de Platon,) le monde a été créé; (ou qui le conduise et le gouverne, s'il est éternel, suivant Aristote)? Ainsi de même, quoique vous ne voyez pas plus votre ame que Dieu, vous la reconnoissez à ses ouvrages (5).

La nature a donné à l'homme un corps doué de diverses facultés, dont les unes sont d'abord parfaites, et les autres ne se développent qu'avec le tems. L'esprit a aussi ses dégrés de perfection comme le corps; il ne peut les parcourir que par le secours des sens, qui sont les organes de ses perceptions. Mais en rendant notre esprit capable de toutes les vertus, et en y imprimant les premières connoissances des plus grandes choses, la nature n'a rien fait de plus; elle nous a laissé le soin de faire germer et fructifier, par le moyen de l'art, les semences de vertu, qu'elle avoit jettées en nous (6).

Sans doute, si rien n'en arrêtoit le

développement, si la nature seule nous servoit de guide, elle nous conduiroit infailliblement au bonheur; mais les foibles étincelles qu'elle a allumées en nous y sont bientôt étouffées par les mauvaises mœurs, par les opinions dépravées et les erreurs que nous suçons en quelque sorte, avec le lait. La diversité de ces opinions et les sentimens opposés, qui divisent les hommes, nous troublent et nous égarent (7).

« C'est de là d'où vient d'abord cette différence, que l'on apperçoit dans les affections, les mœurs, et dans la manière de vivre des hommes (8) ». La nature du lieu et les coutumes du pays où nous contractons nos premières habitudes, influent ensuite autant et plus sur nos mœurs, que la race et le sang auxquels nous devons le jour (9). Il y a une grande variété dans la nature des lieux; les uns sont salubres, les autres mal-sains, même mortels; l'on voit des terreins gras et humides, d'autres qui sont secs et arides. Cette différence, qu'on peut attribuer à la variété du climat et aux diverses exhalaisons de la terre, en cause une dans les esprits. L'air d'Athènes est subtil et pur, d'où les Athéniens passent pour spirituels; il est gras à Thèbes, et les Thébains sont vigoureux, mais lourds (10).

Si les Carthaginois étoient fourbes et menteurs, ce n'étoit point la naissance, mais la position de leur pays, qui les avoit rendus tels. La bonté et la multiplicité de leurs ports attiroient chez eux une quantité prodigieuse d'étrangers; le desir de gagner leur inspiroit celui de tromper. Les Liguriens, habitans des montagnes arides, sont grossiers et sauvages, et ils le sont par la nature de leur terrein, qui ne produit rien qu'avec un un grand travail et beaucoup de culture. La fertilité des champs, l'abondance de toutes choses, la beauté, la salubrité du climat, ont toujours nourri l'orgueil et la vanité dans le cœur des habitans de Capoue. Elles y ont fait naître encore ce goût pour le plaisir, qui vainquit Annibal, qui n'avoit pu être encore vaincu par les armes (11).

Les Grecs sont instruits, spirituels, beaux parleurs, éloquens; je ne leur refuse pas même les autres talens qu'ils pourroient s'attribuer; mais il en reste bien peu de dignes de l'ancienne Grèce. Ils sont, en général, vains, légers, brouillons, fourbes, menteurs, vindicatifs, sans foi, sans religion, plus jaloux de disputer que de connoître la vérité. Une longue servitude les a habitués à une adulation outrée. Ceux d'Asie, qui occupent la Phrygie, la Mysie, la Carie, la Lydie, sont les plus méprisables; ils ont eux-mêmes imaginé des proverbes, qui les caractérisent parfaitement. Ils disent des Phrygiens, qu'ils deviennent meilleurs par les coups; des Cariens, que, quand on veut éprouver quelqu'un par le danger, il faut l'envoyer parmi eux. Y a-t-il rien de plus connu que le proverbe qui dit le dernier des Mysiens, pour désigner quelqu'un de bien vil ? Les Lydiens jouent toujours les principaux rôles d'esclaves, dans les comédies grecques (12).

Les Gaulois diffèrent des autres nations, en ce que celles-ci font la guerre pour défendre leur religion, tandis qu'eux la font à toutes les religions. On les a vus entreprendre de longues expéditions, pour aller piller et dévaster des temples vénérés de tout l'Univers. Si toutefois frappés de quelque crainte, ils tentent d'appaiser les Dieux immortels, c'est en souillant les autels et les temples du sang de leurs semblables ; car personne n'ignore qu'ils conservent encore la coutume barbare d'immoler des victimes humaines. Ce peuple fut, de tous les temps, la terreur de cette ville.

Toujours attaqués par lui, nous nous étions, jusques à présent, estimés heureux d'avoir pu lui résister; et si la nature, par une faveur marquée de la providence, n'avoit muni l'Italie de la chaîne des Alpes comme d'une barrière, contre la multitude et la férocité gauloises, jamais Rome n'eut été le siège et le domicile d'un si vaste empire (13).

Ainsi donc, à peine voyons-nous le jour qu'on dresse de toutes parts des pièges à notre esprit. Nos parens, les maîtres auxquels ils nous confient, plient et façonnent à leur gré notre ame encore neuve et flexible; ils nous abreuvent souvent de tant d'erreurs, que la vérité cède à la vanité, et la nature même à une opinion accréditée (14). Ensuite la volupté, dont nos sens renferment le germe, imitatrice du bien, mais source de tous les maux, nous séduit par ses appas, et nous fait méconnoitre ce qui est naturellement bon, parce qu'il n'a ni ses douceurs, ni son poison (15). Viennent enfin les poëtes, qui, sous une apparence spécieuse de savoir et de sagesse, sont recherchés, ouis et lus avec avidité, et font sur nos ames les impressions les plus profondes (16).

Quel mal n'en résulte-t-il pas? Les poëtes amollissent nos ames, en nous représentant les hommes les plus intrépides, pleurant et se lamentant. Attribuant aux dieux les foiblesses et les passions des hommes, ils nous en donnent des idées fausses et peu convenables. Cependant ils font tant de plaisir que, non content de les lire, on les apprend encore par cœur. Il n'est donc pas étonnant que, lorsqu'ils prennent crédit dans une maison mal réglée, et où l'on mène une vie oisive et molle, ils y effacent jusques à la dernière trace de la vertu (17) ». Quant à tout cela se joignent les applaudissemens et l'approbation d'une populace insensée, qu'on regarde comme un maître imposant et éclairé, et qui est toujours prête à applaudir à tous les vices ; de quelles ténèbres ne sommes-nous pas environnés, de quelles craintes ne sommes-nous pas saisis, de quelles passions ne sommes-nous pas embrâsés »? C'est alors que nous abandonnons entièrement la route, qui nous étoit tracée par la nature (18).

Nous ne pouvons nous flatter d'échapper à tant d'écueils, que par le moyen de l'éducation et d'une bonne discipline, dont la nécessité se fait principalement sentir au milieu de la corruption actuelle, où la jeunesse débordée a besoin d'être contenue et resserrée par toute sorte de moyens (19).

Les philosophes veulent qu'on commence cette éducation dès le berceau même, en observant les premières inspirations de la nature. De cette variété infinie d'animaux, l'homme est le seul dans lequel on remarque le desir de s'instruire et d'acquérir des connoissances. Ce desir se manifeste de bonne heure dans les enfans, et y précède toute instruction. On voit en outre qu'ils sont faits pour agir, pour aimer; qu'ils portent en eux les principes de la libéralité, de la reconnoissance; l'aptitude à la science, à la prudence, à la valeur; l'aversion pour les vices contraires. Quelle ardeur ne montrent-ils pas dans leurs disputes et dans leurs combats! quelle joie, s'ils ont la victoire! quelle honte, s'ils sont vaincus! Combien ils répugnent à s'accuser! combien ils recherchent les éloges! que ne feroient-ils point pour se distinguer de leurs camarades! Quelle reconnoissance ne témoignent-ils pas à leurs bienfaiteurs! Ces inclinations diverses se manifestent plus ou moins dans les enfans, suivant le dégré de bonté de leur naturel. L'essentiel est donc, en connoissant les penchans de notre ame et les perfections dont elle est susceptible, d'en tirer pour notre bonheur, tout l'avantage possible (20).

Il ne suffit pas toujours pour cela de donner des préceptes par écrit; il faut, en quelque sorte, inoculer les bonnes mœurs aux enfans (21) ». Elles les rendent plus modestes, et plus propres à l'instruction (22) ». On ne peut y réussir qu'en écartant avec soin, tout ce qui pourroit dans la suite et au tems de la jeunesse, les mener à la débauche, et en les exerçant de bonne heure à la patience, et aux fatigues du corps et de l'esprit. Ils conservent ainsi toute la vigueur nécessaire pour remplir les emplois, soit civils, soit militaires, auxquels ils peuvent être appelés un jour. Telle fut l'éducation des Camille, des Fabricius, de ces hommes étonnans, qui, d'une république si foible, firent un état si puissant. Le cours entier de leur vie fut rempli par des occupations utiles. Le repos, les délassemens, les jeux, les festins, tout cela n'avoit aucun attrait pour eux. Ils pensoient que tous leurs desirs devoient se porter uniquement, sur ce qui pouvoit leur procurer de l'honneur et leur mériter des éloges.

Les jeunes gens, pour donner une bonne opinion d'eux, s'attachoient et se rendoient assidus auprès des citoyens les plus renommés par leur sagesse et par leur zèle pour le bien public. Le peuple se persuadoit facilement, qu'ils seroient semblables un jour, à ceux dont ils se montroient les disciples (23).

Les lois de la Crète, qui furent données par Jupiter, ou par Minos de l'avis de Jupiter, suivant les poëtes, et ensuite Licurgue, endurcissoient les jeunes gens à la fatigue, en les exerçant à la chasse, à la course, à supporter la faim, la soif, le chaud et le froid. Qu'elle n'est pas la force de l'habitude! elle rend moins aigu le sentiment de la douleur. J'ai oui dire à Sparte, qu'on y avoit vu des enfans en cette épreuve de patience, que, fouettés devant l'autel de Diane, souvent jusques à la mort, la douleur, ni le sang qui ruisseloit de toute part, ne pouvoient leur arracher un seul cri, pas même un gémissement. J'en ai vu moi-même des troupes entières se battre à coups de poings, de pieds et de dents, jusques à s'évanouir, plutôt que de s'avouer vaincus. Les législateurs de la Grèce voulurent ainsi fortifier le tempéramment de la jeunesse par des exercices pénibles et douloureux. Ceux de Sparte y habituèrent même les femmes, que par-tout ailleurs on élève dans l'intérieur des maisons, avec tant de mollesse (24).

Je citerai encore en exemple les travaux auxquels nos soldats sont assujettis. Quelle fatigue pour eux de porter habituellement des vivres pour plus de quinze jours, et en outre leur bagage et un pieu ! Ils ne comptent pas plus pour un fardeau leur casque, leur bouclier, leur épée, que leurs épaules, leurs bras et leurs mains. Dans leur langage, leurs armes sont leurs membres. Quel travail que celui de nos légions dans leurs divers exercices ! C'est ce qui leur fait braver les dangers et la douleur dans les combats. Tel est le caractère d'un vieux soldat : avec un courage égal, un soldat novice ne sera qu'une femme, en comparaison. L'âge des recrues vaut sans doute mieux ; mais l'habitude seule apprend à supporter le travail et à mépriser la douleur (25).

Les sages instituteurs, dont nous avons parlés, avoient anssi établi une grande sobriété, si propre à maintenir la santé. La chasse, la sueur, les courses près de l'Eurotas, la faim, la soif qui en étoient la suite, faisoient à Lacédémone le seul assaisonnement des repas. Aussi Denis-le-Tyran, y ayant une fois soupé, témoigna beaucoup de dégoût pour cette sauce noire, qui étoit le mets principal,

Votre dégoût pour cette sauce, lui dit le cuisinier, ne me surprend point : l'assaisonnement y manque. Xénophon, qui nous a fait connoître la manière de vivre des Perses, prétend qu'ils ne mangent que du cresson avec leur pain (26).

Après les soins que le corps exige, on doit s'attacher à polir l'esprit des jeunes gens par la culture des arts, qui contribuent à adoucir les mœurs, et à rendre les hommes plus sociables (27). Ce n'est pas que l'on n'ait vu souvent des hommes qui, par un instinct presque divin, et sans le secours de la science, ont été doués d'un génie éminent et d'une vertu consommée; j'ajoute même que la nature a quelquefois plus fait pour la gloire et la vertu sans l'instruction, que l'instruction sans elle. Mais lorsqu'un naturel excellent de lui-même est encore embelli par l'art et l'instruction, il en doit résulter un je ne sais quoi d'étonnant et d'extraordinaire (28). Que dis-

je, par fois l'instruction est nécessaire! Scipion l'Africain avoit coutume de le dire; « Pour pouvoir se servir des che-
» vaux que l'habitude des combats a ren-
» dus trop fougueux, il faut auparavant
» les faire dompter; de même les hom-
» mes naturellement confians, si faciles
» à se laisser aveugler par la prospérité,
» ont besoin que la raison et l'instruc-
» tion leur apprennent à se mieux con-
» connoître, en leur montrant la fragi-
» lité des choses humaines (29) ».

D'ailleurs, les champs que l'on cultive ne sont pas également fertiles; et ceux même qui sont les plus productifs ne donnent aucun fruit, s'ils ne sont cultivés; tel demeure l'esprit, sans l'instruction (30). « A l'exemple donc de l'agriculteur, qui prépare son champ par divers labours avant que de l'ensemencer (31), ou du teinturier en pourpre, qui fait à l'étoffe, qu'il veut teindre, certaines préparations, on doit disposer l'esprit par les lettres et l'instruction, à recevoir les impressions de la sagesse (32) ».

Le plus grand soin d'un instituteur doit être de bien démêler le caractère d'un enfant; de discerner à quoi il peut être propre, et de savoir varier sa méthode, suivant la différence des caractères. Nous avons de cela un exemple remarquable dans ce que disoit le célèbre Isocrate, qu'il usoit de l'éperon avec Ephore, et du frein avec Théopompe. On voit alors sortir de la même école des sujets excellens, chacun en leur genre, mais qui ne se ressemblent en rien. Car, de même qu'il existe une grande différence dans la figure et les facultés des corps; que les uns sont plus propres à la course par leur légèreté, d'autres à la lutte par leur vigueur; que l'on remarque en eux, tantôt de la grâce, tantôt de la dignité; de même il y a une extrême variété dans les esprits, les mœurs et les caractères. La conversation de Socrate étoit douce,

agréable,

agréable, toujours gaie; il employoit sans cesse cette figure, que les Grecs appellent ironie; tandis que d'un autre côté la gravité sérieuse de Pythagore et de Périclès, ne les empêcha point d'acquérir beaucoup de crédit et d'autorité. Annibal, chez les Carthaginois fut très-rusé; « parmi nous Marcellus vif et ardent à combattre, Fabius Maximus réfléchi et temporiseur ». Il est des hommes francs et ouverts, partisans de la vérité, ennemis de la fraude, qui ne voudroient rien faire en cachette, par ruse ou par adresse; d'autres au contraire, pour parvenir à leurs fins, sont disposés à tout faire et à tout souffrir. Chacun doit suivre l'impulsion de son caractère, quand il n'a rien de vicieux. C'est le guide qui le dirigera dans ses études; car on tenteroit envain de forcer ou de contrarier la nature(33).

Parmi les instructions que l'on donnera aux enfans, on se gardera bien de faire entrer aucune de ces doctrines qui tendent à détruire les fondemens de nos devoirs ; celles, par exemple, qui établissent que le souverain bien n'a rien de commun avec la vertu, et qui jugent des choses non par leur honnêteté, mais par les avantages qui en proviennent. Si ceux qui tiennent de tels principes vouloient être conséquens, et que la bonté du naturel ne l'emportât pas quelquefois en eux, ils ne connoîtroient ni amitié, ni justice, ni libéralité. Jamais celui qui regarde la douleur comme le souverain mal, ne sera brave ; jamais celui qui mettra tout son bonheur dans la volupté, ne sera tempérant (34). Ce fut donc avec grande raison que Fabricius, envoyé au roi Pyrrhus en qualité d'ambassadeur, s'étonna d'entendre raconter au Thessalien Cynéas, qu'il y avoit à Athènes un homme, faisant profession de sagesse, qui soutenoit que toutes nos actions devoient être rapportées à la volupté. M. Curius et T. Coruncanius apprenant de la bouche de Fabricius cet étrange récit, firent des vœux pour qu'une pareille doctrine fût celle de Pyrrhus et des Samnites; bien persuadés qu'on les vaincroit d'autant plus facilement, qu'ils seroient plus adonnés à la volupté (35). De tant de grands hommes qui ont existé, et que toutes les sectes de philosophie semblent revendiquer, aucun n'a été le partisan de celle d'Epicure : et ce n'est point dans son école que se sont formés les Licurgue, les Solon, les Miltiade, les Thémistocle, les Epaminondas (36). « Il faut donc bien se garder de donner de tels précepteurs à la jeunesse. S'ils pensent comme ils parlent, ce sont des hommes dangereux; s'ils parlent contre leur sentiment, ce que j'aime à croire d'eux, leurs discours n'en sont pas moins odieux et détestables (37) ».

Quant aux poëtes, « c'est avec raison

que Platon les exclut de la république qu'il a imaginée, » et dans laquelle il veut établir les meilleures mœurs possibles et la meilleure forme de gouvernement. Je voudrois donc qu'on leur fit à tous le même traitement qu'il veut faire à Homère ; « qu'après les avoir couronnés de fleurs et inondés de parfums, on les priât de vouloir bien aller chercher ailleurs un domicile (38) ». Quels maux en effet n'ont-ils pas apportés dans la Grèce? C'est une belle façon de corriger les mœurs que celle de la poésie, de la comédie sur-tout, qui attribue aux dieux les passions et les désordres les plus infâmes, et place parmi eux l'Amour, auteur de tant de crimes et de tant de'xtravagances (39). «Jamais Athènes n'eût du tolérer les excès de la comédie, ni lui laisser porter son audace au point qu'elle le fit (40) ».

« Quelle est la personne qui ait été à couvert de ses traits? quel est celui qu'elle ait épargné, qu'elle n'ait point vexé? Encore, si elle n'avoit attaqué que de vils flatteurs du peuple, des méchans ou des factieux, tels que Cléon, Cléophon ou Hyperbole; quoique peut-être, il eut mieux valu que de pareils citoyens fussent notés par le censeur, plutôt que par les poëtes. Mais, traduire sur la scène, et outrager dans des vers Périclès, après qu'il eut gouverné si long-tems la république, soit dans la paix, soit dans la guerre; c'étoit comme si l'on eut vu parmi nous Plaute ou Nœvius diffamer les Scipions, ou Cécilius, ou Caton (41) ».

« Nos ancêtres ne voulurent point que la vie et la réputation des citoyens fussent impunément exposées aux injures des poëtes. Parmi le petit nombre des cas punissables de mort, que renferment les loix des douze tables, on trouve celui-ci : de réciter ou de composer des vers injurieux ou diffamatoires. C'étoit une loi bien sage. Car ce n'est qu'à la justice et aux magistrats, et non à la mauvaise humeur des poëtes, que nous devons compte de notre conduite; et il n'est permis de nous accuser que devant un tribunal où nous puissions répondre et nous justifier des inculpations, que l'on nous fait. Enfin, nos ancêtres trouvoient mauvais qu'on louât ou qu'on blamât sur le théâtre quelqu'un pendant sa vie (42) ».

« Dailleurs, ils regardoient comme honteuse la profession de comédien et tout ce qui tenoit au théâtre; et ils privèrent cette classe d'hommes, non-seulement des prérogatives des autres citoyens, mais ils voulurent encore qu'ils fussent exclus des tribus par les censeurs. Chez les Grecs, au contraire, Æschines l'athénien, homme très-éloquent, après avoir joué la tragédie dans sa jeunesse, parvint ensuite aux premières places de la république; et Aristodême, aussi acteur tragique, fut envoyé plusieurs fois en qualité d'ambassadeur auprès de Philippe, pour traiter des plus importantes affaires de la paix et de la guerre (43) ».

Bien des usages, chez les Grecs, tendoient à exciter dans la jeunesse les passions les plus infâmes. « C'étoit une honte parmi eux, pour un jeune homme, de n'avoir pas un amant ». Les philosophes eux-mêmes, ces maîtres de vertu, ont voulu justifier cet amour abominable; ce n'étoit, disent-ils, que de la pure amitié. Mais pourquoi n'est-il jamais arrivé que quelqu'un ait aimé un jeune homme laid, ou un beau vieillard (44)? Cette coutume est née dans les gymnases des Grecs, où ces amours sont libres et permis. Ennius a donc très-bien dit : Le commencement de la prostitution est de paroître nud en public (45).

« C'avoit été encore une entreprise bien hardie et bien imprudente de leur part, d'avoir consacré dans ces mêmes gymnases, les tableaux des amours et des passions. L'usage de Sparte, qui apprenoit aux enfans à voler et à filouter », me paroît également d'une dangereuse conséquence (46).

Nos instructions soit politiques, soit civiles, valoient donc infiniment mieux que celles des Grecs (47). Nos lois à l'égard des femmes différoient encore en plusieurs points des leurs, sur le même sujet. La foiblesse du Sexe étoit cause, que nos ancêtres avoient voulu que les femmes fussent sous une tutelle perpétuelle (48). Elles étoient sous la dépendance de leurs maris, ou de leur famille, qui partageoient l'infamie de leur conduite, si elles menoient une vie déréglée, et qui avoient droit de les punir, lorsqu'elles l'avoient mérité.

« L'usage du vin leur étoit sévèrement interdit (49), et Caton dit, que de-là est venue la coutume d'embrasser ses parentes lorsqu'on les rencontre, pour que l'odeur du vin les décélât, si elles en avoient bu. « Bien plus, s'il y en avoit quelqu'une de decriée, les parens refusoient de l'admettre à cette épreuve (50) ». Je conviens pourtant que chez les Grecs, les femmes mènent aussi une vie fort retirée ; elles n'asistent jamais au repas des hommes, où l'on boit avec excès (51) ; elles n'ont que la liberté de faire elles-mêmes leurs affaires (52). « Il y a une espèce d'inspecteur chargé de veiller sur elles : je préférerois un censeur, qui aprît aussi aux maris la manière de se conduire envers leurs femmes ; le jugement d'un censeur ne porte aucun dommage ; il n'imprime que de la honte ; et la honte est un grand frein pour les femmes (53) ».

Les lois, dont le but est d'assurer le bonheur et la tranquillité des citoyens, cherchent parmi nous à calmer promptement les contestations, qui s'élèvent entr'eux, et sur-tout entre les parens. « Une loi des XII Tables porte ; Si des parens ont un différend entr'eux, des arbitres donnés par le prêteur le décideront. Il faut admirer ici non-seulement la sagesse de la loi, mais encore les expressions qu'elle emploie, et d'après lesquelles les contestations des parens ne sont pas des querelles d'ennemis, qui combattent entr'eux, mais des débats de personnes, qui se veulent d'ailleurs du bien (54) ». Il est encore une notable différence entre nous et les Grecs. Chez ceux-ci, ce sont des hommes vils, que la cupidité seule fait agir, qui se chargent de la défense des citoyens dans les jugemens; tandis que parmi nous, ce sont les personnes les plus recommandables qui remplissent ces fonctions, et qui y trouvent une voie honorable pour parvenir aux distinctions, et s'acquérir du crédit et de la réputation (55).

Nos lois tendoient donc toutes à faire naître la justice, qui est l'ame et le fondement de toutes les vertus. Car la grandeur d'ame et la bravoure ne sont des vertus, qu'autant qu'on les emploie pour la défense du bien général, et non pour celle d'un intérêt privé ; et c'est avec raison que les Stoïciens définissent la bravoure, une vertu qui combat pour la justice. Autrement, la bravoure mériteroit plutôt le nom d'audace (56). « La prudence consiste dans le discernement du bien et du mal. Elle n'inspire aucune confiance sans la justice. Car plus un homme est prudent et avisé, plus il est odieux et suspect, si l'on n'a pas bonne opinion de sa probité (57) La justice tient encore à la tempérance. L'on ne peut être juste qu'en sachant braver la mort, la douleur, l'exil, la pauvreté, en sachant préférer ce qui est équitable, à tout ce qui peut être utile (58). « La bonne foi même qui tire son nom, de ce que l'on fait, ce que l'on a promis », n'est une vertu, comme nous l'avons déjà remarqué ailleurs, qu'en tant que la promesse que l'on remplit, n'est point funeste pour celui à qui on l'a faite (59).

L'ambition a aussi ses règles. Il faut savoir, en certaines circonstances, fuir les charges publiques, les refuser et même s'en démettre. Tout cela cependant n'est pardonnable qu'à ceux qui veulent se livrer uniquement à l'étude, ou qui, par la foiblesse de leur santé, ou quelqu'autre cause grave, ne pourroient remplir des fonctions publiques. Car on ne peut louer ceux, qui ont l'air de dédaigner, ce que tant d'autres désirent, l'empire et la magistrature; parce qu'on croit que c'est moins par mépris de la gloire, que parce qu'ils regardent comme une honte et une ignominie les peines, les chagrins, les offenses et les refus, auxquels on est exposé dans cette carrière. Ceux donc, qui ont reçu de la nature, les qualités nécessaires pour remplir les charges publiques, doivent les accepter sans hésiter; autrement la république seroit mal gouvernée, et la vertu seroit sans exercice (60). Il faut cependant, avant tout, s'examiner soigneusement, et voir de quoi on est capable; sans cela, les comédiens, qui ne prennent jamais que les rôles qui leur conviennent, pourroient paroître plus prudens que nous (61).

En outre, celui qui se destine au gouvernement de la république, doit en connoître les divers intérêts, ce qui a une grande étendue. Il doit savoir le nombre de ses troupes, l'état et la valeur de ses revenus, quels sont ses alliés, ses amis, ses pensionnaires; il faut qu'il soit instruit de ses traités, de ses alliances; qu'il sache quelles sont les formes des délibérations, et qu'il ait présent à sa mémoire les exemples de nos ancêtres (62).

Il doit, sur-tout, être persuadé qu'il en est de l'administration publique comme de la tutelle, qui est établie pour l'avantage des pupiles, et non pour le profit de ceux, à qui elle est confiée (63). Tout homme qui est appelé au gouvernement de son pays, lorsque la nature l'a doué d'un caractère élevé et juste, et que son esprit a été cultivé par les lettres et par les arts, doit se comporter dans l'exercice du pouvoir qui lui est confié, de manière qu'il fasse chérir le gouvernement, par ceux sur lesquels il est préposé. Son modèle sera le livre de Xénophon, qui n'a point été écrit avec toute la fidélité de l'histoire, mais pour présenter l'image d'un gouvernement parfait. Ce philosophe a su y joindre une grande sagesse, avec une douceur remarquable; il n'y a rien omis de ce qui peut rendre un gouvernement juste et modéré; aussi l'Africain avoit-il toujours ce livre entre les mains. Si un prince tel que Cyrus, qui ne devoit jamais descendre dans l'état de simple particulier, se croyoit soumis à tant d'obligations, que doit-ce être de ceux, à qui l'autorité n'a été confiée que pour la rendre ensuite, et pour retourner sous les mêmes loix, qui les avoient élevés au-dessus des autres ? Le bien public, le plus grand bonheur possible de ceux qu'ils gouvernent, voilà leur unique objet. Si c'est un devoir pour ceux, qui sont préposés à la garde des esclaves et des troupeaux, de s'occuper de leur avantage et de leur utilité, que doit-ce etre de ceux, qui veillent sur des citoyens et sur des alliés ?

« Car, de meme qu'un voyage heureux est l'objet du pilote, la santé celui du médecin, la victoire celui d'un général; le bonheur de la république doit être le but de celui qui la gouverne. Tous ses soins doivent tendre à la rendre puissante, riche, illustre par la gloire et respectable par les vertus. C'est sans doute la plus belle œuvre, dont les hommes soient capables (64).

Dans tout ce qu'il fera, la gloire sera son unique perspective. C'est la plus digne récompense de la vertu ; c'est celle qui a le plus d'attraits pour les hommes en général, mais principalement pour ceux qui sont heureusement nés. Elle nous console de la briéveté de la vie par le souvenir de la postérité. Par elle, nous sommes présens quoique absens, nous vivons encore après notre mort; par son secours, les hommes paroissent s'élever jusques au ciel. Si on nous ôte l'espoir de transmettre notre souvenir à la postérité, si notre pensée ne peut s'élancer au-delà des termes de la vie, qui voudra s'exposer à tant de travaux, être rongé de tant de soucis, et risquer si souvent sa vie pour le bien général (65) ?

Mais l'on se tromperoit fort, si l'on se flattoit de pouvoir parvenir à la véritable gloire, par une vaine ostentation, un air et un langage étudiés. Pour y arriver par le plus court chemin, il faut, suivant l'avis de Socrate, s'appliquer à être réellement ce que nous avons envie de paroître. La fausse gloire passe rapidement,

dement, comme tout ce qui n'est qu'illusion; la véritable gloire, au contraire, jette de profondes racines et se propage sans cesse. Elle consiste dans l'approbation unanime de tous les gens de bien, qui savent connoître et apprécier la vertu. Ce suffrage est en quelque sorte l'écho du vrai mérite, et tous les hommes vertueux doivent en être jaloux, parce qu'il accompagne d'ordinaire les bonnes actions. Pour ce qui est de la fausse gloire, qui voudroit imiter la véritable, et qui consiste dans cette approbation téméraire et inconsidérée, que le peuple prodigue souvent au vice et à l'erreur, elle corrompt la forme et la beauté de la vertu, en en prenant les apparences. L'aveuglement qu'elle a répandu sur certains hommes, qui vouloient peut-être le bien, mais ne savoient pas discerner où il se trouvoit, a été cause qu'en désirant de se faire un nom, ils ont causé la ruine de leur patrie et souvent la leur propre (66).

Le magistrat que l'amour de la véritable gloire dirigera, saura non-seulement résister à la faveur, mais encore se garantir de tout soupçon. Son accès sera facile et ouvert à tout le monde. Il écoutera toutes les plaintes. Le pauvre et l'homme sans crédit pourront l'approcher, non-seulement dans les audiences publiques, mais encore dans sa chambre, dans son lit même, s'il le faut. Il n'y aura dans ses manières rien de dur, de rebutant, de cruel. Tout y respirera la clémence, la douceur, l'humanité (67). Rien n'est plus louable que ces vertus, rien n'est plus digne d'un grand personnage. Chez un peuple libre, où il règne un esprit d'égalité, un homme public doit se posséder de façon, qu'il ne contracte pas une morgue inutile et odieuse, et qu'il ne s'emporte pas même envers les importuns ou les fâcheux. Mais la douceur et la clémence n'excluent point une certaine sévérité, sans laquelle il seroit impossible de gouverner une république (68).

Solon, le plus illustre des sept sages, le seul d'entre eux qui ait écrit des lois, disoit avec raison, que l'on ne mène les hommes que par deux moyens, les récompenses et les peines (69). Celles-ci doivent être égales pour tous les citoyens, proportionnées aux délits, infligées avec impartialité et exemptes de tout outrage. Leur but est l'avantage de la république, et non la satisfaction de celui qui les ordonne. Il faut donc que le magistrat soit comme la loi, dirigé uniquement par l'équité et non par aucune passion particulière. Son principal devoir, est de bien se persuader, qu'il est le représentant de la cité, qu'il doit par conséquent en soutenir l'honneur et la dignité, observer les lois, rendre exactement la justice, dont l'administration lui est confiée (70), ne jamais oublier que les limites de son autorité sont renfermées dans les pouvoirs que le peuple lui a délégués. Il faut qu'il ait le courage d'absoudre ses ennemis et de condamner ses amis, et qu'il n'ait enfin d'autre guide que la loi et la religion (71). En général, le parti le plus sûr pour ceux qui gouvernent est de chercher à se faire aimer; le pire de tous, est de vouloir être craint. Ennius a très bien dit : « on hait quand on craint, et celui qu est haï de tout le monde doit nécessairement périr ». C'est la fin ordinaire de tous les tyrans. Il n'est guères possible de résister long-tems à la haîne d'une multitude. Les usurpateurs de l'autorité sont obligés, pour la conserver, de traiter en esclaves les hommes qu'ils ont asservis. C'est pourtant le comble de la démence d'en venir là dans un pays libre. Car on désire avec plus d'ardeur la liberté quand on l'a perdue, que quand on ne l'a jamais connue. En un mot, on a toujours beaucoup à craindre de la part de ceux, dont on veut être craint (72).

Dans la vie privée, le magistrat ne cherchera pas à être distingué des autres citoyens « Rien ne fit tant de tort au premier Scipion, et il se le reprocha souvent à lui-même, que d'avoir contribué étant consul, à faire donner au Sénat une place distinguée du reste du peuple, dans les spectacles publics (73) ».

Il faut se tenir autant en garde contre la bassesse et l'abjection, que contre l'orgueil et l'arrogance, que la prospérité inspire d'ordinaire. Il est honteux de vouloir gagner la bienveillance publique par des bassesses ; il ne faut rechercher que la bienveillance qui suit la vertu (74). « L'ostentation, l'ambition démesurée, tout comme l'adulation, étoient aux yeux de nos ancêtres, de grandes marques de légèreté, dans un citoyen distingué et illustre (75) ».

Mais il ne suffit pas de prescrire aux magistrats la manière dont ils doivent commander, il faut encore enseigner aux citoyens celle d'obéir. Pour bien commander, il est nécessaire d'avoir obéi, et c'est l'obéissance modeste qui annonce qu'on sera un jour digne de commander. Ainsi, il est bon que celui qui obéit puisse se promettre qu'un tems viendra où il commandera, et que celui qui commande pense que dans peu il sera réduit à obéir. Nous prétendons à l'exemple de Charondas dans ses lois, non-seulement que les citoyens obéissent et soient soumis aux magistrats, mais encore qu'ils les honorent et les chérissent. Platon regarde comme des rejetons des Titans, ceux qui imitent envers les magistrats, leur révolte contre les dieux (76).

Reste à parler de la bienfaisance et de la libéralité, auxquelles la justice doit également présider. On peut les exercer de deux manières, par des soins et des services, ou avec de l'argent. Le fond de la première est inépuisable. Il y a quelque chose de plus noble et de plus distingué que dans l'autre, qui s'épuise par ses propres largesses.

Philippe de Macédoine, dans une lettre à son fils Alexandre, le blâme de ce qu'il prétend gagner l'affection des Macédoniens avec de l'argent; il ajoute, avec raison, que ce moyen mérite plutôt le nom de corruption que de largesse. Il faut y mettre du moins beaucoup de discernement, et sur-tout de modération; autrement on sera bientôt ruiné, et les rapines suivront de près la prodigalité. Car lorsqu'on est réduit à l'indigence par de folles dissipations, on est bientôt forcé de porter la main sur le bien d'autrui. Ainsi, ayant tout donné pour s'attirer la bienveillance publique, on n'est plus exposé qu'au ressentiment de ceux à qui on a ôté ce qui leur appartenoit; ressentiment qui l'emporte de beaucoup sur la reconnoissance de ceux qui ont reçu (77).

Je ne sais comment il a pu tomber

sous les sens de Théophraste, dans ce livre qu'il a écrit des richesses, de louer la magnificence et l'appareil des largesses populaires. J'aime bien mieux la censure qu'en fait Aristote, avec autant de vérité que de sévérité. Elles ne soulagent aucun besoin, ni n'augmentent la dignité de celui qui les répand, et le souvenir qu'en conserve la multitude passe aussi vîte, que la satisfaction momentanée, qu'elle en a éprouvée (78).

Dans notre cité, un ancien usage exige cependant des bons citoyens, qu'ils mettent de la splendeur dans leur édilité. Sans doute, il faut sur toutes choses éviter le soupçon d'avarice. Mais ces dépenses doivent toujours renfermer quelque chose de grand et d'utile, et être proportionnées aux facultés de celui qui les fait. Ainsi il vaudroit mieux que l'on construisît des remparts, des ports, des aqueducs ou d'autres ouvrages utiles à la république, que d'employer la somme qu'ils couteroient, à des distributions pécuniaires, qui, plus agréables pour le moment, ne sont d'aucun avantage pour la postérité. Je n'ose blamer, à cause de Pompée, la construction des théâtres, des portiques, la fondation de nouveaux temples; mais de très grands philosophes, tels que Panétius et Démétrius, ont blâmé Périclès d'avoir dépensé tant d'argent à ses magnifiques propylées (79).

Il faut principalement être économe des deniers publics, pour ne mettre des impôts que dans un besoin extrême. L'aversion des honnêtes gens augmente chaque jour pour tout ce qui porte ce nom. La modicité du revenu public, les guerres continuelles forcèrent quelquefois nos ancêtres d'y avoir recours. Il faut pourvoir à ce qu'on ne soit pas forcé d'y revenir souvent. Mais si une extrême nécessité y oblige, tout le monde doit se persuader (et c'est un avis que je donne ici, non-seulement à notre république, mais encore à toutes les autres) qu'à moins de vouloir compromettre sa sûreté, il faut se soumettre à cette nécessité (80). Les provinces elles - mêmes doivent considérer que, sans la protection de cet empire, elles ne pourroient se garantir du fléau des guerres étrangères et des discordes intestines. Or l'empire ne peut se soutenir, que par le moyen des impôts. Elles doivent donc acheter sans regret, de quelque partie de leurs richesses, le bonheur d'une tranquillité perpétuelle (81).

La justice exige d'un autre côté, que les propriétés des particuliers soient protégées. La nature, si l'on veut, n'a rien donné à chacun en propre. C'est une ancienne occupation d'une chose qui n'appartenoit à personne, ou le droit de conquête, ou une loi, un contrat, un partage, ou enfin le hasard, qui ont établi les premières propriétés. On eut alors à soi une partie de ce qui étoit d'abord en commun. Chacun a droit de garder la portion qui lui est avenue, autrement le fondement de la société humaine est détruit. Car, de même que dans un théâtre, qui est un lieu public, les places appartiennent à ceux qui les ont prises; de même, dans une cité commune, les propriétés privées n'ont rien de contraire au droit (82). Il ne reste de commun parmi les hommes que ce que la nature a fait pour l'usage de tous, et que l'on peut communiquer même à des inconnus, sans en éprouver un dommage personnel (83). « Lycurgue, et principalement notre Platon, a voulu établir une telle communauté de bien, que personne ne put dire avoir quelque chose en propre (84) ». Mais ce système ne peut se concilier avec celui de la société humaine, dont la propriété est l'objet et le fondement. Car quoique la nature portât les hommes à se réunir entr'eux, ce fut sur-tout dans l'espoir de garder plus sûrement ce qu'ils avoient, qu'ils formèrent des républiques et bâtirent des villes. On ne sauroit donc imaginer rien de plus funeste pour elles, que de vouloir y égaliser les fortunes (85).

Cependant ceux qui veulent passer pour populaires, ne manquent jamais de proposer, pour dépouiller les anciens propriétaires, ou une loi agraire, ou l'abolition des dettes. Ils bouléversent ainsi les fondemens de la république, en détruisant d'abord l'union entre les citoyens, qui ne peut plus subsister, lorsqu'on ôte aux uns pour donner aux autres; et ensuite la justice, qui disparoît entièrement, dès-lors que chaque citoyen n'est plus le maître de ce qui lui appartient. Quelle équité y a-t-il que celui qui possédoit un champ, souvent depuis des siècles, en soit dépouillé pour le donner à celui qui n'y avoit aucun droit? Au milieu des maux que cette injustice engendre, ses auteurs n'en obtiennent pas toute la faveur qu'ils s'en étoient promise. Ils se font des ennemis implacables de ceux à qui ils ont enlevé leurs biens, tandis que ceux qui les ont reçus, rougissant d'un tel don, font semblant de n'avoir pas voulu accepter. Ceux sur-tout à qui on a remis leurs dettes, n'en témoignent aucune joie, de crainte de passer pour insolvables.

Ce genre d'injustice fit chasser de Lacédémone Lysandre-l'Éphore, et mettre à mort le roi Agis, chose inouie jusques alors. Des discordes funestes en furent encore la suite; des tyrans s'élevèrent; les principaux furent exterminés, et cette république, si bien organisée, fut détruite (86). La contagion partie de Lacédémone gagna les autres républiques de la Grèce, et les bouleversa entièrement. Les dissentions que causèrent parmi nous les lois agraires, n'ont-elles pas perdu les Gracques, ces descendans d'un homme illustre, ces neveux du grand Scipion?

On loue avec raison Aratus de Sicione,

qui étant parvenu à délivrer sa patrie des tyrans qui l'opprimoient depuis cinquante ans, y rappela six cents des citoyens les plus riches, qui en avoient été exilés. Mais il trouva de grandes difficultés, lorsqu'il voulut les faire rentrer dans leurs biens. Il jugea qu'il n'y auroit pas de justice à en dépouiller ceux qui les possédoient depuis cinquante ans, et dont la plupart les avoient eus, ou par succession, ou par achapt, ou en dot. Dans cet embarras, il fut en Egypte, où il emprunta une somme considérable de Ptolémée son ami, qui régnoit alors dans ce pays. A son retour, assisté de quinze des principaux, il parvint à concilier les intérêts des anciens et des nouveaxu propriétaires, en indemnisant d'après une estimation préalable, ceux qui voulurent renoncer à leurs prétentions, de même que ceux qui consentirent à restituer les fonds qu'ils avoient acquis.

O grand homme et bien digne d'être né dans notre république! c'est là ce qui s'appelle être juste envers les citoyens, et non pas, comme il est arrivé déjà deux fois parmi nous, de vendre leurs biens aux enchères. Cet illustre Grec (et c'étoit bien d'un homme aussi sage et aussi excellent) crut qu'il devoit ses soins et la justice à tous ses concitoyens, en protéger et non en bouleverser la fortune et les intérêts. Qu'y a-t-il de plus indigne que de s'emparer gratuitement de l'habitation d'autrui? Quoi, j'aurois acheté, bâti, et vous viendriez malgré moi, jouir des fruits de mes travaux et de mon industrie?

Que fait la loi qui remet les dettes, sinon de vous assurer la propriété du fonds que vous avez acheté de mon argent, et de m'empêcher de vous demander cet argent? Il est sans doute sage de prévoir à ce que l'énormité des dettes ne devienne préjudiciable a la république, ce qui peut se faire de plusieurs manières; mais il ne faut jamais que les riches perdent leur bien, et que les débiteurs gagnent ce qui est à autrui. Le plus ferme lien de la société est la bonne foi; il n'en existe plus, si l'on n'est contraint de payer ce que l'on doit. Jamais l'on n'a fait, pour s'en dispenser, de plus grands et de plus terribles efforts que sous mon consulat. Je parvins par ma résistance à détourner ce malheur de la république; les dettes n'avoient jamais été plus considérables qu'alors, et elles furent acquittées avec autant d'exactitude que de facilité. Une fois qu'on eut perdu l'espoir de frauder, il fallut penser sérieusement à s'acquitter (87).

« Dans cette discussion j'ai moins défendu la cause de la multitude que celle des gens de bien; mais il en résulte toujours ce que nous avons dit déjà, qu'il faut que dans tout état il règne la justice la plus exacte, sans quoi il seroit impossible

sible de maintenir la concorde parmi le peuple, et d'empêcher de sa part un soulèvement, auquel il ne seroit pas facile de résister (88) ».

LIVRE V.

SOMMAIRE.

Anciennes mœurs romaines. Eloge de l'Agriculture. Mépris des professions mercantiles. Influence des mœurs des grands sur celles du peuple. De l'éloquence dans un homme d'état. Epoque de la décadence des mœurs. Orateurs factieux. Des Gracques. Proscriptions. Oppression des provinces. Vénalité des jugemens et des comices. Guerres civiles. César, dictateur. Causes de sa chûte.

« C'EST par les mœurs anciennes, dit Ennius, que la république romaine et sa prospérité se maintiennent.

La vérité et la précision de ce vers d'Ennius, le font, suivant moi, ressembler à un Oracle. Car, ni nos grands hommes, sans le secours des mœurs publiques, ni les mœurs sans le secours de ces grands hommes, n'auroient pu fonder, ni maintenir si long-tems, un état aussi vaste et aussi puissant que le nôtre. Dans les âges qui nous ont précédé, on n'admettoit au gouvernement de la république, que des hommes d'une sagesse consommée; et ces excellens citoyens se faisoient un devoir d'observer les institutions et les usages antiques. Mais la génération actuelle, après avoir reçu la république, comme un tableau magnifique, que le tems cependant commençoit à dégrader, a négligé non-seulement de lui rendre son ancien lustre, mais encore d'en conserver au moins le dessein et les premiers traits. Que reste-t-il en effet de ces anciennes mœurs, qui faisoient, dit-on, toute la force de la république? ne sont-elle pas entièrement hors d'usage et ensevelies même dans l'oubli le plus profond? Que dirai-je des hommes actuels? les mœurs ont péri faute d'hommes. C'est nous qui sommes responsables d'une perte si grande, et comme accusés d'un crime capital, c'est à nous de nous en justifier. Si la république n'est plus qu'un vain nom, si en réalité elle n'existe plus depuis longtems, nos vices et non pas nos malheurs, en sont cause (1) ».

Nos ancêtres cultivoient leurs champs avec soin et ne convoîtoient point ceux d'autrui (2). Les sénateurs, tous ces hommes illustres et vertueux, à qui le gouvernement de la république étoit confié, faisoient leur séjour à la Campagne, et employoient leur tems aux travaux de l'agriculture (3). Cincinnatus s'occupoit à labourer, dans le moment où on vint lui annoncer, qu'il avoit été nommé dictateur; et ce fut dans la même occupation que M. Curius, le vainqueur des Samnites, des Sabins et de Pyrrhus, passa les dernières années de sa vie (4). « Aussi jamais Caton ne faisoit de voyage à sa campagne, dans le pays des Sabins, sans aller rendre hommage à la maison, où Curius rejetta les présens des Samnites, de ces anciens ennemis des Romains devenus alors ses clients » ; et contemplant cette habitation, il ne pouvoit admirer assez le désintéressement de ce grand homme et les mœurs de son tems (5).

La vie champêtre est la mère de l'économie, de la vigilance et de la justice ; et la classe des cultivateurs est la meilleure, la plus honnête et la plus juste de toutes. C'est celle qui est le moins agitée par les passions et la plus exacte à remplir ses devoirs (6). De tous les arts, dont les hommes tirent quelque avantage, il n'en est pas de plus délicieux, de plus doux, de plus digne d'un homme libre, que l'agriculture. Par elle on s'acquitte d'un devoir envers le genre humain, auquel elle procure en abondance, les choses nécessaires au soutien de la vie et au culte des Dieux. Il n'y a rien de plus utile et de plus agréable à voir qu'un champ bien cultivé. La vieillesse même n'est point un obstacle aux douces jouissances que l'agriculture donne ; et rien n'empêche qu'elles ne se prolongent jusqu'aux derniers termes de la vie (7).

Les mœurs de nos ancêtres étoient excellentes ; elles leur tenoient lieu de loix. L'opinion publique étoit d'un grand poids, et la justice se rendoit avec sévérité (8). Pour me servir des termes d'Aratus, que j'ai traduit dans ma jeunesse, « ils aimoient à vivre d'une manière simple et économique (9) ; les vaisseaux ne leur apportoient point alors des grains, des pays éloignés ; leurs bœufs, leur charrue, et la souveraine des peuples, la justice, leur fournissoient le nécessaire avec abondance (10). » Leurs richesses ne consistoient qu'en terres et en troupeaux, et ils ne payoient les amendes qu'avec des bœufs ou des moutons (11). Romulus n'avoit point pensé à profiter du voisinage de la mer, ce qu'il auroit cependant pu faire facilement (12) ».

Nos ancêtres désapprouvoient tous les gains, qui avoient quelque chose d'odieux, tels que ceux des financiers et des préteurs à intérêt. Ils regardoient comme viles et basses, les professions mercenaires, où l'on paie le travail de la personne, et non le produit de l'industrie ; et dont le salaire est en quelque sorte un engagement à la servitude. Ils rangeoient dans la même classe les revendeurs en détail, qui ne feroient aucun profit, s'ils ne mentoient continuellement, En général ils faisoient très-peu de cas des gens de métier, dont l'état leur paroissoit incompatible avec la vraie liberté. Ils méprisoient principalement les métiers de comédien, de danseur, de cuisinier, de parfumeur, tous ceux en un mot, qui n'avoient pas pour objet des besoins réels, et n'étoient que des instrumens de volupté. Ils les jugeoient indignes des hommes libres. Il n'en étoit pas de même des professions, qui exigent une grande intelligence, et dont la société retire beaucoup d'avantages, telles que la médecine, l'architecture, et tous les arts utiles et honnêtes. Enfin quoique l'on fit quelque cas du commerce en gros, on louoit le négociant, qui satisfait d'un profit honnête, se retiroit à la campagne, pour se livrer entièrement à l'agriculture (13). « Nos ancêtres ne vouloient pas que le même peuple fut à-la-fois le maître et le facteur de l'univers. L'économie étoit à leurs yeux, le revenu le plus sûr des particuliers, comme de l'état (14) ».

L'on avoit beaucoup de déférence pour la vieillesse. Les parens étoient regardés, comme des Dieux par leurs enfans; la piété filiale est en effet le fondement de toutes les vertus (15). Dans leurs maisons, rien ne bornoit leur autorité et leur puissance suprême; vénérés de leurs enfans, craints par leurs esclaves, presque également maîtres de leurs affranchis, ils étoient chers à tous. Dans les familles régnoit la discipline la plus austère, avec les mœurs les plus pures (16). On ne connoissoit pas alors de lien plus fort, que celui du serment (17). Les festins étoient des repas sobres, des fêtes d'amis, et non, comme chez les Grecs, des parties de débauche (18).

Panétius loue la retenue de l'Africain. Mais il auroit trouvé en lui bien d'autres sujets de louange; celui-là lui étoit commun avec tout son siècle (19). Paul-Emile, maître du butin immense, qu'il avoit fait en Macédoine, versa tant de richesses dans le trésor public, que les impôts furent abolis, comme superflus:

« Il n'emporta autre chose chez lui », qu'une gloire éternelle (20). Dans des tems plus reculés, le consul Fabricius s'étoit moqué des largesses de Pyrrhus ; et lorsque les Samnites vinrent offrir à Curius, assis près de son foyer rustique, un grande quantité d'or ; j'aime mieux, leur dit-il, commander à ceux, qui ont de l'or, que de le posséder. A la ville, à la campagne, la maison de Scipion ou d'Emile, pareille encore à celle de Fabricius ou de Curius, n'offroit rien de magnifique, ni de recherché : eux-mêmes en faisoient tout l'ornement (21).

Ceux qui, animés du desir de la gloire, aspiroient aux honneurs et se destinoient au gouvernement de la république, ne négligeoient pour s'en rendre dignes, aucune des connoissances, qui existoient alors. Aussi a t-on vu chez nos ancêtres et de notre tems encore, plusieurs grands personnages très-propres par leur sagesse et leur prudence, à diriger l'administration de la république (22). Après en envoir rempli les premiers emplois, ils ne cessoient point de s'occuper de son bonheur; et les consulaires sur-tout, pensoient toujours, ou faisoient, ou disoient quelque chose, pour son avantage (23).

Les grands servoient ainsi par leurs vertus, de modèle à tous les autres citoyens. Nos ancêtres s'étoient apperçus de la vérité de ce que dit Platon, d'une maniére presque divine. Tels sont les principaux dans une cité, tels sont les autres citoyens (24). Car, de même que les passions et les vices des grands suffisent pour infecter la cité, leur retenue seule peut la corriger et la réformer. On a fort vanté Lucullus, de ce qu'il répondit à ceux qui lui reprochoient la magnificence de sa campagne de Tusculum : j'ai deux voisins, l'un chevalier romain, et l'autre affranchi, qui possèdent des campagnes superbes, au-dessus et au-dessous de la mienne. Pourquoi me défendra-t-on, ce qui est permis à des gens d'une qualité inférieure? Lucullus ne voyoit pas, que c'étoit son exemple, qui avoit fait naître cette fantaisie à ses voisins.

Quelque pernicieuse que soit par elle-même l'inconduite des grands, elle l'est encore davantage, en ce qu'elle trouve toujours un nombre considérable d'imitateurs. Si vous voulez jetter un coup-d'œil sur les tems passés, vous verrez que le changement, qui s'est opéré dans les mœurs des grands, a presque toujours été suivi d'un pareil changement chez le peuple. Cela est même beaucoup plus vrai, que ce que dit encore Platon; qu'un changement dans la musique, en apporte toujours un dans les mœurs (25).

Il ne faut que peu, je dis même très-peu de personnes illustrées par les charges ou par les dignités, pour corrompre les mœurs, ou pour les redresser; et c'est d'après cela sans doute, qu'on avoit voulu que le sénat sur-tout fut exempt de reproche (26). Tout commerce étoit interdit à ses membres. Ils ne pouvoient avoir des vaisseaux, que pour leur usage particulier ; et telle étoit l'antique sévérité à cet égard, que l'infraction de cette loi fut mise au rang des plus grands crimes (27). Le trésor public fournissoit à la dépense de ceux, qui étoient envoyés en commission dans les provinces. On ne leur permettoit d'acheter des hommes de service, que pour remplacer ceux, qui viendroient à mourir. On craignoit qu'il n'abusassent de leur autorité, pour en acheter au prix qu'ils voudroient, et on regardoit comme un vol et non comme une vente, un marché dans lequel le vendeur n'auroit pas été le maître du prix. Le Censeur, ce gardien de l'ancienne discipline, veilloit spécialement sur l'intégrité des sénateurs (28).

Ils devoient se distinguer non-seulement par leur conduite, mais encore par leur manière de s'exprimer. L'éloquence étoit regardée comme un très-grand ornement dans les principaux, dont elle accroît beaucoup l'influence (29). Elle sert cependant aux personnes privées comme aux personnes publiques. « Car, de même qu'il est nécessaire qu'un père de famille sache bâtir, cultiver, il convient aussi qu'il sache bien raisonner et bien parler (30) ». L'éloquence fut toujours cultivée dans une cité bien constituée (31). Elle prit naissance dans Athênes, qui seule a eu de bonne heure des orateurs. On ne connoît en effet dans les premiers tems, aucun orateur d'Argos, de Corinthe et de Thêbes, pas même de Lacédémone; à moins qu'on ne veuille regarder comme tel, Ménélaus, dont Homère dit « qu'il avoit en parlant beaucoup de douceur et d'agrément ». Mais il étoit très-concis dans ses discours (32). D'Athênes, l'éloquence s'étendit dans la Grèce et en plusieurs autres lieux ; elle parcourut les îles, et pénétra jusques dans l'Asie ; par-tout elle eut de grands succès et reçut de grands honneurs. Mais elle s'amollit par les mœurs étrangères, et elle perdit la pureté de cette diction attique, qui en faisoit le premier mérite. De-là vinrent ces orateurs Asiatiques, estimables à la vérité par la rapidité et l'abondance de leurs discours, mais peu concis et trop diffus. Ils s'attachoient principalement à plaire à l'oreille, « et terminoient ordinairement leur période par des trochées, nombre qui est infiniment agréable (33) ».

Il s'est trouvé cependant des hommes très-illustres et très-versés dans la philosophie, qui ont voulu exclure les orateurs du gouvernement de la république, leur interdire la science et la connoissance de tous les grands objets, et les reléguer dans les jugemens et les assemblées de peu d'importance. Mais je ne puis souscrire à cette opinion, bien que soutenue

soutenue par Platon, qui est lui-même un orateur si grave et si éloquent; et ce que je trouvois de plus admirable en lisant son Gorgias, c'est qu'il parut si grand orateur, en se mocquant des orateurs (34). Scipion étoit entièrement de son avis; « Car il avoit conçu la haine la plus forte contre ces Rhéteurs », qui affectent d'être prêts à parler sur tout, et font parade d'un amas pompeux de verbiages et de raisonnemens subtils (35). Qu'y a-t-il cependant de plus excellent, que de pouvoir en parlant, gagner l'attention d'une grande assemblée, s'emparer de l'esprit de ceux qui la composent, et en diriger à son gré la volonté. Un pareil talent fut toujours le premier de tous, chez un peuple libre (36). Mais aussi, plus la force de l'éloquence est grande, plus elle demande d'être guidée par la prudence et par la sagesse. Car en procurant l'art de bien dire, à des hommes qui manquent de ces vertus, ce ne sont point des orateurs que l'on forme, mais des furieux à qui l'on donne des armes (37).

Au reste, tout ce grand appareil d'éloquence est inutile et superflu dans un sénateur « qui doit être concis en parlant ». La concision est cependant un grand mérite, non-seulement pour un sénateur, mais encore pour un orateur quelconque. Le sénateur s'exprimera en outre avec calme et modération, et il évitera le soupçon de vouloir montrer de l'esprit (38). C'est ainsi que chez nos ancêtres le sénat étoit exempt des moindres vices. Il existoit des Romains d'une telle continence, que les nations étrangères ont aujourd'hui de la peine à le croire. Mais alors aussi ces nations aimoient mieux obéir aux Romains que commander à d'autres. Le sénat étoit l'asyle et le refuge des rois et des peuples. C'étoit moins un empire qu'une protection, que nous exercions sur l'univers (39).

Nous l'avions donc emporté non-seulement sur les Grecs, mais encore sur tous les autres peuples dans ce qui venoit de la nature, sans le secours de l'art. On cherchoit chez les Grecs des modèles pour la science, chez nous pour la vertu. Quelle part trouvera-t-on autant de gravité, de fermeté, de grandeur d'ame, de probité, de bonne foi, de vertus en un mot supérieures en tout genre, qu'on en remarque dans nos ancêtres? Le juste et l'honnête l'emportèrent toujours chez eux sur l'utile. Notre histoire est remplie d'exemples, qui le prouvent. Nous avons donné des tuteurs aux rois. Nos généraux se sont dévoués pour le salut de la patrie. Que dis-je des généraux? N'a-t-on pas vu souvent, à ce que dit Caton, des légions entières aller avec joie, occuper des postes, dont elles étoient assurées de ne pas revenir? Nos consuls n'ont-ils pas averti des embûches qu'on tendoit à sa vie, un roi, l'un des plus terribles ennemis du nom romain, au moment même, où il s'approchoit de nos remparts? Ne s'est-il pas trouvé chez nous une femme, qui a expié par sa mort la violence qu'on lui avoit faite? Un père qui a immolé sa fille, pour la dérober aux outrages, qu'on lui préparoit (40)?

S'il est d'une ame forte et intrépide, de ne point se laisser abattre, ni troubler par l'adversité (41), combien d'exemples de cette fermeté, notre république n'a-t-elle pas donnés, dans tous les temps et principalement dans la seconde guerre punique? Après la journée désastreuse de Cannes, elle montre plus de courage, que dans ses plus grandes prospérités. Nulle démonstration de crainte, nulle mention de paix. On tient compte au général vaincu, de n'avoir pas désespéré du salut de la patrie (42). Tandis que les Athéniens n'ont jamais donné une plus grande preuve de barbarie et de légèreté, que lorsqu'après la défaite de la flotte lacédémonienne près des Arginuses, ils firent mourir injustement leur généraux victorieux, « pour avoir laissé sans sépulture les cadavres qu'ils n'avoient pu retirer de la mer, à cause de la violence de la tempête (43) ».

Nos ancêtres cultivoient la justice avec tant de soin, que c'étoit un usage constamment pratiqué parmi eux, que ceux qui avoient vaincus ou soumis des villes et des nations, en devenoient les patrons. En effet, nos magistrats et nos généraux se montroient principalement jaloux de protéger nos provinces et nos alliés, d'être justes et de bonne foi à leur égard (44). Nous n'entreprenions des guerres que pour la défense de ces mêmes alliés, ou pour notre propre sûreté. Après la victoire, nous conservions les peuples, qui ne s'étoient point montrés cruels et féroces dans la guerre. Nous en admîmes même plusieurs au droit de cité. Les loix de la guerre étoient réglées par le droit sacré des féciaux. On ne la regardoit comme juste, qu'autant qu'on avoit commencé par demander réparation des injures, dont on étoit fondé à se plaindre, et qu'on l'avoit déclarée, suivant les formes prescrites (45). Enfin nos ancêtres n'envioient point les statues, les tableaux et les autres ornemens, que possédoient nos alliés, et qui faisoient leur gloire et leur richesse. Ils n'en dépouillèrent pas même leurs tributaires. C'étoient pour nous des objets frivoles; pour eux des choses importantes, qu'on leur laissoit comme une distraction et un soulagement de leur servitude (46).

«L'intervalle entre la seconde et la troisième guerre punique, fut l'époque où Rome se distingua le plus par la bonté de ses mœurs, et la concorde de tous les ordres. La crainte de Carthage suspendoit toutes les querelles. Mais à peine eut elle été détruite que la discorde, l'avarice, l'ambition, et tous les autres maux que la prospérité engendre pour l'ordinaire. s'accrurent considérablement. Les bonnes mœurs ne se perdirent plus comme auparavant, d'une manière insensible; elles déchurent avec la rapidité d'un torrent. La jeunesse se trouva tout-à-coup si corrompue par le luxe et l'avarice, qu'une partie des citoyens ne fut plus occupée qu'à dissiper son patrimoine, et l'autre à piller celui d'autrui (47).

Nous l'avons déjà dit, il n'y a pas de fléau plus terrible que l'avarice, dans ceux qui gouvernent la république. Il est très-honteux mais encore très-funeste et très-criminel, de s'enrichir à ses dépens. Plut à Dieu, disoit Pontius le Samnite, que la fortune m'eut réservé, et que je fusse né, dans les temps où les Romains commenceront à prendre des présents; j'aurois bientôt vu la fin de leur empire. Ces tems ne tardèrent pas d'arriver (48).

« Les Phéniciens furent les premiers

à apporter chez les Grecs, par leur commerce et leurs marchandises, l'avarice, le luxe, et le desir immodéré de toutes les superfluités (49) ». Tout cela passa en Italie avec les arts et la discipline des Grecs (50). On rechercha les richesses non-seulement, pour se procurer les choses nécessaires à la vie, mais encore celles qui ne servent qu'au plaisir et à satisfaire la sensualité. Le luxe engendra l'avarice ; et la cupidité en rendant le crime nécessaire, inspira l'audace pour l'exécuter (51).

Les tableaux et les statues qu'on commença d'enlever à nos ennemis, ne servirent d'abord, qu'à orner les places, les lieux publics, les temples des Dieux, et non les maisons des particuliers. Bientôt celles-ci furent remplies des dépouilles mêmes de nos plus fidèles alliés. Le luxe des ameublemens, des esclaves, de la bâtisse, la délicatesse de la table, furent portés, à un point excessif. La cupidité ne connut plus de bornes. L'avarice qui cherchoit auparavant à se déguiser se montra sans détour. On fut jusques à dire qu'il n'y avoit de vraiment riche, que ceux qui pouvoient nourrir une armée de leurs revenus; ce que le peuple romain avoit de la peine à faire, avec tous ses tributs. (52).

La tranquillité dont on jouissoit en Italie et sur-tout à Rome, fit qu'on s'y livra à l'étude de la philosophie des Grecs, et sur-tout de ces doctrines pernicieuses, qui, déjà parmi eux, avoient bouleversé les opinions et les mœurs. La sagesse de l'ancienne Grèce avoit redouté ces dangereuses innovations, parce qu'elle prévoyoit que les esprits corrompus par des études et des doctrines perverses, causeroient la ruine de toutes les cités. Quelqu'ancienne que fut parmi nous l'étude de la sagesse, je ne trouve aucun philosophe, dont je puisse faire mention, avant le siècle de Scipion et de Lélius; et quoi qu'on eut déjà écrit sur le droit, et composé des harangues et des histoires, le premier des arts, celui de bien vivre, n'étoit guères connu parmi nous, que par la pratique (53).

Il falloit cependant qu'à l'époque où Critolaus, Carnéades l'académicien et Diogènes le stoïcien, furent envoyés en ambassade à Rome, sous le consulat de P. Scipion et de M. Marcellus, les principaux Sénateurs eussent déjà quelque teinture de la philosophie grecque. Car autrement à quoi auroit servi aux Athéniens, de tirer des écoles ces deux derniers philosophes, dont l'un, savoir Diogènes, étoit déjà avancé en âge, et de les charger de préférence, de cette importante mission (54)?

L'histoire nous apprend, que P. Scipion dans cette célèbre ambassade, qu'il remplit avant sa censure, étoit accompagné du philosophe Panétius. On ne peut douter après cela, que ce ne soit ce grand capitaine, qui ait introduit et accrédité chez nous les lettres et la philosophie grecques (55). Il n'y eut cependant presque point ou très-peu d'ouvrages latins, où l'on traitât des matières agitées par les différentes sectes sorties de l'école de Socrate; soit qu'on fut trop occupé des affaires publiques, soit qu'on dédaignât d'instruire la multitude, de ces matières relevées, qu'elle n'étoit pas capable de comprendre.

Au milieu de ce silence Amafinius mit par écrit la philosophie d'Epicure. Malgré la barbarie de son style, cette doctrine nouvelle fut beaucoup goûtée, soit qu'elle fut plus séduisante ou plus facile à entendre; soit que ne connoissant rien de meilleur, il fallut se contenter de ce que l'on avoit. Plusieurs autres à l'exemple d'Amafinius, ayant développé par écrit les principes d'Epicure, toute l'Italie en fut infectée, et ce Philosophe y eut de nombreux et d'illustres partisans.

Alors disparut l'antique sévérité des

mœurs. A peine en trouve-t-on quelques vestiges, dans les livres destinés à en garder le souvenir. Les philosophes enseignèrent ouvertement qu'il falloit tout faire pour la volupté. Les plus réservés soutinrent qu'il falloit allier deux choses aussi incompatibles que la volupté et l'honneur. Cenx qui voulurent prouver qu'on ne pouvoit arriver à la gloire, que par un travail soutenu, virent déserter leurs écoles. La vertu elle-même fut obligée de céder, tant étoient variés et puissans les attraits et les enchantemens, par lesquels la nature corrompue séduisoit non-seulement la jeunesse, mais encore les gens d'un âge formé, et les entraînoit dans des routes si licentieuses, qu'on ne pouvoit y mettre le pied, sans risquer de faire une chûte. « L'abondance des plaisirs accrut l'ardeur des passions, comme l'huile irrite le feu, où on la jette (56) ».

Ce fut alors qu'on commença de révoquer en doute les vérités consolantes, que la philosophie de la Grande-Grèce nous avoit enseignées, sur l'origine céleste de l'ame, sur sa durée même après sa séparation d'avec le corps. On soutint qu'elle périssoit avec lui (57).

Dans une ville où se montroient déjà tant de principes de corruption, il s'éleva des orateurs nouveaux, jeunes et dépourvus de sagesse et d'expérience (58). Leurs talens secondant leur méchanceté, ils compromirent la sûreté publique et privée. La multitude qu'ils avoient séduite par leurs harangues, les jugea dignes d'être placés à la tête de la république, sur laquelle ils attirèrent les plus grands malheurs, par leur témérité et par leur audace (59). « Cependant, dès que l'on convient qu'il ne doit y avoir rien de plus incorruptible dans la république que les suffrages des citoyens, et de plus libre que leurs opinions, je ne conçois pas pourquoi l'on punit ceux qui les corrompent avec de l'argent, et qu'on loue ceux qui les séduisent par l'éloquence. Ces derniers me paroissent bien plus dangereux. Car un homme sage est inaccessible à l'argent, et il peut être entraîné par un discours artificieux (60) ».

Tib. Gracchus fut le premier, qui par esprit de domination et de vengeance, vint troubler le repos de la république. Il réussit à s'emparer de la domination; et régna en effet pendant quelques mois. Le peuple romain n'avoit encore vu rien de pareil. Scipion Nasica, souverain pontife, « réprima ses violences et sa férocité effrénée », en le faisant périr (62). Quelle gravité cependant, quelle éloquence, quelle dignité, on remarquoit dans ce Tib. Gracchus (63)! Que de génie et de force d'éloquence, on vit encore dans son frère Caius, qui marcha sur ses traces et éprouva le même sort! Combien les bons citoyens ont eu à regréter, que ces deux personnages, l'ornement de leur pays, n'aient pas été animés d'un meilleur esprit et n'aient pas eu des intentions plus pures? Doués de tous les dons de la nature et de l'art, pour renverser la république, qu'ils avoient trouvée si florissante par la sagesse de leur père et la bravoure de leur aïeul, ils se servirent des talens, qu'ils auroient dû employer à la défendre (64).

L. Saturninus qui vint après eux, posséda à un degré supérieur, l'art d'exciter et d'enflammer l'esprit des gens sans expérience, par sa fureur et sa phrénésie (65). Car comme la mer qui est calme de sa nature, est agitée et troublée par les vents ; ainsi le peuple paisible de lui-même, est mis en mouvement par les discours des factieux (66). Il en est qui possèdent si bien l'art de se déguiser, qu'en trahissant les intérêts du peuple, et en faisant tout ce qu'ils peuvent, pour en compromettre la sûreté et le bonheur, ils parviennent à lui persuader qu'ils sont ses plus intrépides défenseurs (67). Ils travaillent ainsi pour leur avantage particulier, aux dépens du bien public. On voit se rallier à eux, tous les hommes notés ou flétris par des jugemens publics, ou qui ont mérité de l'être; tous ceux qui sont dérangés dans leurs affaires, presque toute la jeunesse, toute la populace de la ville, enfin ceux qui sont accablés de dettes, dont le nombre est plus considérable qu'on ne pense (68). Dans une si grande multitude de citoyens, combien n'en est-il pas, qui, ou par la crainte des peines qu'ils savent avoir méritées, ne cherchent qu'à troubler ou à bouleverser l'ordre public; ou qui, par une espèce de férocité naturelle, ne respirent que discorde et sédition; ou qui enfin, par une suite du désordre de leurs affaires, voudroient voir s'étendre sur tous, l'incendie prêt à les consumer (69).

Ce sont là des instrumens que les factieux trouvent toujours disposés à seconder leurs projets. Quand ils veulent maîtriser les assemblées publiques, ils suscitent

tent aussi les ouvriers, à qui ils font fermer leurs atteliers. Ils enrôlent non-seulement les personnes libres, mais encore des esclaves qu'ils séduisent par la promesse de la liberté ; ils ont enfin à leurs ordres des troupes choisies de bandits et de fugitifs (70).

Pour résister à de telles gens, il faut beaucoup de courage, de fermeté et de constance ; et cette résistance est extrêmement difficile ; car on attaque la république avec bien plus d'audace et d'énergie, qu'on n'en met à la défendre. Les factieux agissent avec ardeur, poussés par le penchant qui les anime à la destruction de la république ; tandis que les gens de bien sont toujours lents dans leurs démarches, et qu'ayant négligé les commencemens, le mal est devenu incurable, quand ils veulent y porter remède (71). « C'est d'ailleurs une chose très-pénible et très-rebutante, d'être obligé de lutter sans cesse avec des factieux et des scélérats (72) ».

La division se met souvent encore parmi les citoyens; et chacun ne songe plus alors, qu'à travailler pour l'avantage de son parti, et ne s'occupe pas dutout de l'intérêt général. Il naquit de là de grands désordres à Athènes. La même cause a produit parmi nous non-seulement des séditions, mais encore des guerres civiles, qui ont fait périr un nombre infini de citoyens, et dont l'issue a toujours été, la domination du vainqueur (73).

Sylla fut le premier à qui la république, contrainte par les malheurs du tems, fut obligée de se livrer. Sa victoire porta le dernier coup à nos mœurs; et l'usage qu'il en fit, ne répondit point à la justice de sa cause (74). Sa puissance fut telle, que, sans sa permission, nul citoyen ne put conserver ses biens, sa patrie, sa vie même. On créa alors le mot effroyable de proscription. Une infinité de citoyens furent mis à mort, sans aucune espèce de jugement. Des hommes armés ne respirant que sang et pillage, couroient nuit et jour de tout côté, pour chercher les proscrits. On établit des peines contre ceux, qui leur donneroient asyle; et la confiscation de leurs biens étoit presque toujours la récompense de leurs assassins (75).

En vendant aux enchères la dépouille de tant d'innocens opprimés ou égorgés, Sylla osa dire, qu'il ne disposoit que de son butin. Tant que le souvenir de ces enchères désastreuses subsistera; tant que les hommes perdus d'honneur et de réputation auront en perspective de semblables jouissances, nous ne manquerons point de semences de guerres civiles (76). Par une suite bien funeste de ces atrocités, le peuple romain, qui avoit passé jusques alors, pour humain et généreux envers ses ennemis mêmes, devint cruel et féroce, pour ses propres concitoyens. L'habitude du malheur, la vue ou le récit des cruautés, qui s'exerçoient à toute heure, avoient rendu inaccessibles à la pitié et à la compassion, les cœurs auparavant les plus sensibles (77).

Rien ne parut plus injuste envers nos alliés, lorsqu'on eut traité les citoyens avec tant de barbarie (78). Pompée reçut dans le tems de grands éloges, pour avoir fait régner dans ses troupes la plus exacte discipline, pour avoir contenu la cupidité de ses soldats, et en avoir garanti non-seulement les lieux par où il conduisoit son armée, mais encore ceux où elle passoit ses quartiers d'hiver. Qu'il eut peu d'imitateurs ! Il seroit difficile d'exprimer la haine et le ressentiment, qu'ont suscités contre nous de la part des nations étrangères, les désordres et les ravages, que nous avons exercés dans leurs villes et sur leur territoire; comment dire si nos armées ont détruit plus de villes ennemies, qu'elles n'en ont ruiné de celles de nos alliés, en y séjournant pendant l'hiver? Que d'autres je pourrois citer, à qui l'on n'a fait la guerre que pour avoir le prétexte de les piller! Quel est enfin le temple, la ville, la maison même que la cupidité de nos magistrats ait respectés (79)?

Quelles vexations ces mêmes alliés n'ont-ils pas eu à souffrir de la part de nos financiers? Nous pouvons le conjecturer par les plaintes que des citoyens romains ont formées, contre les receveurs des douanes d'Italie; que ne doivent-ils pas faire dans les pays éloignés, si sous nos yeux ils osent se livrer à de pareils excès (80)? Ce n'est plus ni un secret, ni un mystère; l'argent de toutes les nations vient se perdre dans les mains d'un petit nombre de personnes (81). Faut-il s'étonner après cela si des provinces entières sont perdues, ruinées, vexées, dévastées? Dans l'état déplorable où se trouvent les alliés et les tributaires du peuple romain, ils n'ont d'espoir que dans une prompte mort (82).

Je puis donc répéter ici, ce que je disois il y a long-tems, dans un de mes discours contre Verrès ; « toutes les pro-
» vinces sont en pleurs, tous les peuples
» libres font entendre leurs plaintes; tous
» les états enfin demandent vengeance de
» nos injustices. Il n'est aucun lieu qu'em-
» brasse l'Océan, quelque éloigné, quel-
» que écarté qu'il soit, qui ait pu se sous-
» traire à notre cupidité et à notre li-
» cence. Le peuple romain se trouve dans
» l'impuissance de résister non pas aux
» armes de toutes les nations, mais à
» leurs larmes et à leurs plaintes ». C'est donc plutôt par la foiblesse des autres, que par notre propre force, que nous nous soutenons encore, au milieu de tant de loix tyranniques, de la proscription de tant d'innocens, de cette oppression générale de nos alliés, de la vénalité, ou pour mieux dire de l'anéantissement des loix et des jugemens (83).

Ce dernier fléau est un des plus terribles, dont le peuple romain ait été affligé. Malgré les variations et les changemens, qu'on a fait éprouver aux loix judiciaires, la république n'a pu retrouver encore cette gravité et cette force anciennes des jugemens, qui faisoient sa gloire et sa sûreté (84). Quand l'ordre équestre en étoit chargé, « La condamnation qu'il prononça contre P. Rutilius, jetta l'allarme parmi les personnes même les plus innocentes ». Des Magistrats prévaricateurs et avides faisoient dans les provinces, la cour la plus basse à tous les Chevaliers romains, qui s'y trouvoient, et rendoient les plus grands honneurs à tous ceux, qui étoient employés dans les affaires. Ils favorisoient en un mot de toutes les manières la cupidité des financiers (85). Malgré cela on n'a jamais même soupçonné l'ordre équestre d'avoir rendu la justice à prix d'argent. Mais lorsqu'une fois le pouvoir judiciaire eut été restitué au sénat, tout le monde disoit soit à Rome, soit dans les provinces, qu'un homme pécunieux ne pouvoit plus être condamné, quelque coupable, qu'il fut d'ailleurs. La légèreté avec laquelle on jugeoit, fit desirer un autre ordre de choses. On ne vit de remède que dans le rétablissement de l'autorité des tribuns et de l'antique sévérité des censeurs. Le peuple trouvoit autrefois celle-ci trop rude, les prévarications des jugemens la firent regarder comme nécessaire (86). Mais nos mœurs ne pouvoient plus s'y prêter. La sévérité hors de saison, que voulut montrer le censeur Appius, son ardeur à s'occuper des tableaux, des dettes, de l'étendue des champs, excitèrent une risée générale. Clodius acheva de détruire la censure, cette gardienne de l'antique modestie et de l'antique pudeur (87).

Il n'y avoit plus de ressource pour la république, que dans les loix de Sylla, sans lesquelles, elle ne pouvoit subsister.

Pour prévenir de plus grands maux, je fus obligé d'en prendre la défense, « bien qu'il me parut d'ailleurs cruel, d'éloigner des emplois publics des jeunes gens issus de parens respectables », mais qui en y étant admis, auroient infailliblement excité des troubles dans la république.

J'ai déjà observé ailleurs que le plus grand mérite de Sylla, étoit d'avoir mis par ses loix un frein à la licence des tribuns; et que Pompée en le brisant, n'avoit pas été exempt de tout blâme. Car il porta par-là un grand coup à l'autorité du sénat, dont il protestoit cependant, qu'il connoissoit toute l'importance (88).

Alors la désunion du peuple et du sénat, qui avoit commencé au tems des Gracques, fut entière et complette. Tout se décida au gré de la multitude (89). Ce qu'on appella le peuple romain, ne fut plus qu'un ramas d'hommes perdus et d'esclaves soudoyés, pour faire violence aux magistrats, pour assiéger le sénat, mettre le désordre dans les comices, et prêcher sans cesse le pillage, l'incendie et le meurtre (90). Les suffrages se vendirent publiquement dans les comices. Ce ne fut plus par le crédit ou par la faveur, qu'on arriva au consulat même; mais par les moyens dont parloit Philippe, quand il disoit, qu'une place n'étoit plus imprenable, dès qu'il pouvoit y entrer un âne chargé d'or (91). Ainsi fut détruite l'ancienne économie de nos comices, que la loi qui accordoit le droit de citoyen, à une grande partie de l'Italie, avoit déjà fort dérangée. L'affluence des Italiens, au tems des comices, nuisoit aux prérogatives des anciens citoyens Romains (92).

Nous perdîmes de cette manière non-seulement l'essence, mais encore la couleur et les apparences de notre ancienne constitution (93). Les emplois publics furent abandonnés à des hommes dépourvus de science et de talent; qui négligèrent entièrement l'étude de nos loix, firent consister l'éloquence dans de frivoles déclamations, et qui méconnurent entièrement la liaison naturelle, qui existe entre les beaux arts et les vertus (94).

Cependant le peuple fatigué de séditions et de discordes, et ayant perdu le goût de la nouveauté, ne se prétoit plus à la fin aux menées et aux intrigues des factieux. Il n'y avoit plus de prétexte qui dût l'engager à se séparer des principaux. Il ne respiroit donc qu'après le calme et la paix, il se plaisoit encore à la gloire de la république, et n'envioit point celle des particuliers. Mais ceux qui vouloient le désordre s'appercevant, que tous les moyens d'émouvoir le peuple, même celui des largesses, étoient devenus impuissans, formèrent des assemblées composées presque uniquement de gens à leur dévotion et à leurs gages, et au moyen desquels, ils ne laissoient dire que ce qu'ils vouloient. C'étoit un expédient nouveau, dont les anciens populaires, tels que les Gracques et Saturnin, ne s'étoient point avisés. Les assemblées publiques étoient ainsi dans l'oppression. Les factieux qui y dominoient y excitoient toujours des troubles. Les bons citoyens n'osoient pas y paroître. On y auroit cherché vainement les vrais sentimens du peuple (95).

Plut au ciel que la république eut pu rejetter de son sein, cette lie qui la tourmentoit (96) ! Nous vivions au milieu des embûches et des conjurations, lorsque sous mon consulat éclatèrent les complots de la fureur, de l'audace et de la scélératesse, qui couvoient depuis si longtems. Ce n'étoient plus des crimes ordinaires, que méditoient des hommes dégradés et avilis dès leur jeunesse par les vices les plus honteux. Je me trompe en les appellant des hommes. C'étoient des monstres et des bêtes féroces, sous une figure humaine. Jamais aucun pays n'a enfanté, ni porté dans son sein des ennemis aussi nombreux et aussi cruels, que ceux-là. S'il avoit été possible de pénétrer dans l'intérieur de leur ame, que de passions licentieuses, que de projets marqués au coin de l'audace et de la turpitude, que de fureurs incroyables, que d'indices de crimes et de parricides, quel amas enfin de forfaits de toute espèce, on y auroit découvert (97)? Je parvins à arracher de leurs mains les torches et les poignards, dont ils nous menaçoient. Mais je ne pus ni guérir, ni leur ôter le penchant funeste, qui les entraînoit vers le crime (98). Je crus du moins avoir raffermi et amélioré l'état de la république, par la réunion que j'avois opérée de tous les gens de bien, et par la force qu'ils avoient prise sous mon consulat (99).

Mais bientôt le sénat fut troublé et avili; les chevaliers en furent aliénés. On fit disparoître de cette manière les deux bases principales, sur lesquelles j'avois voulu établir le repos et le bonheur de la république, savoir, l'autorité du sénat et l'union des deux ordres. Il étoit évident que la république romaine étoit sur le penchant de sa ruine (100). Le tribunat de Clodius en accéléra la chûte. Au milieu de ces ténèbres et de ces orages, par la force, par le meurtre et l'incendie, il subjugua le sénat, ame de l'état, et lui en ôta le gouvernail. En abolissant les auspices, et les loix *AElia* et *Fusia*, qui les avoient consacrés, il détruisit d'antiques institutions, nécessaires au maintien de la république, et qui avoient échappé à tous les factieux, qui l'avoient précédé. Enfin, il anéantit la censure, rendit nul le droit d'opposition des tribuns, et rétablit non-seulement les collèges supprimés par le sénat, mais encore il en créa une quantité d'autres, composés de la lie de la ville et même des esclaves (101).

Le discrédit du sénat et la désunion des ordres amenèrent une confusion universelle. Le trésor public étoit vuide, parce que le recouvrement des impositions ne pouvoit plus se faire. Le numéraire étoit devenu d'un rareté extrême. En vain auroit-on cherché un citoyen, qui osât affronter le moindre danger, pour le salut de la patrie. Un égoisme honteux avoit gagné jusqu'aux plus riches propriétaires. Il sembloit que leurs possessions devoient être respectées par l'incendie qui menaçoit de tout dévorer (102).

On eut bien plus lieu encore de regretter le tems de mon consulat, lorsque cette autorité du sénat, qu'on avoit tant enviée, au lieu de passer entre les mains du peuple, tomba dans celles de César, de Pompée et de Crassus, trois hommes d'une ambition démesurée, et qui disposèrent à leur gré, du consulat, du tribunat et du sacerdoce. Jamais il n'avoit existé une domination plus infâme et plus honteuse, pour toutes les classes des citoyens. Les magistrats comme les particuliers étoient dans l'oppression. Cette domination odieuse aux bons citoyens, avoit d'abord plu à la multitude; mais bientôt elle la prit si fort en aversion, qu'elle manifestoit ses sentimens en toute occasion, principalement dans les spectacles (103). Il n'y avoit plus qu'un pas à faire pour arriver à l'extrême servitude (104). L'union de César et de Pompée avoit anéanti l'autorité du sénat; leur désunion amena la guerre civile; et, ce qui arrive pour l'ordinaire dans les dissentions des citoyens illustres et puissans, cette guerre civile ne se termina, que par l'élévation de l'un d'eux à la puissance suprême (105).

César porta ainsi les derniers coups aux loix et à la liberté. Il bouleversa le droit divin et humain, pour parvenir à la domination. Après avoir opprimé le peuple romain avec ses propres armées, il il osa s'en déclarer roi, et forcer de lui obéir une ville libre et souveraine des nations. Chef d'une cause impie, sa victoire plus infâme encore que celle de Sylla, dépouilla non-seulement les particuliers de leurs biens, mais versa sur les provinces et les peuples étrangers, des calamités inouies. Je pourrois en rappeller un grand nombre, mais le soleil éclaira-t-il jamais rien de plus indigne, que de voir porter dans un triomphe, l'image de Marseille, de cette ville, sans le secours de laquelle, nos généraux n'auroient jamais remporté une seule victoire sur les nations transalpines ? Enfin, il porta la licence jusques au point de faire le mal sans nécessité et pour le seul plaisir de le faire. Mais à quoi sert de nous plaindre! c'est avec justice que nous sommes punis. Jamais celui-là n'auroit été si osé, si nous ne l'avions encouragé par l'impunité accordée à tant de coupables (106).

Les pressentimens que j'avois eus de sa chûte prochaine ne m'ont point trompé. Je les tirois, non de la science des augures, mais des prédictions que Platon fait à tous les tyrans. Celui-là ne pouvoit durer long-tems, même au milieu de notre indolence. Dans la nouveauté de sa puissance, et au comble de sa prospérité, il étoit devenu odieux à une populace indigente et effrénée. Il avoit oublié à l'égard de quelques citoyens, sa clémence affectée, et son dénuement s'étoit montré, lorsqu'il avoit été forcé de violer et de dépouiller le trésor public. En associant au gouvernement de la république et des provinces, des hommes décriés, et dont aucun n'eut été capable de gouverner deux mois sa propre maison, « il n'est pas parvenu à illustrer de tels personnages; il n'a fait que souiller les honneurs, qu'il leur prodiguoit ». Dans de telles circonstances, on ne pouvoit assigner plus de six mois de durée à un tel régime. Il devoit tomber ou par les efforts de ses adversaires, ou par les vices de ses auteurs, qui se trouvoient être eux-mêmes leurs plus cruels ennemis (107).

Mais la mort du tyran nous a délivré de lui et non de la tyrannie. Il n'est plus, cet homme odieux, et nous obéissons encore à ses ordres. En changeant en loix ses projets même, nous avons fait, ce qu'il n'eut peut-être osé faire lui-même, s'il eut vécu. La république est toujours dans le désordre où il l'a jettée (108). Je ne parle point de l'insolence d'Antoine, c'est un défaut vulgaire; mais son despotisme est tel qu'il ne peut supporter, non pas une parole, mais un visage libre. Quel espoir peut-on avoir dans une république, où tout est opprimé par les armes du plus crapuleux et du plus barbare de tous les hommes; où le sénat et le peuple ne peuvent plus rien; où il n'y a plus ni loix, ni jugement, ni vestige d'une cité? Pour moi, ce n'est plus la vie qui me met en souci. Ma course est remplie soit par l'âge, soit par les actions (j'ose dire encore par la gloire). La patrie seule me tient à cœur (109) ; « et je suis bien décidé à ne point manquer à la république, comme à ne pas y survivre (110) ».

LIVRE VI.

SOMMAIRE.

De la mort et de ses avantages. De la nécessité des peines et des récompenses dans une autre vie. De la providence; et si la prospérité des méchans la détruit. De la superstition. Attachement des Grecs et des Romains à leur religion. Des fonctions des Prêtres chez les Romains. Police des cultes. Des temples et des fêtes. Culte des mânes et des génies. Songe de Scipion. État de l'ame après la mort.

L'ON a besoin de beaucoup d'éloquence, et même de recourir à une autorité surnaturelle, pour porter les hommes à desirer la mort, ou du moins à ne pas la craindre. Si cependant ce jour suprême n'est qu'une transmigration d'une place à un autre, « félicitons nous-en; le changement ne peut que nous être favorable. Si l'ame existe sans le corps c'est une vie toute divine, si elle est privée de tout sentiment, quel mal pouvons-nous craindre (1) »?

Dira-t-on que la séparation de l'ame d'avec le corps, ne se fait pas sans douleur? alors, cette douleur seroit bien légère. Cette séparation se fait le plus souvent sans qu'on s'en apperçoive, quelquefois avec un sentiment de plaisir. Tout cela quel qu'il soit, n'est jamais que l'affaire d'un instant (2). Le même passage que nous fimes de la mort à la vie, sans passion, sans frayeur, nous le faisons de la vie à la mort (3).

Si donc, il arrivoit tel événement, qu'un ordre de Dieu nous intimât de sortir de la vie, obéissons avec joie et avec reconnoissance. Regardons la mort, comme un asyle, comme un port qui nous est assuré. Plut à Dieu qu'il nous fut permis d'y entrer à pleines voiles! mais si les vents contraires nous en éloignent pour quelque tems, il faudra bien tot ou tard nous y rendre. Or ce qui est une nécessité pour tous, ne peut être un mal pour un seul (4). Une mort prompte et douce, est une des plus précieuses récompenses, que la bonté des dieux, ait souvent accordée à la piété des hommes (5). Tout le monde connoît la fable qu'on raconte de Silêne, qui, ayant été fait prisonnier par Midas, apprit à ce prince, en reconnoissance de la liberté qu'il en reçut (6), « que ce seroit un grand bonheur pour les hommes de n'être jamais nés, et de n'être point tombés dans les écueils de la vie; et que le premier bonheur, après celui-là, est de mourir bientôt, et de se dérober ainsi à l'incendie de la fortune (7) ».

Ce qui nous tourmente le plus dans

l'idée de la mort, c'est d'être obligés d'abandonner les biens de cette vie. Ah! disons plutôt les maux. Car la mort, si nous ne voulons pas nous faire illusion, nous retire plutôt du milieu des maux, qu'elle ne nous prive des biens (8). Quel avantage trouvons-nous dans la vie! de combien de peines n'y sommes-nous pas au contraire assiégés! supposons-y du plaisir, il aura son terme, du moins son dégoût. La nature ne nous a donné la vie, que comme un lieu de passage, et non comme une demeure fixe (9).

C'est en retraçant les peines qu'on y éprouve, qu'Alcidamas, rhéteur célèbre de l'antiquité, avoit entrepris l'éloge de la mort; et qu'Hégésias de Cyréne, en avoit si bien démontré les avantages, qu'on prétend que Ptolémée lui défendit d'en parler dans les écoles, parce que bien des personnes, après l'avoir entendu, alloient se donner la mort (10).

« Ce sont ces peines et les erreurs

inséparables de la vie humaine, qui ont fait dire aux anciens prophêtes, à ces interprêtes de l'esprit divin, qui nous ont expliqué les choses saintes et fait connoître les principes de l'univers, que nous n'étions nés que pour expier des crimes commis dans une vie antérieure. Cette opinion est très vraisemblable. Nos ames unies avec nos corps, sont des vivants joints à des morts ; et Aristote a raison de dire, que nous sommes punis du même supplice, que ces malheureux, que les brigands Etrusques, entre les mains de qui ils étoient tombés, mettoient à mort avec une cruauté recherchée, en les liant face à face, et très-étroitement, à des cadavres (11) ».

En effet, tant que l'homme reste renfermé dans les liens du corps, il a une tâche nécessaire et pénible à remplir. C'est un esprit céleste, exilé de sa sublime demeure, submergé en quelque sorte sur la terre, lieu étranger à la nature divine, et à son éternité (12).

Je suis loin de partager l'opinion de ces philosophes, qui sont venus récemment nous soutenir, que les ames périssent avec les corps, et que tout est éteint par la mort. La raison et la réflexion, jointes à l'autorité de ces philosophes illustres, qui ont autrefois éclairé la grande Grèce par leurs institutions, et par leurs préceptes, m'ont affermi dans l'opinion contraire (13).

Que deviendroit la société humaine, si les Dieux ne mettoient une distinction entre le crime et la vertu? Car de même qu'une maison, ou une république, n'est censée avoir une police et des loix pour la gouverner, s'il n'y a des récompenses pour les belles actions, et des supplices pour les crimes; de même la providenee divine seroit nulle pour les hommes, si elle ne faisoit la différence du bien et du mal (14).

Que tous les citoyens soient d'abord

bien persuadés, que les dieux sont les maîtres et les modérateurs de toutes choses; qu'ils dirigent et maîtrisent tous les événemens; qu'ils ne cessent de bien mériter du genre humain ; qu'aucune action n'échappe à leurs regards; qu'ils démêlent les intentions même les plus secrettes; qu'ils savent distinguer l'hypocrisie de la vraie piété, et discerner ainsi le juste de l'impie (15) ; qu'enfin leur providence, qui dans le principe a ordonné le monde et toutes ses parties, continue à les diriger, et qu'elle s'étend non-seulement sur le genre humain en général, mais encore sur chaque homme en particulier (16).

L'on ne pourra nier l'utilité de ces opinions, si l'on fait attention à tout ce que l'interposition du serment assure, aux avantages que l'on retire de l'observation des traités, à ce nombre infini de gens, qu'a détourné du crime la crainte du châtiment divin, à la sainteté, à l'union qui règnent entre les citoyens, quand ils sont bien persuadés, qu'ils ont les dieux pour témoins et pour juges (17). Combien ce frein n'est-il pas nécessaire, pour ceux qui « séduits par les attraits des passions, ces maîtresses dangereuses de nos pensées, et agités par leur ardeur insatiable, se laissent entraîner vers tous les crimes (18) » ?

Il y a cependant des philosophes et il y en a eu de tous les tems, qui prétendent, que les dieux ne se mêlent en rien des affaires des hommes (19). La prospérité et le bonheur des méchans portent témoignage contre la providence des dieux, et détruisent, suivant eux, tous les argumens qu'on allégue en sa faveur. L'on ne finiroit point, disent-ils, si l'on vouloit raconter les malheurs arrivés aux gens de bien, et les évènemens heureux pour les méchans.

Denys entre autres fut pendant trente-huit ans, le tyran d'une grande et puissante ville ; et avant lui Pisistrate opprima à plusieurs reprises, une ville, l'ornement de la Grèce.

Mais Phalaris, mais Apollodore ont enfin subi la peine qu'ils méritoient. Ce n'a été qu'après avoir tourmenté et fait périr une infinité de gens. L'on punit beaucoup de brigands ; mais leur nombre n'égale jamais celui de leurs victimes.

Ce même Denys pilla plusieurs temples des dieux, et particulièrement celui de Proserpine à Locres : il enleva le manteau d'or de Jupiter à Olympie ; et il fit oter à l'Esculape d'Epidaure, la barbe d'or qu'il avoit. Il ajouta la raillerie au sacrilège. Cependant ni Jupiter ne le frappa de la foudre, ni Esculape ne le fit mourir dans les langueurs d'une maladie longue et cruelle ; il mourût dans son lit. On lui fit des funérailles magnifiques (20), « dans lesquelles on vit la multitude, par un effet de sa légèreté, venir en foule orner son bucher d'un tas de métaux précieux (21) ». Il laissa en outre à son fils la puissance qu'il avoit acquise par ses crimes (22).

Insensés que nous sommes, nous ne savons pas reconnoître les moyens employés par la justice divine! les opinions du vulgaire nous entraînent dans l'erreur et la vérité nous échappe (23). Qu'on considére en effet ce Denys au milieu de sa prospérité, on verra malgré toute sa puissance, ses desirs sans cesse trompés ou éludés; son repos troublé, de son propre aveu, par la terreur qui le poursuit même dans ses amusemens. La tyrannie, qu'il exerce, lui fait suspecter ses proches, ses amis, les jeunes gens dont il étoit amoureux à la mode des Grecs; en un mot tous ceux qui l'entourent. Il ne confie la garde de sa personne qu'à des esclaves qu'il a lui-même affranchis, ou à des barbares. La chambre où il couche est entourée d'un fossé, au passage duquel il établit un pont levis, qu'il a soin de lever, après avoir fermé sa porte. Il n'ose parler à ses sujets que du haut d'une tour élevée. Il s'enferme ainsi de lui-même dans une étroite prison. Cet homme, d'ailleurs éclairé, et instruit dès son enfance, dans les beaux arts; est privé des agrémens de la société, et réduit à vivre avec des bannis, des brigands et des barbares. Fut-il jamais une vie plus malheureuse, plus détestable; plus honteuse? Peut-elle entrer en comparaison avec celle de Platon, d'Archytas, ces hommes si sages et si savans (24)?

Que cet exemple nous persuade donc que là où la justice des hommes manque, celle des dieux y supplée. Nous n'apprécions les malheurs de l'humanité, que par la mort ou la douleur du corps, par les tourmens de l'esprit et les peines infligées en exécution des jugemens. Les plus gens de bien ne sont point à l'abri de ces accidens, non plus que d'une infinité d'autres, auxquels le corps de l'homme est exposé.

La cause la plus légère suffit souvent pour lui donner la mort. (25) C'est dans le cœur des coupables que les dieux enfoncent leurs traits. Y-a-t-il pour les hommes de supplice plus terrible, que la fureur et la démence? Croit-on que ceux qui paroissent dans les tragédies tourmentés et consumés par des blessures ou des douleurs aigues, soient punis plus cruellement par les dieux, que ceux qui y sont représentés agités par la fureur? Quelque terribles que soient les gémissemens et les hurlemens de Philoctète, ils n'égalent pas les transports d'Athamas, ni le sommeil des Euménides (26).

Il est donc un châtiment terrible attaché au crime, indépendamment même des autres peines qu'il peut éprouver. L'audace, la fraude, les forfaits excitent des remords, qui troublent et tourmentent le cœur de tous les coupables. Ce sont là les furies et les torches ardentes, qui les poursuivent. Tantôt on les voit

se

se déchirer entre eux, languir dans la misère la plus affreuse, et après avoir été chargés d'opprobre et d'infamie, pendant leur vie, être privés à leur mort de la sépulture. D'autres fois agités par les passions, par la crainte, par les remords, on les voit dans une irrésolution continuelle; redoutant et méprisant tour-à-tour la religion; réussir quelquefois à se soustraire à la rigueur des jugemens des hommes, en les corrompant, mais ne pouvoir éviter la vengeance des dieux, inaccessibles à leur corruption (27).

S'il n'en étoit ainsi, que seroient la piété, la sainteté, la religion! A quoi serviroient le culte et les honneurs que l'on rend aux dieux, les prières qu'on leur adressse, s'ils ne veilloient sur les actions des hommes, et ne pouvoient ni ne vouloient les punir ou les récompenser? La piété, non plus que les autres vertus, ne consiste pas en de vains dehors. Sans elle, plus de sainteté, plus de religion, et dès-lors quel trouble, quelle confusion dans la société ! Car c'est vouloir l'anéantir ainsi que la bonne foi, et la justice la première des vertus, que d'ôter la piété envers les dieux (28).

Ce fut donc avec raison que les Athéniens bannirent de leur ville et de leur territoire, Protagoras d'Abdère, sophiste fameux dans son tems, et qu'ils firent brûler ses livres en une assemblée publique, parce qu'il en avoit commencé un par ces mots : *quant à ce qui concerne les Dieux, je ne puis assurer s'ils existent, ou s'ils n'existent pas* (29).

L'opinion de ceux qui prétendent que tout ce qu'on nous dit des dieux immortels, n'est qu'une invention des politiques, pour gouverner par la religion, les hommes sur qui la raison n'a aucun empire, n'est pas moins subversive de toute religion, que celle qui révoque en doute la providence (30). « L'on ne doit jamais agiter publiquement de telles matières, de crainte de nuire à la religion établie » ; et c'est au reste une chose aussi funeste qu'impie de disputer contre les dieux, soit qu'on le fasse sérieusement, soit seulement par feinte (31). Tout cela ne tend qu'à détruire non-seulement la superstition, qui est une crainte frivole des dieux, mais encore la religion, qui en est le culte pieux et raisonable (32).

Or ce culte est très-bon, très-saint, très-chaste, rempli de piété ; il exige la plus grande innocence dans nos actions, une inviolable pureté de cœur et de bouche. Ce ne sont pas les philosophes seuls mais encore nos ancêtres, qui ont su en faire la différence d'avec la superstition. (33). Un des premiers devoirs de nos pontifes, est d'avertir les citoyens, qu'il doit y avoir des bornes dans la piété même, et qu'il faut se tenir en garde contre la superstition. (34).

Car, à dire le vrai, la superstition répandue chez tous les peuples, en a comprimé les esprits, en s'emparant de la foiblesse des hommes, ainsi que nous l'avons prouvé dans notre Traité de la nature des dieux. Nous aurions cru rendre un grand service à nous et à nos concitoyens, si nous avions pu parvenir à la déraciner entiérement. Qu'on ne croie pas cependant qu'en détruisant la superstition, j'aie voulu porter atteinte à la religion ! Il est d'un philosophe de défendre les institutions et de maintenir les rites et les cérémonies sacrées, que nos anciens nous ont transmises; de soutenir qu'il existe un être, suprême, éternel, qui mérite le respect et l'admiration du genre humain, ainsi que la beauté de l'univers et l'ordre des choses célestes nous forcent d'en convenir. Mais en s'attachant à répandre la religion conjointement avec la connoissance de la nature, on doit chercher à extirper entièrement la superstition (35). Il faut, comme je viens de le dire, conserver soigneusement, la religion que nous avons reçue de nos pères. Car l'antiquité se rapproche davantage des dieux, et la religion paroît avoir été enseignée par eux. Des usages anciens, l'on doit préférer les meilleurs. Les Athéniens étant venus consulter l'Oracle d'Apollon, sur la religion qu'ils devoient suivre, *celle de vos pères*, répondit le Dieu. L'ayant consulté de nouveau, parce que leurs ancêtres n'avoient pas toujours suivi la même, et ayant demandé quelle ils devoient choisir entre plusieurs; *la meilleure*, répondit l'Oracle. Et c'est en effet celle qu'on doit présumer la plus ancienne et la plus conforme à la volonté des dieux (36).

La religion a beaucoup d'empire sur les hommes en général, et principalement sur les Grecs. Ils ont le plus vif attachement pour le culte de leurs pères, et il n'est rien qu'ils ne fissent pour le conserver et le maintenir, dans sa pureté (37).

Ce que nous regardons comme sans

conséquence et ne méritant nulle attention, est pour eux le plus grand des malheurs. Parmi les injures et les vexations, que nos alliés et les nations étrangères ont éprouvées de notre part dans ces derniers tems, rien n'a été plus sensible pour les Grecs, que la spoliation de leurs temples (38).

Lorsque mon devoir et les circonstances m'eurent forcé d'entreprendre l'accusation contre Verrès, je fus parcourir rapidement la Sicile, pour recueillir les plaintes non-seulement des villes, mais encore des particuliers (39). Le jour que j'arrivai à Enna, les prêtres de Cérès vinrent au-devant de moi, revêtus de leurs ornemens sacrés, et suivis de tous les citoyens. Quand je voulus parler dans l'assemblée publique, on n'entendit tout-à-coup que sanglots, et que gémissemens; la ville entière étoit plongée dans le deuil le plus profond. Les habitans ne se plaignoient plus des contributions que Verrès avoit exigées d'eux, du pillage de leurs propriétés, des jugemens injustes, des violences, des outrages, des caprices désordonnés, par lesquels ce tyran les avoit vexés et opprimés; tout cela étoit oublié de leur part. Ils vouloient seulement qu'on expiât par le supplice de ce scélérat, la divinité de Cérès, l'ancienneté de ses rites, et la majesté de son temple, qu'il avoit profanés (40).

« Il est donc d'un bon citoyen de se tenir en garde contre les innovations, qui ne manquent jamais de bouleverser une république, et d'exciter des divisions parmi les citoyens (41) ». Car il n'est pas facile de changer tout-à-coup les opinions des hommes et d'arracher, ce qui est fortement empreint dans leurs mœurs (42).

Quant à moi j'ai toujours défendu et je défendrai toujours, la religion et les cérémonies, qui nous sont venues de nos ancêtres. Nul discours, ni de savant, ni d'ignorant, ne me fera jamais écarter de ce qu'ils nous ont enseigné, touchant le culte des dieux immortels. Lorsqu'il est question de religion, c'est aux grands pontifes Coruncanius, Scipion et Scévola, que je m'en rapporte, et non à Zénon, à Cléanthe ou à Chrysippe (43).

Il existe un discours de Lælius, l'un de nos augures, qui est dans les mains de tout le monde, et dans lequel on apprend de bien meilleures choses, sur le culte des dieux, le droit pontifical, les usages de nos ancêtres, les vases sacrés destinés aux libations, que Numa nous a laissés, et qui sont si agréables aux dieux, que dans toute la doctrine des Stoiciens (44). La religion du peuple romain consistoit d'abord dans les sacrifices et les auspices. On y a ajouté ensuite les prédictions, que les interprêtes de la Sybille ou les Haruspices tiroient des monstres ou des prodiges. J'ai toujours pensé qu'on ne devoit rien mépriser de ce qui a rapport à ces trois chefs : parce que comme je l'ai dit ailleurs, je suis persuadé que Romulus par les auspices, et Numa par les institutions religieuses, posèrent les premières bases de cette prospérité, à laquelle la république romaine est parvenue (45). Ainsi, non-seulement Romulus ne fonda cette ville qu'après avoir pris les auspices, mais il passe encore pour avoir été un excellent augure. L'art de la divination étoit regardé comme un art royal; et le respect religieux qu'on y portoit, tournoit à l'avantage de la république. Aussi, les successeurs de Romulus ou furent augures eux-mêmes, ou se servirent de leur ministère; et après l'expulsion des rois, il ne se fit à Rome aucune entreprise soit publique, soit privée, sans qu'on eut pris les auspices (46); témoin les cérémonies du mariage, ou le nom des auspices existe encore, si on en néglige la réalité. « Car nos ancêtres avoient voulu donner la plus grande stabilité possible à cet acte important (47) ». Le peuple romain l'a emporté de cette manière, par sa religion et sa piété envers les dieux, sur les peuples étrangers, qui sont ou égaux ou même supérieurs à lui, dans les autres choses (48).

La sagesse de nos ancêtres se montre principalement en ce qu'ils ont voulu, non-seulement que les pontifes eussent l'inspection sur ce qui concerne la religion; mais qu'ils eussent encore une intendance suprême sur la république, au maintien et à la prospérité de laquelle, ces citoyens distingués devoient contribuer, par leur autorité et leurs lumières (49). La hiérarchie des prêtres est une des parties essentielles, d'une religion bien réglée.

Parmi nous, les uns sont établis pour appaiser les dieux irrités. Ce sont les pontifes qui président aux sacrifices et en règlent les cérémonies. Les autres sont chargés d'interpréter les prédictions anciennes des Oracles et des Sybilles, lorsque le sénat ou le peuple le demande, et d'expliquer les prodiges. Cette dernière science est venue des Etrusques. Mais la classe principale et la plus importante des prêtres, par l'influence qu'elle a dans la direction des affaires publiques, est celle des augures. Qu'y-a-t-il en effet de plus grand que de pouvoir congédier les assemblées publiques, quelques soient le rang et l'autorité du magistrat, qui les a convoquées, ou d'en annuller les actes, lorsqu'elles ont été tenues? Quoi de plus sérieux, que de pouvoir suspendre une entreprise quelconque, par ce seul mot, *à un autre jour*? Quoi de plus imposant, que de pouvoir obliger les consuls même, d'abdiquer leur magistrature? Quoi de plus sacré, que d'accorder ou refuser la liberté de traiter avec le peuple; que de casser les loix qui n'ont point été faites suivant les formes établies? Rien en effet de tout ce que font les magistrats soit au-dedans, soit au-dehors, n'est valable, sans l'approbation des augures (50).

Quoiqu'on puisse dire contre tous ces droits qui leur sont attribués, je crois que Romulus, qui fonda sa ville, après avoir pris les auspices, en reconnut la nécessité, pour parer à bien des inconvéniens (51). Nous avons déjà parlé ailleurs de l'usage que l'on faisoit des auspices, pour contenir la témérité du peuple, et pour donner sur les délibérations publiques de l'influence aux principaux citoyens (52). Ainsi quoique le tems, le progrès des lumières, l'expérience aient réformé plusieurs des erreurs, dans lesquelles l'antiquité étoit tombée, cependant par égard pour les préjugés du vulgaire et pour l'intérêt de la republique, l'on avoit conservé les droits, la discipline, la religion des augures et l'autorité de leur collège (53). Mais la négligence de la noblesse, qui étoit dépositaire de ces grandes institutions, fut cause qu'elles tombèrent dans l'avilissement et l'oubli ; à peine en resta-t-il les apparences (54).

Ceux qui ont bouleversé la république, se sont attachés à détruire entièrement des usages et les institutions de nos ancêtres. C'est sur-tout lors de mon exil que les droits de la religion ont été violés de la manière la plus scandaleuse. Après avoir renversé mes Pénates, chassé celui qui les desservoit, on éleva sur les débris de de leurs autels, un temple à la Licence. La liberté, représentée sous la figure d'une courtisanne, divinité digne de ceux qui l'avoient imaginée, étoit un monument éternel de notre honte, de l'oppression du sénat, et de la malheureuse servitude, dans laquelle le peuple romain étoit tombé (55).

Pour achever ce qui me reste à dire sur la religion, je vais d'abord faire mention de quelques loix qui la concernent. Pour y donner plus d'autorité, je les rendrai dans les mêmes termes, qu'elles sont exprimées, non dans nos antiques loix sacrées ou dans celles des XII Tables, mais dans des recueils moins anciens. « *Que personne, disent ces loix, n'ait des dieux à part, et n'en honore aucun de nouveau ou d'étranger, si le culte n'en est approuvé par l'autorité publique. Que les femmes n'assistent point à des cérémonies nocturnes* ». Cette dernière loi concernant les femmes, me paroît très à propos, parce que l'on ne peut garder leur réputation, qu'en mettant leur conduite dans le plus grand jour (56). Nous voyons un bel exemple de la sévérité de nos ancêtres à cet égard, dans la recherche et la punition que le sénat et les consuls firent faire des Bacchanales. Cette sévérité d'ailleurs ne nous est pas particulière, puisque Pagondas, le Thébain, supprima à toujours, par une loi, au milieu de la Grèce, les cérémonies nocturnes; et l'on voit en outre Aristophane, le poète le plus enjoué de l'ancienne comédie grecque, attaquer si vivement les dieux nouveaux et les veillées nocturnes établies en leur honneur, qu'il représente le dieu Sabazius et quelques autres réputés étrangers, comme exilés et bannis de la ville (57).

J'excepte cependant de la loi, qui proscrit les cérémonies nocturnes, les mystères augustes de Cérés, auxquels je suis initié, et qui sont consacrés depuis longtems par l'opinion des hommes, et rendus vénérables par les cérémonies imposantes et le secret inviolable, dont ils sont enveloppés. C'est sans doute la plus excellente des institutions, dont nous soyons redevables à la ville d'Athènes. On appelle ces mystères, *Commencemens*, parce que d'eux sont sortis les principes de la sociabilité, et qu'ils ont fournis les modèles des loix, des mœurs douces et humaines, qui en se répandant parmi les hommes et les cités, les ont fait passer d'un état sauvage et agreste, à un genre de vie plus doux et plus poli. Les avantages qu'ils nous procurent, ne se bornent point à cette vie; ils nous montrent dans l'autre une perspective encore plus heureuse. Les nations mêmes les plus éloignées viennent s'y faire initier, et lorsqu'on en pénètre bien le sens et qu'on les ramène aux principes de la raison, l'on voit qu'on y fait connoître plutôt la nature des choses, que celle des dieux (58).

Je pense qu'il doit y avoir dans les villes des temples pour les dieux. Je ne suis point de l'avis des Mages de Perse, à la sollicitation desquels, l'on pretend, que Xercès fit brûler tous les temples de la Gréce, parce qu'ils renfermoient entre des murailles, les dieux, à qui tout doit être ouvert, et dont l'univers seul est digne d'être le temple et la demeure. Les Grecs et nos Romains ont beaucoup mieux pensé, lorsque pour augmenter

la

la piété envers les dieux, ils ont voulu qu'ils habitassent les mêmes villes que nous. Cet usage inspire un esprit de religion, qui est très-utile aux cités. En effet Pythagore, ce philosophe si éclairé, observe très-sagement, que la piété et la religion ne pénètrent jamais mieux dans nos cœurs, que lorsque nous sommes occupés du culte divin; et Thalès, le plus renommé des sept sages, vouloit que les hommes crussent que les dieux étoient présents dans tout ce qu'ils voyoient; il pensoit que cette opinion les rendroit aussi justes et retenus, que s'ils étoient dans le temple le plus auguste. Car les hommes ne se contentent pas de se faire une idée intellectuelle de la divinité; ils se la représentent encore sous une image visible. Les bois sacrés doivent être respectés dans les champs, par la même raison que les temples doivent l'être dans les villes. Le culte des Lares, les cérémonies propres à chaque famille, sont des institutions anciennes qu'il ne faut pas rejetter, parce que la tradition qui nous les a transmises, semble remonter jusques aux dieux mêmes (59).

Une opinion encore essentielle, à répandre, est que les dieux ne veulent point que leurs temples soient ouverts et leurs autels accessibles aux scélérats (60). Que les impies ne se flattent donc point de les appaiser par des présens! Car, dit Platon, un homme de bien refuseroit de les recevoir; que doit-ce être des dieux? il faut donc approcher d'eux avec un cœur chaste. L'on ne doit pas négliger la pureté du corps; mais celle de l'ame, qui est tant au-dessus du corps, est la plus importante. Les taches corporelles s'enlèvent ou par des ablutions, ou par le tems; mais il n'en est pas ainsi de celles de l'ame (61).

La probité, et une piété sincère, voilà les présens agréables aux dieux. Ils rejettent de leur culte, le faste et la dépense. Car, si le but de la société, est que le pauvre soit l'égal du riche, pourquoi lui fermerons-nous l'accès de la divinité, en lui imposant une dépense, à laquelle il ne pourra atteindre? Les dieux verroient-ils de bon œil qu'on écartât de leurs temples, quelqu'un de ceux, qui voudroient, ou appaiser leur colère, ou se concilier leur faveur (62)?

Les fêtes qui suspendent les contestations et les procès des personnes libres et le travail des esclaves, doivent être distribuées dans le cours de l'année, de façon qu'elles ne dérangent point les travaux champêtres (63).

Je viens à présent aux droits des mânes, que nos ancêtres ont établis avec beaucoup de sagesse, et observés avec une grande religion. Ils consistent principalement dans les lois et les coutumes, qui fixent l'époque des sacrifices en l'honneur des morts, le genre des victimes qui y sont immolées, la manière de donner la sépulture, la forme des tombeaux, la dépense des funérailles et du deuil. Tout cela est réglé par les loix des XII Tables. Ce sont les interprêtes de la religion, qui, chez nous, comme chez les Athéniens, prescrivent la forme des funérailles (64). « Les rites qui sanctifient la sépulture terminent le droit pontifical, comme elle termine elle-même les soucis et la vie des hommes ». Ce droit a beaucoup d'affinité avec le droit civil (65).

Ne manquons pas d'observer que les commémorations établies en l'honneur des morts, qui tiennent un rang si considérable dans nos cérémonies sacrées, et qui portent le nom de fêtes, comme les jours consacrés aux dieux immortels, indiquent que nos pères, en les instituant, ont prétendu que ceux qui sortoient de la vie, passoient au rang des dieux (66). Les mortels qui y ont été mis solemnellement, et à qui l'on rend un culte public, tels qu'Hercule et d'autres, prouvent en effet que si les ames humaines sont immortelles, celles des hommes intrépides et vertueux, sont divines (67). « En voyant plusieurs personnes des deux sexes comptées au nombre des dieux, et le respect que l'on porte à leurs temples vénérables, soit dans la ville, soit dans les champs, applaudissons à la sagesse de ces génies bienfaisans, qui ont perfectionné et affermi la société humaine, par leurs loix et par leurs institutions (68) ». Par-tout, on s'est accordé à les combler d'honneurs. Chez nos ancêtres, on chantoit pendant les repas, leurs louanges au son des instrumens. On en usoit de même dans leurs funérailles et on faisoit leur éloge dans la tribune publique (69). « La gloire est le seul aliment digne d'eux (70) ».

On ne célébroit pas exclusivement les exploits des guerriers célèbres, auxquels le vulgaire a coutume de donner la préférence sur les magistrats civils. Car, à parler sans préjugé, il est des actions civiles, s'il est permi de s'exprimer ainsi, qui sont plus grandes et plus éclatantes, que des actions militaires. A quoi serviroient les exploits au-dehors, si la sagesse ne présidoit au-dedans? P. Scipion, cet excellent citoyen, autant qu'illustre guerrier, ne servoit pas mieux la république, en détruisant Numance, que dans le même-tems Scipion Nasica quoique simple particulier, en faisant périr T. Gracchus. Quoique dans cet acte de vigueur, il eut employé la force, et parut s'être rapproché de la gloire militaire; il ne fut point aidé par une armée, et n'eut d'autre guide dans l'exécution, que sa prudence (71).

« Mais bien que les sages trouvent dans leur propre conscience et le souvenir de leurs belles actions, la récompense la plus precieuse de leur vertu; cependant cette vertu divine demande quelque chose de plus solide et de plus durable, que des statues fragiles et des lauriers prompts à se faner (72) ». Ecoutons à ce sujet, ce que P. Scipion disoit avoir appris en songe du premier Africain, et ce qu'il racontoit quelques jours avant sa mort, comme s'il en avoit eu un pressentiment secret, en présence de Lælius, de Philus, de Manilius, de Scævola et de plusieurs autres (73).

« Quand j'arrivai, disoit-il, en Afrique, où comme vous le savez, je fus chargé par le consul Manilius de commander la quatrième légion, ma première attention fut de visiter le roi Masinissa, prince qui pour de justes raisons, étoit lié d'une étroite amitié avec ma famille (74).

J'aborde ce vieillard, il me tend les bras, il m'arrose de ses larmes ; et un moment après, ayant levé les yeux au ciel : souverain Soleil, dit-il, et autres dieux célestes, je vous rends grâces à tous, de ce qu'avant de quitter la vie, je vois dans mon royaume, et dans ce palais,

Publius Cornelius Scipion, dont le nom seul me ravit de joie : tant l'idée de l'honnête homme, et de l'invincible guerrier, qui a rendu ce nom si glorieux, est pour jamais présent à mon esprit.

Je le mis ensuite sur les affaires de son royaume : il me questionna sur celles de notre république ; ainsi se passa le reste de la journée à nous entretenir. Sur le soir, la table fut servie avec une magnificence royale, et nous poussâmes la conversation bien avant dans la nuit. Tous ses discours rouloient sur l'Africain (75) : il en savoit toutes les actions, toutes les paroles remarquables. Enfin nous allâmes nous reposer ; et comme j'étois fatigué du chemin, et d'avoir veillé si tard, je dormis plus profondément qu'à l'ordinaire.

Quelquefois ce qui nous a fort occupés de jour, nous revient pendant le sommeil, et nous occasionne des songes semblables à celui d'Ennius, qui tout plein d'Homère, et sans cesse parlant de ce poète, crut le voir en dormant. Pour moi, de même, tout plein de ce que m'avoit dit Masinissa, je crus voir l'Africain. Il m'apparut sous la forme que je lui connoissois, non pour l'avoir vu, mais par son portrait. A son aspect, je frissonnai. Mais lui : Scipion, me dit-il, rassurez-vous, ne craignez point, et retenez-bien ce que vous allez entendre.

Voyez-vous cette ville (c'étoit Carthage : il me la montroit, du haut des cieux, où je me croyois avec lui, dans un endroit tout semé de brillantes étoiles) Voyez-vous cette ville, qui forcée par moi à obéir au peuple romain, ressuscite nos guerres anciennes, et ne peut vivre dans le repos? Aujourd'hui, à peine sorti du rang de simple soldat, vous la venez attaquer. Avant qu'il soit deux ans, vous la détruirez étant consul : et ce surnom d'Africain, qui jusques à présent ne vous appartient, que comme une portion de mon héritage, vous l'aurez mérité alors par vous-même.

Après la ruine de Carthage, vous recevrez les honneurs du triomphe : vous serez censeur : vous irez par l'ordre de la république, visiter l'Egypte, la Syrie, l'Asie, la Grèce : vous serez une seconde fois élu consul, sans vous être présenté ; et par la destruction de Numance, vous terminerez une guerre des plus sanglantes.

Mais, au retour de cette expédition, après que vous aurez été conduit sur un char au capitole, vous trouverez la république agitée par les pratiques de mon petit-fils (76) ; et c'est alors, Scipion, qu'il faudra montrer à votre patrie, ce que vous avez de courage, d'esprit, de prudence.

Je vois les destinées de ce tems-là, incertaines, pour ainsi dire, de la route qu'elles prendront. Car, quand vous compterez par vos jours huit fois sept révolutions du soleil, et que l'heure fatale aura été marquée par le concours de ces deux nombres, dont chacun, mais pour diverses raisons, est regardé comme un nombre parfait (77); alors vous serez l'unique objet, l'unique espérance de Rome; c'est sur vous que le sénat, que tous les bons Romains, que nos alliés, que toute l'Italie tournera ses regards : vous serez l'appui de Rome, vous seul : enfin revêtu du pouvoir suprême de dictateur, vous rétablirez l'ordre dans l'état, pourvu que vous puissiez échapper aux parricides mains de vos proches.

Ici, Lélius ayant marqué son inquiétude par un cri, et le reste de la compagnie par de profonds soupirs : je vous en prie, leur dit Scipion avec un sourire gracieux, ne me réveillez pas; silence : écoutez le reste.

Pour animer votre zèle, ajouta l'Africain, soyez bien persuadé qu'il y a dans le ciel, pour tous ceux qui auront travaillé à la conservation, à la défense, et à l'aggrandissement de la patrie, un lieu marqué, où ils vivront heureux à jamais. Car de tout ce qui se fait sur la terre, rien n'est plus agréable à ce Dieu-Suprême, par qui l'univers est conduit, que ce qu'on appelle des villes, c'est-à-dire, des assemblées, des sociétés d'hommes réunis sous l'autorité des loix. D'ici partent ceux qui les gouvernent, qui les conservent; et ils retournent ici.

A ces mots, quoique troublé, moins par l'appréhension de la mort, que par l'idée de cette perfidie dont j'étois menacé, je ne laissai pas de lui demander, s'il étoit donc bien vrai que lui, Paulus, mon père, et les autres qu'on croyoit morts, fussent vivans?

Oui sans doute, reprit l'Africain : et ceux là seuls sont vivans, qui délivrés des liens du corps s'en sont sauvés comme d'une prison. Mais ce que vous autres vous appellez vivre, c'est être mort. Regardez, voilà que Paulus, votre père, vient à vous.

Je le vis. A l'instant mes larmes coulèrent en abondance. Mais lui, en m'embrassant, et me baisant : ne pleurez point, me disoit-il. Pour moi, dès que mes pleurs me laissèrent la liberté de parler; ô mon père, m'écriai-je ! vous dont la sainteté, dont les vertus sont l'objet de ma vénération ! Puisque la véritable vie n'est que dans ces lieux, comme je l'apprends de l'Africain : que fais-je donc plus longtems sur la terre ? pourquoi ne pas me hâter de vous rejoindre ?

A moins, me répondit-il, que ce dieu, dont le temple est tout ce que vous découvrez ici, n'ait lui-même brisé les chaînes qui vous lient à votre corps, vous ne sauriez être admis en ces lieux. Car les hommes ont reçu l'être à une condition, qui est de travailler à la conservation du globe, que voilà au milieu de ce temple, et que l'on appelle la terre. Ils ont une ame, portion de ces feux éternels, que vous nommez étoiles, astres qui sont des corps sphériques, animés par des intelligences divines, et dont la révolution se fait avec une prodigieuse rapidité. Vous donc, mon fils, et tous ceux qui ont de la religion, vous devez constamment retenir votre ame dans le corps où elle a son poste; et sans l'ordre exprès de celui qui vous l'a donnée, ne point sortir de cette vie mortelle; parce qu'autrement, vous paroîtriez avoir voulu secouer l'emploi, dont la volonté divine vous a chargé. Ainsi ce que vous avez à faire présentement, c'est d'imiter l'Africain, votre aïeul, et moi, votre père : de cultiver à notre exemple la justice : d'aimer vos parens et vos amis, mais votre patrie plus que tout le reste. Voilà par où l'on arrive au ciel, et dans cette assemblée de gens, qui, après avoir vécu sur la terre, maintenant dégagés de leur corps, habitent le lieu que vous voyez.

Il me parloit de ce cercle brillant que son éclatante blancheur fait remarquer entre toutes les constellations, et que vous appellez le *Cercle de lait*, comme les Grecs vous l'ont appris (78).

Promenant de là mes yeux sur le reste de l'univers, je n'y découvrois que du beau, du merveilleux. J'y voyois des étoiles qui n'ont jamais été apperçues d'ici: et toutes, soit celles-là, soit les autres qui nous sont connues, je les voyois d'une grandeur que jamais nous n'avons imaginée. La moindre, qui étoit la plus éloignée du ciel, et la plus proche de la terre, ne brilloit que d'une lumière d'emprunt. A l'égard des autres globes, ils surpassoient de beaucoup en grandeur le globe de la terre. Mais pour celui-ci, il me parut bien si petit, que notre empire, dont l'étendue n'en occupe que comme un point, me fit pitié.

Je continuois à regarder fixement la terre. Jusques à quand, me dit l'Africain, aurez-vous l'esprit collé sur cet objet? Quoi! les temples superbes, où vous voici, ne méritent pas votre attention? voyez comme le tout est composé de neuf cercles, ou plutôt de neuf globes, l'un desquels est ce globe céleste, le dieu souverain, qui est au-dessus de tous, les embrasse tous, et les tient dans l'ordre. A celui-là sont attachées les étoiles fixes, qui de toute éternité se meuvent dans le même sens que ce premier ciel. Plus bas sont sept autres globes, qui ont un mouvement de rétrogradation. Un de ces globes est celui que les habitans de la terre appellent Saturne. Un autre nommé Jupiter, dont les influences son bénignes et salutaires aux hommes. Après on voit le feu étincellant et terrible, que vous appellez Mars. Presque au milieu de ce grand espace, vous voyez le soleil, qui est le conducteur et le chef des autres planètes, l'intelligence et la règle du monde, et dont la grandeur est telle, que de ses rayons,

rayons, il éclaire, il remplit tout. A sa suite, et comme pour l'accompagner, sont Vénus et Minerve. Plus bas encore vous avez la lune, dont le globe n'a de lumière que ce qu'il en reçoit du soleil. Au-dessous il n'y a plus rien, qui ne soit corruptible et mortel : si ce n'est les ames humaines présent des dieux. Au-dessus de la lune tout est éternel. Quant au neuvième et dernier globe, c'est la terre, placée au centre du monde, où elle est immobile, et où tendent naturellement tous les corps, entraînés par leur poids (79).

J'etois saisi d'étonnement à la vue d'un tel spectacle. Quand je me fus un peu remis : mais, dis-je à l'Africain, quel est ce son si éclatant, et si agréable, dont j'ai l'oreille remplie ? c'est, dit-il, l'harmonie qui résulte du mouvement des sphères ; et qui composées d'intervalles inégaux, mais pourtant distingués l'un de l'autre par de justes proportions, forme régulièrement par le mélange des sons aigus avec les graves, différens concerts. Il n'est pas possible en effet, que de si grands mouvemens se fassent sans bruit: et c'est conformément aux loix naturelles, que des deux extrêmes, où se termine l'assemblage de tous ces intervalles, l'un fait entendre le son grave et l'autre le son aigu. Par cette raison, l'orbe des étoiles fixes, comme le plus élevé, et dont le mouvement est le plus rapide, doit rendre un son très-aigu; pendant que l'orbe de la lune, comme le plus bas de tous ceux qui se meuvent, doit rendre un son des plus graves. Car pour la terre, dont le globe fait le neuvième, elle demeure immobile, et toujours fixe au plus bas lieu, qui est le centre de l'univers. Ainsi les révolutions de ces huit orbes, deux desquelles ont même puisssance, produisent sept différens sons : et il n'y a presque rien, dont le nombre septénaire ne soit le nœud (80).

On a imité cette harmonie céleste soit avec des instrumens, soit avec la voix; et les grands musiciens se sont par là, ouvert un chemin pour revenir ici; de même que tous ces sublimes génies, qui pendant le cours d'une vie mortelle, ont cultivé les sciences divines.

Que si cette harmonie ne s'entend point sur la terre, c'est qu'un si grand bruit a rendu les hommes sourds. Aussi le sens de l'ouie est le plus foible et le plus obtus de tous les sens. Il est arrivé de même au peuple, qui habite auprès des Cataractes du Nil, d'être assourdi par l'épouvantable bruit que fait ce fleuve, en se présipitant du haut des montagnes. Et quant à ce prodigieux son, que toutes ces sphères ensemble forment en se mouvant avec tant de rapidité, vos oreilles ne sont non plus capables de le recevoir, que vos yeux de soutenir l'éclat du soleil, si vous le regardez fixement.

Tout en m'occupant de ces merveilles,

je ne laissois pas de jetter toujours de tems-en-tems les yeux sur la terre. Vos regards, me dit l'Africain, se portent encore, à ce que je vois, sur l'habitation des mortels. Mais, quoi? puis qu'elle vous paroît si petite, comme effectivement elle l'est, n'ayez pour elle que du mépris, et ne regardez jamais que le ciel. Quelle renommée, quelle gloire pouvez-vous acquérir, qui soit digne qu'on la recherche? vous voyez que la terre est peuplée dans un bien petit nombre d'endroits, qui sont chacun de peu d'étendue, et si fort coupés par de vastes solitudes, qu'ils nous paroissent d'ici comme des taches répandues de loin à loin sur votre globe. Tellement que ses habitans, dispersés comme ils le sont, et n'ont point sur une même ligne, mais dans tous les sens possibles, ne peuvent avoir de la liaison ensemble, ni par conséquent être utiles à votre gloire.

Remarquez maintenant ces zones, qui

sont autour du globe terrestre. Vous en voyez deux, qui sont les plus éloignées l'une de l'autre, et précisément sous les deux Poles, assiégées de glaces et de frimats. Au milieu est la plus grande, brulée par l'ardeur du soleil. Il n'y en a d'habitables que deux (81) : l'Australe qui est occupée par vos Antipodes, avec lesquels vous n'avez aucune communication : et la Septentrionale, qui est celle où vous êtes situés. Que vos yeux jugent combien vous y tenez peu de place ? Toute cette partie de la terre, entièrement bornée dans sa longueur, plus étendue dans sa largeur, ne fait qu'une espèce de petite île, entourée de cette mer, que vous appellez l'Atlantique, la grande mer, l'Océan : et dont, malgré ces titres pompeux, vous voyez qu'elle est la petitesse. Votre renommée, ou celle de quelque autre Romain, a-t-elle jamais pu, de ces régions cultivées et connues, passer au-delà du Caucase ou du Gange, montagne et fleuve, que vous avez sous les yeux? qui dans le reste de l'Orient, et aux extrémités de l'Occident, du Septentrion, du Midi, entendra parler de Scipion? Rien de cela n'étant donc à compter par rapport à vous, comprenez à quoi se réduit l'espace, que votre ambition se proposeroit de remplir.

Mais de plus : ceux qui parleront de vous, combien de tems en parleront-ils? quand même la génération suivante auroit envie de transmettre à une génération plus éloignée, les éloges qu'elle aura entendu faire de vous : il n'est pas possible que notre gloire soit, je ne dis pas éternelle, mais de quelque durée, à cause des inondations et des incendies, que le cours de la nature doit nécessairement amener (82).

Que vous importe d'ailleurs, d'avoir un nom parmi les hommes qui vous suivront, puisque ceux qui vous ont précédé, dont le nombre n'est pas moindre, et dont le mérite certainement a été supérieur, n'ont point parlé de vous?

Ajoutons que tous ceux qui peuvent jamais vous connoître, ne sauroient faire que votre mémoire vive seulement l'espace d'une année. On appelle en termes populaires, une année, ce que le soleil, qui n'est qu'un astre seul, met de tems à faire son cours. Mais l'année complette, est celle où genéralement tous les astres revenus au même point, d'où ils étoient partis, ramènent après un long intervalle de tems, le même plan du ciel tout entier. Je n'ose presque dire combien pour cela, il faut de ce que vous appellez siécles. Autrefois, lorsque l'ame de Romulus pénétra dans ces lieux, il y eut sur la terre une éclypse de soleil. Quand tous les astres, toutes les planètes, se retrouvant dans la même position, il arrivera que le soleil au même point, au même-tems, s'éclipsera tout de nouveau, alors vous aurez une année complette (83). Or, sachez que présentement vous n'en avez pas encore la vingtième partie de révolue.

Perdez-vous donc l'espérance de revenir dans ces temples, l'unique objet des grandes ames ? Que vous reste-t-il dès lors, et qu'est-ce que cette gloire humaine, dont à peine la durée embrasse quelque petite partie d'une année ?

Vos regards au contraire, vos vœux se portent-ils à cette demeure éternelle ? Que les discours du vulgaire ne fassent point d'impression sur vous : ne fondez point votre espoir sur des récompenses terrestres : il faut que la vertu elle-même vous attire pas ses propres charmes, au véritable bonheur. On parlera de vous dans le monde : c'est l'affaire des autres, de voir comment ils en doivent parler. Mais enfin leurs discours, quelqu'ils soient, ne passent pas les bornes étroites des régions, que vous voyez. Et d'ailleurs, nulle réputation durable. A mesure que les hommes meurent, les noms qui leur étoient connus se perdent, et sont éteints par l'oubli de la postérité.

Pour moi, lui dis-je alors, quoique depuis mon enfance, marchant sur vos traces, et sur celles de mon père, je n'aie pas dégénéré, cependant, puisque l'entrée du ciel est ouverte à ceux qui ont bien servi leur patrie, désormais la vue d'une si grande récompense me fera redoubler mes efforts.

Oui, reprit-il, vous le devez : et tenez pour certain, que votre corps est tout ce qu'il y a de mortel en vous. Quand je dis *vous*, je n'entend pas cette figure qui vous tombe sous les sens. Tout homme est ce qu'il est, non par son corps, mais par son esprit. Apprenez, cela étant, que vous êtes un dieu : parce qu'effectivement c'est être un dieu, que de posséder en soi la vie et le sentiment; que d'être capable de mémoire, et de prévoyance; que d'avoir sur le corps, à la conduite duquel on est préposé, tout autant d'empire, qu'en a le souverain Dieu sur l'univers. Aussi maître de gouverner ce corps fragile, et de le mouvoir à votre gré, que l'est ce Dieu éternel de gouverner et de mouvoir l'univers, qui, à certains égards, n'est pas moins corruptible que votre corps.

Un être qui se meut toujours, existera toujours. Mais celui qui donne le mouvement à un autre, et qui le reçoit lui-même d'un autre, cesse nécessairement d'exister, lorsqu'il perd son mouvement. Il n'y a donc que l'être mu par sa propre vertu, qui ne perd jamais son mouvement, parce qu'il ne se manque jamais à lui-même. Et de plus il est pour toutes les autres choses, qui ont du mouvement, la source et le principe du mouvement qu'elles ont (84).

Or, qui dit principe, dit ce qui n'a point d'origine. Car c'est du principe que tout vient, et le principe ne sauroit venir de nulle autre chose. Il ne seroit pas principe, s'il venoit d'ailleurs; et n'ayant point d'origine, il n'aura par conséquent point de fin. Car il ne pourroit, étant détruit, ni être lui-même reproduit par un autre principe, ni en produire un autre, puisqu'un principe ne suppose rien d'antérieur.

Ainsi le principe du mouvement est dans l'être mu de sa propre vertu; principe qui ne sauroit être, ni produit, ni détruit. Autrement, il faut que le ciel et la terre soient bouleversés, et qu'ils tombent dans un éternel repos, sans pouvoir recouvrer une force, qui, comme auparavant les fasse mouvoir.

Il est donc évident, que ce qui se meut par sa propre vertu, existera toujours. Et peut-on nier que la faculté de se mouvoir ainsi, ne soit un attribut de l'ame ? Car tout ce qui n'est mu que par une cause étrangère, est inanimé, mais ce qui est animé est mu par sa propre vertu, par son action intérieure. Telle est

la nature de l'âme, telle est sa propriété:
Donc l'ame étant, de tout ce qui existe, la seule chose, qui se meuve toujours elle-même; concluons de-là, qu'elle n'est point née, et qu'elle ne mourra jamais.

Occupez-la dignement. Rien de mieux, que de travailler au salut de la patrie. Une ame, que ces sortes de soins auront occupée, revient d'un vol plus rapide dans ce lieu-ci, qui est son véritable séjour.

Vous lui donnerez encore plus d'agilité, si, pendant qu'elle est renfermée dans le corps, vous faites que souvent elle en sorte par la contemplation des objets célestes, et qu'elle ait le moins qu'il se peut de commerce avec les sens.

A l'égard de ces ames servilement livrées au plaisir, et qui, pour n'écouter que la voix des passions, esclaves de la volupté, auront violé toutes les loix, et divines et humaines; leur partage, lorsqu'elles sortiront du corps, sera d'errer autour de la terre et de n'obtenir qu'après une punition de plusieurs siècles, leur retour en ces lieux.

Après ces paroles, l'Africain disparut: et moi je me réveillai (85) ». Ainsi parla Scipion. Son récit est conforme à l'opinion de ces anciens et fameux philosophes de la Grande-Grèce, « qui ont soutenus que nos ames sont divines et éternelles. Ces hommes illustres avoient très-bien vu, que le corps n'est qu'une dépendance de l'ame, qu'il n'y a rien d'excellent en lui, tandis que l'ame est une émanation de l'ame divine universelle. Il faut donc penser, que plus elle aura su, durant son séjour sur la terre, se livrer à l'activité, c'est-à-dire, suivre la raison et le desir d'apprendre, et se garantir des vices et des erreurs de l'humanité, plus son retour et son ascension vers le ciel seront prompts et faciles. C'est pourquoi, afin de terminer ce traité, si nous voulons nous procurer une mort tranquille et passer sans retard dans une demeure plus agréable, appliquons-nous exclusivement à la science et à la connoissance de la nature, qui sont comme l'appanage essentiel de la divinité, et qui seules peuvent faire notre félicité, dans les îles fortunées où, comme on le dit, nous devons jouir d'une vie éternelle. Là, en effet, les arts et les vertus mêmes, qui ne sont qu'une suite des imperfections humaines, deviennent inutiles et superflus. A quoi bon l'éloquence, là où il n'y a point de tribunaux? la valeur, quand il n'y a ni peine, ni péril à surmonter? la justice, où l'on ne desire point le bien d'autrui? Enfin, la tempérance, où il n'existe point de passions à diriger? la prudence, où il n'y a pas de choix à faire, entre le bien et le mal (86)? »

FIN.

NOTES.

LIVRE PREMIER.

NOTES.

(1) *De finib. I. 1. De divinat. II. 1. Tusculan. Quaest. II. 2. De natur. Deor. I. 4.*

(2) *De off. III. 1. De Orat. I. 1. De divin. II. 2.*

(3) *De offic. ibid. et II. princ. Ad famil. IX. 2.*

(4) *De finib. IV. 3. De legib. III. 6. Epistol. ad Quint. fratr. III. 5. Ad familiar. IX. 2.*

(5) *De divinat. II. 1.*

(6) *De finib. IV. 3. 22. V. 4. De leg. II. 6. III. 6..*

(7) *De legib. ibid. de finib. V. 4.* Aristote avoit rangé ces institutions par ordre et les avoit accompagnées de remarques, dans autant de traités particuliers, au nombre de 158, suivant Diogène de Laerce, et de 255, suivant Ammonius, dans la vie d'Aristote. Ces traités sont perdus; et des ouvrages politiques de ce philosophe, il n'est resté que ses livres de la république. Il y censure amèrement celle de Platon, aux rêves sublimes duquel il subs-

T

titue des principes plus conformes à la vraie nature de l'homme. Cicéron accusoit Aristote d'obscurité, et prétendoit, qu'il falloit, pour l'entendre, une grande contention d'esprit. *Fragm. ex lib. philosoph. Non. contendere.* Les philosophes modernes ont confirmé ce jugement. Voyez *Mémoir. de Littérat. tom.* 32. *pag.* 54.

Théophraste, disciple d'Aristote écrivit sur la morale, la politique, l'histoire naturelle. Il est souvent parlé de lui dans les ouvrages de Cicéron. Voyez principalement *De legib. III.* 5. 6. *De finib. V.* 4.

(8) *De legib.* III. 6 .*Epistol. ad Quint. fratr.* III. 5.

(9) *De legib.* II. 26. III. 6. Démétrius de Phalère, ainsi nommé de la ville de Phalère dans l'Attique. Aprés avoir gouverné pendant dix ans la république d'Athènes avec beaucoup de gloire, et avoir été obligé ensuite de s'enfuir de cette ville, il se réfugia en Egypte, auprès de Ptolomée Soter, la première année de la cent-vingtième olympiade, environ 300 ans avant J.-C. Il s'occupa dans cette retraite à composer divers traités sur le gouvernement et les devoirs de la vie civile. *De*

finib. V. 54. *Mémoir. de Littérat. tom.* 8. *pag.* 175.

(10) *De legib.* III. 6. *Epistol. ad Quint. fratr. III.* 5.

(11) *Epistol. ad Quint. fratr. ibid. De divinat. II.* 1. *Fragment. Reipublic. lib. I. apud Diomedem.*

(12) *Plinius. Praefat. histor. natur.*

(13) *De legib. II.* 6.

(14) *De orator. I.* 52. 53. *Macrob. in somn. Scipion. I.* 1. Voyez sur ces républiques imaginaires, les réflexions de Montaigne. III. 9.

(15) *De finib. I.* 3. En effet toutes les fois que l'occasion s'en présentoit, Cicéron ne manquoit jamais de traduire et de s'approprier les beaux passages des Philosophes grecs, qu'il connoissoit parfaitement. Archytas, Aristote et Platon avoient fourni les principaux matériaux de sa république.

(16) *De legib. II.* 10. *Fragm. reipub. lib. I. Nonius. accomodatum.*

(17) *Tuscul. I. princip. IV.* 1.

(18) *De legib. II.* 10.

(19) *Fragm. libr. philosoph. Nonius. cognoscere, grave.* Cicéron parle encore de ces Annales en divers endroits et notamment, *De*

orator. II. 12. « L'histoire, dit-il, n'étoit au-
» tre chose, que le soin de rédiger les an-
» nales. Pour conserver le souvenir des faits,
» le grand pontife depuis le commencement
» de Rome, jusques à P. Mucius, grand pon-
» tife lui-même, écrivoit ce qui se passoit dans
» le cours de l'année : il transcrivoit ensuite
» ces mêmes choses sur des tables blanchies,
» et il les exposoit dans sa maison, afin que
» chacun pût s'en instruire et en juger : c'est là
» ce que nous appellons aujourd'hui les gran-
» des Annales ». Mais ceci ne doit pas être
pris à la lettre. L'obscurité, l'incertitude qui
règnent sur les évènemens des premiers siécles de Rome, et qui existoient déjà du tems
de Cicéron, comme il en convenoit lui-même, ainsi que nous le verrons plus bas, prouvent qu'il n'y avoit point d'Annales, qui re-
montassent jusques à la fondation de cette
ville; que s'il y en avoit, elles ne furent point
écrites par des auteurs contemporains, et qu'au
moins pour les tems primitifs, c'étoit un recueil fait après coup, des traditions ou des
fables anciennes, parmi lesquelles se trouvoient mêlés quelques faits véritables. Cicéron
reconnoit ailleurs, que l'on avoit altéré les

anciens monumens, pour se faire de fausses généalogies. *Brutus.* 16. On trouvoit au reste dans les Annales une infinité de choses curieuses, sur les mœurs, les coutumes, les usages anciens et la langue des Romains. *De orat. I.* 43.

(20) *De divinat. I.* 2. 17. 48. *II.* 33. *in Catilin. III.* 1. 8. *Solin. Capit.* 2. La Statue de la Louve allaitant Romulus, qui fut frappée par la foudre, sous le consulat de Cicéron, se voit encore dans le capitole moderne. *Marlian. urb. Romae Topograph. II.* 9. *Diar. italic. pag.* 174.

L'époque de la fondation de Rome, suivant le fragment de Cicéron rapporté par Solin, donne l'an 753 avant J.-C. C'est l'opinion la plus suivie. *Petav. ration. temp. part. II. Lib. III. Cap.* 2. Cicéron, d'après une ancienne tradition, vouloit qu'elle eut été fondée au mois d'avril. On célébroit toutes les années le 21 de ce mois, une fète en mémoire de cette fondation. Cette fète s'appelloit les *Parilies.* Suivant Plutarque elle existoit même avant la fondation de Rome.

Varron, ce savant Romain, dont Cicéron fait si souvent l'éloge, et avec lequel il avoit des liaisons fort étroites, avoit trouvé non-seulement le jour, mais encore l'heure de la fondation de Rome, en en faisant tiré l'horoscope par un Astrologue de ses amis, nommé Tarutius. Voyez *Plutarch. in Romul. Cic. De div. II.* 47. Cette méthode employée très-sérieusement, par le plus savant des Romains, n'est pas faite pour nous inspirer beaucoup de confiance, dans les époques chronologiques, qui nous viennent d'eux. On savoit si peu au juste celle de la fondation de Rome par Romulus, que, suivant toutes les apparences, elle existoit avant lui, et que ce fut d'elle qu'il tira son nom, et non elle de lui. Le premier livre de Denys d'Halycarnasse, le huitième livre de l'Eneïde, prouvent suffisamment, qu'il avoit existé dans les tems les plus reculés, une ville, dans le lieu même, où l'on prétend que Romulus fonda la sienne. Le mont-Palatin étoit déjà le siège d'une colonie d'Arcadiens. Servius, sur le vingtième vers de la première éclogue de Virgile, dit que Rome existoit avant Romulus. Voyez encore *Festus vo Roma*, et les *Mémoir. de Littérat. tom. 2. pag.* 428. Dans ce système, il n'en auroit été que le restaurateur. Les Romains conservèrent l'opinion qui rapportoit l'origine de leur ville à Romulus, parce que cette opinion étoit liée à la religion, par une foule de cérémonies, qui supposoient cette origine.

(21) Livius *proaemium. p.* 3.

(22) *De divinat. I.* 48. *De offic. III.* 10.

(23) *De leg. agrar. II.* 35. Tous les anciens auteurs s'accordent à nous représenter Rome dans sa naissance, comme un amas d'habitations fragiles et peu commodes. Voyez *ceux cités par l'abbé Barthélemi. Mém. de Littérat. tom.* 28. *pag.* 581. Quelques Savans, n'ont su comment accorder cela avec ces constructions magnifiques, ces monumens dont l'existence s'est perpétuée jusques à nous, et qu'on attribue aux rois de Rome. Ils ne savent comment concilier la mesquinerie des édifices particuliers, avec la magnificence des monumens publics. Ils ne peuvent comprendre comment des souverains peu despotiques, d'un état naissant, mal affermi, et où l'on n'imagina de battre monnoie, que 300 ans après sa fondation, ont pu trouver les moyens de fournir à la dépense et au travail de ces immenses constructions. Ils ne balancent pas de les attribuer, aux anciennes peuplades, qui avoient fait fleurir les arts

en Italie, long-tems avant qu'il y fut question des Romains. Voyez *la Discussion Chronologique, sur les égoûts de l'ancienne Rome*; dans les *Observations sur l'Italie*, *de Grosley. tom. 2. pag.* 273.

Rome ayant été brûlée par les Gaulois, il sortit de ses cendres une nouvelle ville, plus difforme que l'ancienne. Elle fut construite dans l'espace d'une année sans ordre, et sans alignement ; des vuides immenses et des sentiers étroits servoient de communication aux différens quartiers ; et des édifices construits sans goût et sans art, renfermoient les vainqueurs des nations. Rome subsista dans cet état jusques sous Néron, que ce tyran, se donna, dit on, le plaisir de la faire brûler, pour avoir encore celui de la rebâtir, sur un plan plus régulier. C'est ce qu'il exécuta, comme on le voit dans Tacite. *Annal. XV.* 38. *et seq.* Mais on l'accusa d'avoir nui par cela même, à la salubrité de la ville ; on prétendit que les rues étroites et tortueuses, les maisons élevées, telles qu'elles étoient anciennement, garantissoient mieux que les modernes plus larges et plus droites, des ardeurs du soleil.

(24) *De orat. I. 9. Pro Cornel. Balbo.* 13. Denys d'Halycarnasse est loin de représenter Romulus, comme un chef d'avanturiers; il le fait parler à ses sujets comme à une société de philosophes: après leur avoir rappellé les diverses espèces de gouvernement, qui existoient chez les Grecs et chez les Barbares, et leur en avoir exposé les avantages et les inconvéniens, il leur demande s'ils veulent obéir à un ou à plusieurs, leur offrant de se soumettre à leur décision.

Les habitans répondent qu'ils veulent conserver la forme de gouvernement, que leurs pères leur ont transmise; « nous nous con-» fions, ajoutent-ils, à leur prudence, et nous » nous abandonnons à leur fortune. De quoi » nous plaindrons-nous, etc. »? *Dionys. Halycarn. Lib. II. Cap.* 1.

(25) *Fragment. Reip. Lib* 1. *Apud Augustin. Epis.* 5. *et De civit. dei. II.* 21. *Nonius. urbs à civitate. Parad. IV.* Sigonius dans ses notes sur ces Fragmens, croit que Cicéron avoit parlé de la situation de Rome et du fleuve sur lequel elle étoit placée. Aristote *Polit. Lib.* 7., entre dans de grands détails sur la position de la cité centrale de la république.

(26) *De orator. I.* 9.

(27) *De divin. I.* 2. 48. La science des augures qui du tems de Cicéron n'étoit plus qu'un charlatanisme ridicule, renfermoit dans son origine une profonde connoissance de la nature, tant physique que morale. C'étoit une science vraiment royale, et dans laquelle tous ceux qui se mêloient de gouverner les hommes, devoient être instruits. Voyez *De divin.* I. 40. Il en sera question ailleurs.

(28) *Fragm. Reipub. Lib. II. Nonius de doctor. indagin.* Je suis ici l'opinion de Sigonius, qui applique ce fragment à toutes les institutions de Romulus, quoiqu'on fut fondé à croire, qu'il ne concerne que les loix sur le mariage, qui durèrent intactes durant 230 ans, suivant Plutarque, *in Numa*, et 520 suivant Denys d'Halycarnasse, *Antiquit. II.* 4. Montesquieu qui raisonne beaucoup sur le fait rapporté par Denys d'Halycarnasse et par Plutarque, ne parle pas de la différence de la date, qu'ils y donnent. *Esp. des loix. XVI.* 16.

(29) *De orator. I.* 9. *Tusculan. IV.* 1.

(30) *Philipp. III.* 4. *De Senect.* 6. *De divinat. I.* 43. Denys d'Halycarnasse qui ne perd jamais l'occasion de faire remarquer la con-

formité des usages grecs et romains, observe que les rois de la Gréce avoient un sénat semblable à celui institué par Romulus. *Antiquit. Lib. II.*

(31) *Pro domo.* 13. *Pro Milone.* 3. *Fragm. Reipub. Lib.* 1. *Apud Senec. Epist.* 108. Voici d'après Denys d'Halycarnasse, *Antiq. IV.* 20, comment les pouvoirs étoient distibués à Rome, sous les rois. Le peuple nommoit à tous les emplois civils ou militaires. Il faisoit les loix et les abrogeoit. Le roi ne pouvoit statuer rien d'important que de concert avec le sénat, ni déclarer la guerre ou faire la paix, sans avoir le consentement du sénat et du peuple; ni prononcer dans les assemblées générales contre la pluralité des voix. La prérogative royale se réduisoit à quatre chefs. 1°. La surintendance de tout ce qui concernoit la religion. 2°. Le soin de rendre la justice, et de tenir la main à l'observation des loix. 3°. Le droit de convoquer le sénat et le peuple, et d'opiner le premier dans les assemblées, et de faire exécuter ce qui se décidoit à la pluralité des suffrages. 4°. Le commandement absolu des armées. Les passages de Cicéron prouvent que les décisions des rois, au moins

en certains cas n'étoient pas sans appel. Voyez en outre l'*Esprit des Loix, Liv. II. Chap.* 12. *et suiv.*

(32) *Paradox. I. Fragment. Reipub. Lib. III. apud Augustin. de Civitat. III.* 15, et *apud Senecam Epist.* 108.

(33) *Pro Sylla.* 7. *De orator. I.* 9. *II.* 37. *III.* 19. 51. *Tuscul. IV. princip. De legib. I.* 1.

(34) *De natur. deor. III.* 2. *De legib. II.* 10. *Florus, Cap.* 3. Numa fit quelques additions aux loix de Romulus, dont il maintint l'exécution. Ces additions concernoient principalement les choses sacrées. Voyez-en le détail dans Denys d'Halycarnasse, *Antiquit. Rom. Lib. II.* Il ne fut point l'inventeur de la plupart de ces institutions. Il les prit ou chez les nations voisines, ou il les renouvella des loix anciennes. Numa fut enseveli près des autels de la fontaine, hors de la porte Capène. *De leg.* II. 22.

(35) *Fragment. Reipub. Lib. II. Nonius. viritim.* Romulus avoit déjà fait une distribution au peuple, d'une partie de ses conquêtes. Il en avoit prélevé une portion, qu'il consacra au culte des dieux, et une autre qui resta dans le domaine public. *Denys d'Halycar-*

nasse. Lib. II. Numa ne put donc distribuer au peuple, que cette dernière partie.

(36) *De natur. deor. II.* 3. *Flor. Cap.* 3.

(37) *Fragm. Reipub. Lib.* III. *apud Augustin. de Civit. XXII.* 6. Plin. *Histor. natur. II.* 53, et Tite-Live *Lib. I.*

(38) *Florus I.* 4. *Fragm. Reipub. Lib. I. apud Senec. Epist.* 108.

(39) *Pro Sylla.* 7. *Tuscul. V.* 37. *Polybius de virtutib. et vitiis. Cap.* 1. *Florus. Cap.* 5.

(40) *Tanti errores implicant temporum*, dit Tite-Live. *II.* 21. *Fragment. Reipubl. Lib. I. apud Senec. Epist.* 108. Il paroît par cette Epitre de Sénèque, que Cicéron avoit puisé ce qu'il dit ici, dans les livres des pontifes, ou les grandes Annales. C'est une nouvelle preuve, qu'au moins pour les tems anciens, elles ne renfermoient que des traditions obscures et incertaines. On peut voir les diverses opinions sur la mère de Servius Tullius, dans le discours de l'empereur Claude, qu'on voit encore à Lyon, gravé sur l'airain, et que Brotier a rapporté dans ses notes sur Tacite, *Annal. XI* 24.

(41). *Brutus* 10. *De orator. I.* 9. *De divinat. I.* 53. *Tacit. Ann.* III. 26. *Flor. Cap.* 6.

L'époque de Solon est fixée par l'abbé Barthélemi, *Voyage d'Anarcharsis. tom. 1. p.* 99, à l'an 594 avant J.-C. Ce seroit donc celle de Servius Tullius, suivant Cicéron. Ainsi les législateurs des deux plus célèbres républiques de l'antiquité, auroient vécu dans le même-tems. Leurs loix avoient entre elles beaucoup de ressemblance. Servius Tullius établit, suivant l'opinion commune, le cens à Rome, les comices par centuries, qui donnoient une grande influence aux riches, et dont nous parlerons ailleurs. Solon avoit établi également un cens à Athènes, dans le même objet. Le moment où les institutions de ces grands hommes tombèrent dans l'oubli, ou dans le mépris, fut le terme de la prospérité de ces deux états. Au reste, il y a de grandes contradictions entre Denys d'Halycarnasse et Tite-Live, au sujet de Servius Tullius. Voyez-les rappellées dans les *Mémoir. de Littérat. tom. 4. pag.* 93. Il faut le répéter encore, tout n'est que ténébres et incertitudes, dans ces tems anciens.

(42) *Pro Rabirio. 4. Philippic.* III. 4. *De finib.* III. *in fine.* Je laisse à de plus habiles que moi, le soin de concilier Cicéron avec lui-même, au sujet de Tarquin. Dans le discours

pour Rabirius, il lui reproche d'avoir été superbe et cruel; il rapporte même la formule barbare par laquelle il ordonnoit l'exécution des malheureux, dont il vouloit se défaire. Dans la Philipique citée, il assure au contraire qu'il ne fut point coupable de cruauté, mais seulement de beaucoup d'orgueil. C'est sans doute ici une licence oratoire, occasionnée par l'envie de déprimer Antoine et de le mettre au-dessous des personnages le plus flétris, dans l'opinion publique. Car Denys d'Halycarnasse, *Antiquit. Roman. Lib.* IV, est conforme à l'oraison pour Rabirius, et donne pour cause de la chûte de Tarquin, son mépris pour les loix anciennes, l'extérieur effraiant dont il s'entoura, l'orgueil et le faste de sa cour, les exécutions arbitraires et clandestines qu'il se permit, l'autorité despotique qu'il s'arrogea, sans égard pour celle du sénat.

(43) *De finib.* II. 20.

(44) *Brutus.* 14. Ce grand évènement arriva vers l'an de Rome 242, *avant J.-C.* 511.

(45) *Fragment. Reipub. Lib.* I. *Non. dimittere. Livius. Lib.* II. 7.

(46) *Fragment. Reipub. Lib.* I. *apud Senec. Epist.* 108. *Pro Milone.* 3.

(47) *Tusculan.* III. 12. *Ad Attic.* IX. 10. Cicéron *De amicit.* 15, dit que Tarquin distingua dans son exil ses vrais et ses faux amis, quoiqu'il s'étonne qu'il ait pu en avoir, dans un rang tel que le sien et avec la fierté qu'on lui reproche. Les amis qu'il conserva dans ses malheurs supposeroient que ce prince avoit d'ailleurs des qualités estimables. Cette observation n'a point échappé à Montesquieu. *Grand. et décad. des Rom. Chap.* 1. Dans la tragédie de Brutus par Accius, où Tarquin jouoit un rôle, il y avoit un songe de ce prince, que Cicéron a conservé, *De divinat.* I. 22.

(48) *Fragment. Sallust. Apud Augustin. de civit.* II. 18.

(49) *Fragment. orat.* I. *Pro Cornelio. Brutus.* 14. Suivant Cicéron la création des deux tribuns fut faite par le peuple, lors de sa retraite sur le Mont-sacré, seize ans après l'expulsion des rois. Le nombre en fut porté jusques à dix l'année d'après, dans les comices par curies, après avoir pris les auspices. Suivant Tite-Live, II. 33. 58, on ne créa dix tribuns, que plusieurs années après l'établissement des deux premiers, qui eut lieu l'an de Rome 258, *avant J.-C.* 495.

Les

Les loix qu'on appelloit sacrées protégèrent les prérogatives des tribuns. Mais il y en avoit qui portoient ce nom antérieurement à cette époque, puisque Cicéron assure, que le peuple en obtint le rétablissement. On n'a jamais bien su, ce que c'étoit que ces loix ; à moins que ce ne fussent celles établies par Servius Tullius en faveur du peuple, abolies par Tarquin, remises en vigueur par le sénat, après l'expulsion de ce prince, mais bientôt négligées encore, lorsque la crainte qu'il inspiroit, eut cessé. Voyez *Denys d'Halycarn. Antiquit. rom.* V. *Cap.* 2. C'étoit là sans doute le nom donné aux loix, qui servoient au peuple de rempart, contre l'oppression des grands. Cicéron en parle en plus d'un endroit. *Pro Sextio.* 30. *Pro domo.* 17. *De offic.* III. 31. *De legib.* II. 7.

(50) *De legib.* III. 3. 7. *Pro Sextio* 37.

(51) *De leg. agrar.* II. 6. 33.

(52) *Fragment. reipublic. Lib.* I. *ex Seneca epist.* 108. *De legib.* III. 3. La dictature étoit connue dans le pays latin. Tite-Live fait plusieurs fois mention des dictateurs de diverses villes de cette contrée.

(53) *Livius. lib.* III. 31. 32. *De orator.* I. 13.

Cicéron ne dit nulle part, qu'on envoya des députés dans les principales villes de la Grèce, pour en recueillir les loix. Il semble même dire le contraire lorsqu'il préfère, *Ibid. De orat.* I. 44, les loix civiles de Rome à celles de Sparte et d'Athènes ; opinion qui auroit été très-ridicule de sa part, si les premières n'avoient été qu'une copie des dernières. Je dois cependant observer que, *De legib.* II. 23. 24. Il cite une loi des XII Tables, qu'il dit être traduite mot à mot de Solon. Bonami dans une dissertation, qui se trouve dans le douzième volume des Mémoires de Littérature, a prouvé que les loix des XII Tables, n'étoient pour la plus grande partie, que les loix anciennes de Rome, dont la plupart ne s'étoient conservées que par la tradition, et que l'on rédigea alors par écrit.

(54) *De orat.* I. 43. 44.

(55) *Fragm. reipub. Lib.* I. *Nonius. Horrendum ab Horrido.* C'est encore d'aprés Sigonius, que nous avons appliqué ce fragment aux Décemvirs.

(56) *Livius. Lib.* III. 44.

(57) *De finib.* II. 20.

(58) *Fragm. orat.* I. *pro Cornelio. Bru-*

tus. 14. Les trois députés consulaires, qu'on envoya au peuple, furent Sp. Tarpeius, C. Julius, P. Sulpicius. Le grand pontife d'alors étoit Papirius. *Ascon. in frag. orat. pro Corn.*

(59) *Fragm. reipub. Lib.* I. *in epistol. ad Attic.* VI. 1. *et apud. Fronton. De orat. I.* 41. *Pro Muraena* 11. Cicéron, comme on le voit par la lettre à Atticus citée ici, n'étoit assuré ni du fait qu'il avance, ni de l'époque où il étoit arrivé. Il se récrie sur l'ignorance ou la négligence des historiens, et il avoue qu'il a écrit tout bonnement, ce qu'il a trouvé chez eux et qu'il a suivi l'opinion commune. Mais une difficulté plus importante qu'il propose, est de savoir quel avantage l'on avoit retiré de la publication des fastes par Cn. Flavius. Il répond vaguement, que le calendrier, où la table qui contenoit les fastes ou les jours, auxquels il étoit permis d'agir en justice, n'étoit connu que d'un petit nombre de personnes, auxquelles il falloit s'adresser, quand on vouloit s'en instruire; que la publication qui en fut faite par Flavius, le mit à la portée de tout le monde. Mais cela n'est ni satisfaisant, ni clair. L'année sous Romulus, n'étoit à Rome, que de dix mois, et par un

phénomène peut-être unique dans ce genre ; elle ne s'accordoit, ni avec le cours de la lune, ni avec celui du soleil. Pour corriger ce défaut, Numa prescrivit diverses intercalations, et chargea les pontifes du soin de les faire. C'étoit une de leurs fonctions les plus essentielles, comme on le voit par le livre second des loix de Cicéron. *Cap.* 12. Les pontifes par ce moyen faisoient commencer ou finir l'année, quand ils vouloient ; ils en augmentoient ou en abrégeoient la durée à leur gré. Ils avoient ainsi le pouvoir d'avancer la magistrature des gens, qui les payoient, ou de faire durer moins celle des hommes en place, qu'ils n'aimoient pas. Ils s'en servoient aussi pour favoriser les marchés des Publicains. Enfin leur négligence ou leur malice fut telle à cet égard, que les mêmes mois se trouvoient tantôt en hiver, tantôt en été, tantôt au printems. De cette variation des mois romains, s'ensuit celle des jours fastes qu'ils renfermoient. Il n'y avoit donc point de calendrier fixe. Flavius auroit donc pu publier les *fastes* d'une année, mais non ceux des années suivantes, que les pontifes pouvoient arranger à leur gré, au moyen de leurs intercalations arbitraires. Voyez *Macrob. Saturn.* I. 13. *Censorin. cap.* 20. *Solin. polihist. Cap.* 1. Ce que Cicéron n'entendoit pas, pouvons-nous nous flatter de l'entendre nous-mèmes?

(60) *Tuscul.* IV. *princip. Pro Cluentio.* 53.

(61) *De legib.* III. 19.

(62) *De leg. agrar.* II. 7. 12. *Philipp.* VI. 5. VII. 6. *Pro domo.* 29. Le mot tribu avoit deux acceptions chez les Romains. Il se prenoit également pour une certaine partie du peuple, ou pour une partie des terres, qui lui appartenoient. Il n'y a rien de plus obscur, que tout ce que nous disent sur ce sujet les historiens de Rome. Le nombre, la forme et les usages des tribus éprouvèrent une infinité de variations. Romulus en établit, dit-on, trois, qui prirent leur nom des trois principales nations, qui vinrent s'établir à Rome, et qui désignoient les trois divisions, que l'on fit de la ville et de son territoire.

Les curies étoient une sous-division des tribus, qui en comprenoient chacune dix. Les tribus et les curies avoient toutes des chefs, qui les gouvernoient en tems de paix et les commandoient à la guerre. Ceux des tribus s'appelloient *Tribuns*, ceux des curies, *Curions.* Les curies avoient en outre un lieu d'assemblée, où elles célébroient leurs sacrifices, et où elles traitoient des affaires publiques. C'étoient tout autant de paroisses. Leurs *Curions* étoient nos curés, et le grand Curion, qui avoit inspection sur tous les autres, étoit un espèce d'évêque. *Mémoir. de Littér. tom.* 1. *pag.* 2. *et suiv. Sigonius de Antiq. Jur. Civ. Roman. Lib.* I. *Cap.* 3.

Le nombre des tribus augmenta dans la suite. Celui des curies resta toujours le même. Servius Tullius divisa la ville en quatre tribus, et la campagne en vingt-six ; d'autres disent seulement dix-sept. Ces nouvelles tribus différoient de celles de Romulus, en ce que les dernières désignoient les trois principales nations, qui étoient venues s'établir à Rome, tandis que celles de Servius comprenoient les habitans d'un quartier limité, de quelque nation qu'ils fussent. Les tribus de Servius furent sousdivisées en cantons. Elles avoient leurs temples, leurs fêtes, leurs chefs particuliers. *Dionis. Halycarn. Lib.* IV. *Mémoir. de Littér. tom.* 4. *pag.* 70. *et suiv.*

Ce ne fut que sous les consuls que les tribus

de Rome furent portées à trente-cinq, savoir quatre de la ville et trente une de la campagne, l'an 508 de sa fondation. *Mémoir. de Littérat. ibid. pag.* 86.

On fit toujours une grande différence entre les tribus rustiques, celles de la campagne, et les tribus urbaines, celles de la ville. Les premières composées des citoyens les plus distingués, qui faisoient leur séjour à la campagne et leur occupation de l'agriculture, passoient pour plus honorables, que celles de la ville, composées uniquement d'artisans, dont la profession n'étoit pas fort considérée.

Il est inutile de remarquer, que cette division par tribus, se trouve dans les principales républiques de la Grèce.

(63) *Action.* II. *in Verr.* V. 15. *Philipp.* VI. 5. VII. 6. *Academic.* IV. 23. La plus célèbre division qu'on fit du peuple romain, savoir, celle par centuries, fut, suivant Cicéron lui-même, la base de sa grandeur et de sa prospérité. On l'attribue communément à Servius Tullius. Elle remonte très-certainement au tems des rois. Cette division portoit principalement sur l'âge et les facultés des citoyens, qui se trouvoient distribués en

cent-quatre-vingt-treize centuries, formant six classes. Le nombre des centuries n'étoit point égal dans chaque classe. Il y en avoit quatre-vingt dans la premiére classe, vingt dans la seconde, autant dans les deux suivantes, et trente dans la cinquième. La sixième classe ne comprenoit qu'une centurie, composée de tous ceux, qui n'avoient aucun bien, et qu'on appelloit *Proletarii* ou *Capite censi*, parce qu'ils étoient exempts des tributs et du service militaire. On ne comptoit pas le plus souvent cette classe, et la cinquième étoit regardée comme la plus basse. *Academ.* IV. 23.

En mettant les riches, mais en plus petit nombre, dans les premières centuries; les moins riches mais en plus grand nombre, dans les suivantes, et chaque centurie n'ayant qu'une voix, c'étoient les moyens et les richesses, qui donnoient les suffrages, plutôt que les personnes. Car la majorité des voix étant renfermées dans les deux premières classes, lorsquelles se trouvoient d'accord, il étoit inutile d'appeller les autres. Tout cela est parfaitement bien expliqué dans Denys d'Halycarnasse et dans Tite-Live.

Cet arrangement étoit d'ailleurs tout militaire. Les centuries des jeunes gens étoient distinguées de celles des vieillards; celles des ouvriers, des centuries des autres citoyens.

Les comices par centuries prirent la place des comices par curies, qui ne subsistèrent plus que pour les auspices. Les comices par curies se tenoient, ou dans le forum ou au champ de Mars, situé hors de la ville. Ceux par centuries ne se tenoient qu'au champ de Mars; leur appareil étoit tout militaire, et les centuries quoique sans armes, étoient dans les comices en ordre de bataille. Les loix éloignoient de la ville jusques à l'apparence d'une armée. *Mémoir. de Littérat. tom.* 1. *pag.* 12. *Gell.* XV. 27.

(64) *De leg. Agrar.* II. 7. 11. Dans l'affaire de Coriolan, les tribuns avoient fait opiner le peuple par tribus, parce qu'à la différence des comices par centuries, chacun y donnoit également son suffrage. Ils craignoient que les comices par centuries, où les Patriciens avoient tant d'influence, ne le jugeassent pas avec assez de sévérité. *Liv.* II. 35.

Mais ce ne fut que l'an de Rome 282, que

les comices par tribus furent légalement établis, pour l'élection des magistrats Plébeïens. « Cette innovation, dit Tite-Live, fut plus flat-
» teuse pour l'amour-propre de ceux qui la
» firent passer, qu'utile à la république. On
» ota plus de dignité aux comices, en en ex-
» cluant les sénateurs, qu'on n'augmenta l'au-
» torité du peuple, par la diminution de celle
» du sénat». Car les Patriciens, quoique membres chacun d'une tribu, paroissent n'avoir pas eu le droit de voter, dans les comices par tribus.

A l'époque de leur établissement, les Patriciens avoient encore la possession exclusive des grandes magistratures, telles que le consulat, etc.; les Plébéïens n'ayant alors que leurs tribuns et deux édiles à nommer, voulurent sans doute avoir leurs comices à part. Un ancien usage attribuoit aux comices par tribus l'élection du grand Pontife. Mais il étoit choisi seulement par dix-sept tribus tirées au sort. Les autres prêtres étoient d'abord élus par leurs collègues; mais la loi *Domitia*, l'an de Rome 650, donna encore au peuple la faculté de les élire. *De leg. agrar.* II. 7. *De amicit.* 25.

Les plébiscites qui se faisoient dans les comices par tribus avoient force de loi. Les accusations capitales n'étoient point de leur compétence. Ils ne pouvoient condamner qu'à une amende. Les seuls comices par centuries pouvoient prononcer sur la vie et sur la liberté des citoyens, comme ils pouvoient seuls élire aux grandes magistratures. C'étoient les vrais comices du peuple romain.

(65) *De leg. Agrar.* II. 11. 12. Les comices par curies n'étoient plus qu'une simple formalité. Les suffrages y étoient donnés par trente licteurs, qui représentoient les trente curies. On ne les avoit conservés, que par rapport aux auspices. Ils confirmoient en quelque sorte, ce qui s'étoit fait dans les comices par centuries, en donnant la mission et le pouvoir d'agir, à ceux qui y avoient été élus. *Ad Famil.* I. 9. *in Fin.* Trois augures assistoient aux comices par curies; ils prenoient les auspices et attestoient que pendant la tenue des comices, il ne s'étoit rien passé dans le ciel, qui pût les déranger. *Ad Attic.* IV. 30. Voilà pourquoi dans les passages *De leg. Agrar.* II., cités ici, et d'ailleurs très-obscurs, il est dit, que l'on donnoit deux fois le suf-

frage, pour l'élection des magistrats. Les Patriciens étoient par les loix, les maîtres et les gardiens des auspices. Il n'est point étonnant que dans les comices par tribus on n'eut voulu ni des uns, ni des autres.

Ces diverses espèces de comices reçurent à différentes époques, quelques modifications, qu'il est inutile de rappeller ici. On les mêla d'autrefois ensemble. Les savans ne sont pas d'accord sur la forme de ce mélange. *Mém. moir. de Littérat. tom.* 4. *pag.* 100. Le fond resta cependant le même, sur-tout dans les comices par centuries.

(66) *Pro Plamio.* 6.

(67) *Pro Cluentio.* 55. 56. *Action.* II. *in Verr.* III. 41. Il n'a guères existé de république, où la distinction des ordres ait mieux été observée qu'à Rome. Le premier ordre étoit le sénat, composé dans le principe uniquement de Patriciens. Romulus avoit choisi les premiers Sénateurs parmi les citoyens les plus recommandables par leur naissance, leur vertu, leurs richesses. Ceci prouveroit peut-être encore, que les habitans primitifs de Rome, n'étoient pas uniquement, un ramas de brigands et d'avanturiers. Il est vrai que

Denys d'Halycarnasse et Plutarque, par une étymologie vraiment à la grecque, dérivent le mot Patricien, de ceux qui pouvoient indiquer leurs pères, *qui patrem ciere possunt.* Si cette étymologie étoit ausssi exacte, qu'elle paroît absurde, elle diminueroit un peu l'éclat de l'origine patricienne.

Les descendans des Patriciens établis par Romulus furent toujours plus considérés, que ceux qui tiroient leur origine, des Patriciens créés par les autres rois ou sous les consuls. On appelloit les premiers *Majorum gentium,* et les derniers *Minorum gentium.* Cette distinction, qui n'étoit d'ailleurs qu'une affaire d'opinion, subsistoit encore au tems de Cicéron. *Epist. ad famil.* IX. 21. et sous les premiers empereurs. *Tacit. Annal.* XI. 25.

Romulus avoit donné aux Patriciens les auspices, le sacerdoce, en un mot toutes les charges publiques. Il n'avoit laissé aux Plébëiens, que l'agriculture et les arts méchaniques. Cela ne fut corrigé qu'après l'établissement de la république.

(68) *Pro domo.* 28. *Pro Cluentio.* 55. L'ordre équestre tenoit le second rang après le sénat. Il tiroit son origine d'un corps de cava-

lerie établi par Romulus, et qu'il avoit encore choisi parmi les meilleures familles. Il étoit composé de jeunes gens au nombre de trois cents. *Dionys Halycarn. Lib.* II.

On les appelloit *Celères.* Ce nom fut donné sous les rois à toute la cavalerie légionaire. Ces *Celeres* étoient comme les gardes du corps de Romulus.

L'ordre équestre, ne commença cependant à former un ordre à part, qu'au tems des Gracques, qui lui firent transporter les jugemens, qui avoient appartenu jusques là au sénat, comme nous le dirons ailleurs. *Sigon. de Antiq. Jur. Civ. Roman. Lib.* II. *Cap.* 3. Ce qui donna le plus de crédit à cet ordre, c'est qu'il eût la ferme des impôts publics et le soin de les faire payer.

(69) *Ad famil.* IX. 21. *Pro Muraena.* 7.

(70) *Pro Rabir.* 1. *Pro Plancio.* 25. Dans ce dernier endroit, Cicéron observe qu'il y avoit déjà eu environ 800 consuls, et qu'à peine la dixième partie avoit mérité cet honneur.

(71) *Liv.* VI. 42. VII. 1. *De legib.* III. 3. *Ad famil.* X. 12. Le premier préteur fut créé l'an 385 de Rome. Il n'y en eut d'abord qu'un.

On en établit plusieurs dans la suite. C'étoit la première dignité après le consulat. Le nom de Préteur étoit donné à tous les magistrats suprêmes, soit civils, soit militaires. *De leg.* III. 3. *Mém. de Littérat. tom.* 41. *pag.* 2.

(72) *Pro Cluentio.* 46. *De leg.* III. 3. Cicéron détaille de la manière suivante, au livre des loix indiqué, les fonctions des censeurs : « qu'ils fassent le dénombrement du peuple, » suivant l'âge, la quantité d'enfans et d'es- » claves, qui composent les familles, et selon » le revenu d'un chacun; qu'ils aient inspec- » tion sur les temples, sur les rues, sur les » fontaines, sur le trésor public, sur les im- » pôts; qu'ils distribuent les citoyens premiè- » rement dans leur tribu, ensuite dans leur » classe, et puis dans leur centurie; qu'ils tien- » nent registre du nombre des enfans, des » fantassins, des cavaliers ; qu'ils aient soin » d'empêcher, qu'aucun ne demeure dans le » célibat ; qu'ils veillent sur les mœurs du peu- » ple ; qu'ils ne souffrent point de tache, dans » les membres du sénat ; qu'ils soient deux » en exercice ; que leur magistrature soit de » cinq ans ».

Les censeurs faisoient tous les cinq ans la

revue et le dénombrement dont ils étoient chargés. Ils furent créés l'an de Rome 308, et ils furent pris parmi les Patriciens, les plus recommandables par leur sagesse. Ce ne fut qu'en 400, qu'on commença à les prendre parmi les Plébéïens.

(73) *De leg.* III. 3. *Act.* II. *in Verr.* V. 14. Les Ediles avoient le droit d'opiner les premiers dans le sénat, et le droit d'image, c'est-à-dire, de conserver dans le vestibule de leur maison les images de leurs ancêtres; distinction, qui n'appartenoit qu'aux familles nobles, c'est-à-dire, qui avoient été illustrées par les premières charges de la republique, ainsi que le dit Polybe, *Lib.* 6, qui entre sur cela dans des détails curieux.

Les premiers Ediles furent pris parmi les Plébéïens, et créés par les mêmes comices, qui choisirent les premiers Tribuns, en 258. Ils eurent d'abord la garde des temples, où étoient conservés les plébiscites, et où l'on déposa aussi les sénatus-consultes, afin que les consuls ne pussent les supprimer à leur gré. Ces Ediles plébéïens n'ayant pas voulu, à cause sans doute de la dépense qu'elle entraînoit, se charger de l'intendance des jeux publics,

publics, que les rois d'abord et ensuite les consuls avoient exercée, et les Patriciens firent créer en 385 deux Ediles curules chargées spécialement de ce soin, et qui furent choisis parmi eux. Mais cette distinction entre les Ediles fut supprimée, lorsque tous les honneurs devinrent communs aux Patriciens et aux Plébéïens. Voyez *Neuport. Sect.* II. *Cap.* 5.

(74) *De divin. in Verr.* 2. 10. *Actio. prim.* 15. L'origine de cette charge remontoit, suivant les uns, jusques au tems des rois. *Leg. unic. dig. de offic. Quaestor.* D'autres la reculent jusques aux premiers consuls. Voyez *Tacit. Ann.* XI. 22. La questure étoit en quelque sorte la porte des honneurs, c'étoit la première charge qu'occupoient ceux qui se destinoient à l'administration publique. On ne parvenoit que par dégrés aux grandes dignités.

(75) *Pro C. Rabirio.* 3.

(76) *De orator.* I. 43.

(77) *De leg.* II. 23.

(78) *De Orat.* I. 44.

(79) *Tuscul.* IV. 1. 19. *De Amicit.* 4.

(80) *Tuscul. ibid. et* I. 16.

(81) *Fragm. reipub. Lib.* I. *apud Non. contendo. De finib.* V. 19. *Tuscul.* I. 17. IV. 19.

De Senect. 12. Socrate étant mort l'an 399 av. J.-C. Le voyage de Platon dans la Grande-Grèce, doit être placé vers l'an 395.

(82) *Tuscul.* I. 3. *et Seq.* IV. 1. *et Seq.* Sur tous ces passages, voyez la Dissertation sur les progrès des sciences chez les Romains.

(83) *Philipp.* IV. 5.

(84) *Ad quirit. post. redit.* 1. *De offic. I.* 17. *De orat.* I. 44.

(85) *De offic. ibid. Fragm. reipub. Lib.* I. *apud. Non. antiquus, antiquior, pignerari.*

(86) *De finib.* III. 19. *De offic.* I. 17.

(87) *Pro Sextio.* 66.

(88) *Pro Sextio.* 45. 46. *Fragm. reipubl. Lib.* I. *Non. aemulus.*

(89) *Pro Cluentio.* 53.

(90) *Parad.* V. 1. *Fragm. lib. philos. apud Augustin. de Trinit.* XIII. 5.

(91) *Parad.* V. 1.

(92) *De leg. Agrar.* II. 4. *De offic.* I. 4. *De finib.* V. 20. *Frag. Acad.* III. *Non. vindico.*

(93) *Philipp.* II. 44. III. 13. 14.

(94) *Paradox.* V. 3.

(95) *Fragm. Lib. philosoph. apud August. contra. Pelag.* IV. *Non. confectum. De Senectut.* 12.

(96) *Fragm. reipub. Lib.* I. *Non. anima. et Fragm. apud Lactant.* V. 11. *ex Libro incerto.*

(97) *De offic.* I. 25.

(98) *Fragm. reip. Lib.* I. *Non. conducere et firmitudo.* Sans entrer ici dans des discussions aussi inutiles que fastidieuses sur l'égalité, nous remarquerons que les plus ardens amis du peuple ne la faisoient consister chez les Romains, que dans l'admission de tous les citoyens aux charges publiques, et à ce qu'aucun d'entre eux ne pût se mettre au-dessus des loix. Voyez le discours de Canuleius dans Tite-Live. *Lib.* IV. 3.

(99) *De offic.* II. 12.

(100) *De Orat.* I. 42.

(101) *Ad. Herenn.* III. 2. *De offic.* 1. 14.

(102) *De orat.* II. 52.

(103) *Tuscul.* V. 36. *Mémoir. de Littérat. tom.* 12. *pag.* 48.

(104) *De offic.* II. 24.

(105) *De offic.* I. 19.

(106) *De offic.* II. 22.

(107) *Pro Balbo.* 15. *Action.* II. *in Verr.* V. 37. *Pro lege. Manil.* 18. *Fragm. reipubl. Lib.* I. *apud. Non. libro de doctor. indagin.*

Voyez sur la constitution de Carthage. *Arist. politic.* II. 9. V. 12. *Polyb.* VI. 19. Ce dernier en attribue la chûte à la grande influence des richesses, et encore à celle que la multitude y avoit acquise, dans les délibérations publiques.

(108) *Tuscul.* III. 20. *Fragm. reip. Lib.* I. *apud. Fronton.*

(109) *De Amicit.* 3.

(110) *Fragm. reipub. Lib.* I. *apud Frontonem.* Tout le monde étoit persuadé à Rome, que Scipion avoit été assassiné pendant la nuit. *De Amicit* 3. *Pro Milon.* 7. *Somn. Scipion.* d'Olivet prétend que sa femme Sempronia, sœur des Gracques, l'empoisonna. Il ne cite pas ses garants. Cicéron parle d'une violence, *vis illata*, ce qui ne semble pas caractériser un empoisonnement. Il indique même l'auteur de cette violence. *Ad fam.* IX 21. *De fato.* 9. Voy. encore *Velleius. Patercul.* II. 4. La femme de Scipion a bien pu en être complice, poussée par C. Gracchus, qui vouloit venger la mort de leur frère commun T. Gracchus, que Scipion avoit hautement approuvée. D'ailleurs, Scipion alloit être nommé dictateur, pour mettre fin aux troubles, que la publication des

loix agraires avoit excités. Les factieux à la tête desquels se trouvoit C. Gracchus, voulurent s'en débarrasser.

(111) *Fragm. reipub. Lib. I. Non. horrendum ab horrido. Lib.* VI. *Non. expleri et satiari. De orator.* I. 43. *De offic.* I. 42.

LIVRE II.

NOTES.

Tuscul. II. 21. IV. 5. Voyez le passage même de Platon traduit, *De divinat.* I. 30. Il est pris du neuvième livre de sa république. Ce tableau des passions humaines, dont nous avons fait le prologue de ce livre, nous étoit indiqué, par les fragmens qui en font partie.

(2) *Fragm. reipub. Lib.* II. *Non. exsultare.*

(3) *De finib.* I. 13. 18.

(4) *Tuscul.* III. 13. *Fragm. reipub. Lib.* II. *Non. anxitudo. timor, timiditas.*

(5) *Fragment. ibid. Non. timor. timiditas.*

(6) *De senectut.* 12. *Frag. reipub. Lib.* II. *Non. volutabundus.*

(7) *Tuscul.* IV. 23. 24. 36. *De offic.* I. 29. *Fragm. reipub. Lib.* II. *Non. offendere.* Plutarque de l'*Education des enfans* et de la *vengeance tardive des dieux*, rapporte aussi ce mot d'Archytas. Voyez les *Mémoir. de Litt.*

tom. 17. *pag.* 58. Sénéque *de irâ.* I. 15, attribue un pareil propos à Socrate.

(8) *Tuscul.* V. 6. *Fragm. reipub. Lib.* II. *Non. elidere.*

(9) *Tuscul.* II. 21. *De offic.* I. 29.

(10) *Tusculan.* V. 2. *De divin.* II. 1.

(11) *De orator.* I. 43.

(12) *De legib.* III. 1.

(13) *Pro Sextio.* 42. *De invent.* I. 2. Voyez *Seneca. Epist.* 90.

(14) *De legib.* III. 1. 2.

(15) *De legib.* III. 5.

(16) *De divinat.* II. 2.

(17) *De legib.* III. 2. *De offic.* II. 12.

(18) *Epistol. ad Quint. Fratr.* I. 1. 10.

(19) *Ibid. De legib.* II. 12. III. 17. *De divin.* II. 4.

(20) *Pro domo.* 2.

(21) *Pro Roscio Amerino.* 25. *De off.* I. 22. Cicéron se trompe, lorsqu'il attribue à Solon, l'établissement de l'aréopage, qui étoit bien plus ancien que lui.

(22) *Tuscul.* I. 42. 43. *Pro Flacco.* 26. *De divinat.* I. 43. *Brutus.* 10. *De senectut.* 6. Ceci n'est pas bien exact encore. Lacédémone avoit bien pu conserver quelques-unes des

institutions de Lycurgue, autant de tems que le dit Cicéron; mais son gouvernement avoit éprouvé bien des révolutions. Voyez la not. 86 du livre IV, ci-après, et *Voyag. d'Anachar. Chap.* 51.

(23) *Pro Flacco.* 26.

(24) *De legib.* III. 17.

(25) *Pro Plancio.* 4. Ce passage est imité de Demosthène. *Lipsius. variar. lection.* I. 3.

(26) *Pro Milone.* 16. *De orat* II. 83.

(27) *Pro Muraena.* 17. Ceci paroît être tiré de l'oraison d'Eschine contre Ctésiphon.

(28) *Pro Flacco.* 28.

(29) *Pro Flacco.* 7. *Pro Sextio.* 51.

(30) *Pro Flacco.* 24.

(31) *Pro Flacco* 7.

(32) *Pro Flacco.* 8. 17. 18. 22. 23.

(33) *Pro Plancio.* 4. *De finib.* III. 27. Démétrius (le philosophe), disoit plaisamment de la voix du peuple, qu'il ne faisoit non plus de recette de celle qui lui sortoit par en haut, que de celle qui lui sortoit par en bas. *Montaigne* II. 16. *Seneca. epist.* 91.

(34) *Pro Plancio.* 4. *Tuscul.* V. 36.

(35) *Archytas apud Stoboeum, sermon.* 41. C'est du traité de la justice d'Archytas, que

Cicéron avoit tiré, ce qu'il dit sur le mélange des trois gouvernemens, dans le fragment indiqué ci-dessous, *note* 37, comme on peut s'en convaincre en le rapprochant de l'extrait de l'ouvrage d'Archytas, que Stobée nous a conservé. C'est là aussi que nous avons puisé les passages nécessaires, pour lier ce fragment au reste de l'ouvrage. Cette doctrine étoit celle de l'école de Pythagore. Elle fut encore enseignée par Platon, Aristote, etc. *Voyage d'Anacharsis. tom.* 6. *Ch.* 62. Tacite en louant la beauté de cette idée, ne croit pas qu'elle puisse être mise en pratique. *Ann.* IV. 33.

(36) *Archytas. ibid. De divinat.* I. 43. *De Senect.* 6. *Aristot. Polit.* II. 4.

(37) *Fragm. reipub. Lib.* II. *Non. modicum.*

(38) *De legib.* I. 6. II. 10. *Tuscul.* IV. 1.

(39) *De legib.* III. 3. Le nom de préteur, qui désignoit spécialement à Rome le magistrat chargé de rendre la justice, se donnoit au commencement, à tous les magistrats en général, comme nous l'avons déjà dit. Voyez *Liv.* III. 55. *Festus. vo Magisterare.* Voici qu'elles étoient les prérogatives du consulat.

« Tant que les consuls restent dans Rome,

» dit Polybe, *Lib.* VI, ils sont maîtres des
» affaires publiques. Tous les autres magistrats
» sont à leurs ordres et dépendent d'eux, à
» l'exception des tribuns. C'est par eux, que
» les ambassadeurs sont admis à l'audience
» du sénat. Ils font le rapport de ce qui doit
» être mis en délibération. Les sénatus-con-
» sultes sont leur ouvrage. C'est sur eux que
» roulent les opérations du gouvernement,
» qui sont du ressort du peuple. Ils convo-
» quent les assemblées : ils proposent la ma-
» tière, dont il s'agit ; ils impriment au sen-
» timent du plus grand nombre le caractère
» de loi. Leur autorité dans le militaire est
» presque souveraine. Ils ordonnent ce qu'ils
» leur plaît aux alliés, enrôlent les troupes,
» nomment les tribuns des soldats. En cam-
» pagne, ils punissent qui bon leur semble,
» et tirent du trésor public, telles sommes
» qu'ils jugent à propos... A considérer sous
» ce point de vue le gouvernement romain,
» on croiroit, ajoute Polybe, qu'il est pure-
» ment monarchique et que les consuls sont
» des rois. Voyez *Mémoir. de Littér. tom.* 24.
» pag. 320 ».

(40) *De legib.* III. 1. 7.

(41) *De orator* I. 52.

(42) *Pro Rabirio.* 1. *Pro Cluent.* 55. 56. *Act.* II. *in Verr.* III. 41. *Pro Sextio.* 65. *Pro Muraena.* 8. Romulus, comme nous l'avons dit dans les notes sur le premier livre, avoit formé un sénat pour lui servir de conseil. Il en avoit choisi les membres, parmi les personnes les plus recommandables dans chaque tribu par leur âge, leur naissance et leur sagesse. Ce fut là la source du Patriciat. Les sénateurs furent d'abord au nombre de cent. Romulus le porta lui-même à deux cents, après la réunion des Sabins et des Romains. Tarquin l'ancien l'augmenta jusques à trois cents, en faisant entrer parmi les Patriciens, les familles plébeïennes les plus distinguées. *Dion. Halycarn. Lib.* II. Les choses restèrent en cet état jusques au tems de Sylla, qui augmenta le nombre des sénateurs, sans qu'on sache précisément de quelle quantité. Il paroît par Cicéron, que de son tems le nombre des sénateurs étoit au-delà de quatre cents. *Ad Attic.* I. 14. Sous Jules-César et sous les Triumvirs, qui tous cherchoient à se faire des partisans, le nombre des sénateurs s'accrut jusques à mille. Auguste les réduisit à six cents.

Ce devoit être le nombre ancien. *Sueton. August.* 35.

Parmi les prérogatives dont le sénat jouissoit sous les rois, on comptoit celle d'approuver ou de rejetter les délibérations du peuple: cette prérogative se maintint encore quelque tems, sous les consuls, mais l'an 467, le tribun Mænius fit rendre une loi, pour en dépouiller le sénat, et pour l'obliger de confirmer d'avance, ce qui se feroit dans les assemblées du peuple. *Brutus.* 14. *Pro Plancio.* 3.

Il paroît cependant par un fragment de l'oraison de Cicéron, *pro Cornelio*, que le sénat abrogeoit quelquefois les loix décrétées par le peuple, en déclarant qu'elles n'avoient point été faites suivant les règles. Voyez encore *Ad Attic.* IV. 16.

L'autorité du sénat, suivant Polybe *Lib.* VI, consistoit « à ordonner les dépenses, le trésor » public étant à sa disposition. Il connoissoit » des grands crimes commis en Italie et qui pouvoient intéresser la tranquillité publique. Il » statuoit sur les secours à donner aux peuples, » ou aux villes alliées, ou sur les peines, qu'ils » pouvoient avoir encourues. Il envoyoit et » recevoit les ambassadeurs. Il délibéroit sur

» les traités à faire, ou sur les guerres à dé-
» clarer. Mais dans ces derniers objets, il fal-
» loit au moins la ratification du peuple ».

On ne sait pas d'une manière précise, qui avoit le droit de créer ou de choisir les sénateurs. Dans l'endroit cité *pro Sextio.* 65, Cicéron semble dire qu'ils étoient choisis par la peuple. Des critiques croient qu'il y a erreur dans ce passage, attendu que le peuple romain n'avoit jamais exercé un pareil droit. Péut-être Cicéron a-t-il voulu dire, que le peuple nommant à des places, qui ouvroient l'entrée du sénat, faisoit par ce moyen indirectement des sénateurs. Voyez *De legib.* III. 12. Dans l'autre passage cité *Pro Muraena.* 8, Cicéron dit vaguement, que chez les anciens Romains, l'entrée du sénat étoit ouverte autant à la vertu, qu'à la noblesse.

C'étoient vraisemblablement les consuls, qui dans le principe du gouvernement républicain, nommoient les sénateurs, comme avoient fait les rois avant eux. Les censeurs eurent ensuite ce droit. *Mémoir. de Littér. tom.* 28. *pag.* 15. On les choisissoit d'abord dans l'ordre des Patriciens, à qui toutes les grandes magistratures étoient réservées. Mais insensiblement, on y admis les Plébéïens.

(43) *Fragm. epist. ad Hirtium. Non. vetus tiscere, veterascere.* Ceci étoit tiré d'Aristote.

(44) *Pro Sextio.* 9. *Pro Plancio.* 20. *in Verr. Act.* II. V. 70. 71. *De leg. agrar.* II. 2. Les Patriciens jouissoient sous les rois et sous les premiers consuls, des plus grandes prérogatives. Eux seuls pouvoient aspirer aux dignités et aux charges publiques. Il y avoit entr'eux et les Plébéïens une telle ligne de démarcation, qu'ils ne pouvoient s'allier par le mariage. Les Patriciens furent donc les premiers nobles de Rome. On les appelloit même quelquefois de ce nom. Mais quand tous les citoyens furent admis indistinctement aux emplois publics, cette distinction entre les Patriciens et les Plébéïens, ne fut plus qu'une distinction d'opinion. Alors se forma, ce qu'on appelloit à Rome la noblesse, qui étoit composée des descendans de ceux, qui avoient occupé les grandes charges de la république, soit qu'ils fussent Patriciens, soit qu'ils fussent Plébéïens. Ils conservoient très-précieusement dans leurs maisons les images de ces ancêtres, qui les avoient illustrés; c'étoit ce qu'on appelloit *jus imaginum.* Les hommes *nouveaux*, c'est-à-

dire, qui les premiers de leur race parvenoient aux honneurs, n'avoient pas ce droit.

Ce préjugé de la noblesse étoit étrangement enraciné à Rome. Il inspiroit une hauteur et un orgueil bien extraordinaires, dans une république. Cicéron s'en plaint souvent. La noblesse se croyoit tout permis et regardoit les emplois publics, comme son patrimoine exclusif; les hommes *nouveaux*, qui prétendoient s'y élever tout de suite, éprouvoient des dégoûts et des rebuts infinis, et excitoient parmi les nobles un ressentiment, qui devenoit pour eux une source de tracasseries, pendant toute leur vie. *Act.* II. *in Verr.* IV. 37. V. 70. *De leg. agrar.* II. 1. 2. *Pro Plancio.* 7. *Pro Muraena.* 7. 8. *Ad famil.* III. 7. *Pro Quintio.* 7. *Philipp.* I. 12.

Ce préjugé de la naissance existoit egalement à Athènes. Thésée avoit donné aux *Eupatrides*, qui étoient les Patriciens d'Athènes, tous les emplois publics, comme Romulus avoit fait à ceux de Rome. *Plutarch. in Thes. Dion. Halycarn. Lib.* 2.

Solon confirma en partie cette loi en laissant aux nobles et aux riches les grandes magistratures, comme étant les plus intéressés

au

au maintien du bon ordre. Il accorda seulement au peuple quelques droits, qui contre-balançoient les prérogatives laissées aux principaux.

(45) *De divin. in Verr.* 21. *Dionys. Halycarn.* II. Ce n'étoit seulement pas entre les patrons et les cliens, qu'il existoit un commerce réciproque de bienfaits, il y en avoit également un, entre les membres d'une même tribu. *Pro Plancio.* 18.

(46) *De legib.* III. 7. 9. 10. *seq.*

(47) *Ibid.*

(48) *Ibid. et* 18.

(49) *Ibid.* 10. *et seq.*

Le consul Quintius après avoir remarqué, dans Tite-Live, *Lib.* III. 67. 68, que la discorde des différens ordres fut le fléau de la ville, et qu'elle vint principalement de ce que les Patriciens ne vouloient mettre aucun terme à leur domination, et le peuple à sa liberté, donne ensuite le caractère général de tous les Tribuns; « ces hommes, dit-il, qui ne » parlent jamais à la multitude, que de ses » droits, lui sont plus agréables, que ceux, » qui ne l'entretiennent, que du bien public. » Ses flatteurs ne la tiennent en mouvement,

» que parce qu'ils comptent se procurer par
» son moyen du profit ou des honneurs,
» tandis que l'ordre et la paix ne leur pro-
» duisent rien. Ils préfèrent de susciter du
» trouble et du désordre, plutôt que de ne
» jouer aucun rôle ».

Il est bien difficile, dit encore Tite-Live, de se tenir dans les termes de l'égalité ; et quand une fois on y est parvenu, on se prévaut de sa supériorité, pour ruiner entièrement ceux, contre lesquels on ne cherchoit d'abord qu'à se défendre. *Ibid.*

Nous parlerons dans une note du cinquième livre, de l'abus que les Tribuns firent de leur autorité, et des loix par lesquelles Sylla entréprit de les réprimer.

(50) *De leg. agrar.* II. 7. 11. *De legib.* III. 12. *Pro Milon.* 3. *De orat.* II. 48.

(51) *De leg.* III. 4. 19. *De orat.* II. 48. *Pro domo.* 13. 17. *Pro Sextio.* 30. *Pro Rabirio* 4.

(52) *Pro Flacco.* 7.

(53) *Brutus.* 14. *fragm. orat. pro Cornelio.* Voyez ci-dessus la *note* 42.

(54) *De leg.* III. 12. *Pro domo.* 14. *De divin.* II. 18. 35. *De natur deor.* II. 4. L'usage des auspices étoit encore un des grands

moyens laissé entre les mains des principaux, pour diriger les délibérations populaires et en prévenir les excès. Il étoit établi à Athènes et à Lacédémone. *De divin.* I. 43. Polybe loue les Romains de l'avoir maintenu, et blame les Grecs de l'avoir négligé. *Lib.* 6. Cicéron reproche à Clodius d'avoir renversé le plus fort appui de la tranquillité et de l'ordre public, en faisant révoquer les loix *AElia* et *Fusia*, qui défendoient de tenir aucune assemblée populaire, lorsque les Augures étoient occupés à observer le ciel, ou qu'ils annonçoient que les auspices n'étoient pas favorables. *In Pison.* 4. et *alibi.*

(55) *De orat.* I 9.

(56) *De leg.* III. 15. *seq. Pro Planc.* 6. *Pro Sextio.* 48. Il paroît ici que Scipion, dans les livres de la république, prenoit la défense de la loi de Cassius, en faveur du scrutin.

(57) *De legib.* III. 5.

(58) *Ad Attic.* I. 18.

(59) *De legib.* III. 12.

(60) *Fragment. reipub. Lib.* III. *apud Augutin. de civit.* II. 21.

(61) *De finib.* V. 23. *De offic* III. 6.

(62) *Frag. reip. Lib.* II. *Non. project. et exp.*

(63) *De offic.* II. 11.

(64) *Fragment. reipub. Lib.* II. *Non. exsultare. De offic.* III. 11. C'est d'après Sigonius que nous avons appliqué à l'injustice le fragment, dont il s'agit ici. *Quel fléau que l'injustice, qui a les armes à la main*, dit Aristote, *Politiq.* I. 2.

(65) *De offic.* II. 5. *Senec. Epist.* 103.

(66) *Fragment. reipub. Lib.* II. *Non. calumnia, et apud Augustin. de civit.* II. 21.

LIVRE III.

NOTES.

(1) *De offic.* I. 43. II. 2. *Tusculan.* I. 26.

(2) *Fragment. incert. oper. apud Lactantium.* III. 16.

(3) *Fragment. ex lib. incert. apud Aug. de civit.* XXII. 22. *Fragm. ex libr. incert. Academ. Marcian. Lib.* V. *Fortun. Lib.* III. et *Fragm. Lib. philos. Non. praecipere. Tusculan.* II. 4.

(4) *Fragm. lib. philos. ex Lactant.* III. 16.

(5) *De divinat.* II. 58.

(6) *Fragment. Libr. philosop. Non. facessere. De legib.* I. 13.

(7) *De finib.* I. 4. *De legib. I.* 13. *De orat.* I. 13.

(8) *De legib.* I. 13.

(9) *De orat.* II. 38. III. 21. *De finib.* III. 12. *De legib.* I. 13.

(10) *De amicit.* 7.

(11) *Fragment. reipub. Lib.* III. *apud. Lactant.* V. 17. *et epitom.* I.

(12) *Fragment. reipub. Lib.* 3. *Non. famulantur.*

(13) *Fragment reipub. Lib.* III. *apud Lactant.* V. 17. *et epitom. cap.* I.

(14) *Ibid.*

(15) *Fragment. reipub. Lib.* III. *apud Augustin. de civitat.* XIX. 21.

(16) *Fragment. reipub. Lib.* III. *Non. infestum , Mare , Myoparo* ; et *Augustin. de civitat.* IV. 4. Aucun commentateur , que je sache , n'avoit apperçu l'endroit indiqué de Saint-Augustin , qui éclaircit si bien le fragment , dont il s'agit ici. Suivant toutes les apparences il faisoit partie des argumens de Carnéades contre la justice, quoique St.-Augustin n'en dise rien. La réponse du pyrate à Alexandre se trouvoit dans ce livre , comme on le voit par le fragment très-mutilé , conservé par Nonius. St.-Augustin la rapporte avec plus d'étendue. On trouve dans Tacite , *Annal.* II. 40, une réponse à-peu-près pareille faite à l'empereur Tibère, par un esclave, qui avoit tenté de se faire passer pour Agrippa

posthume. *Comment*, dit l'empereur, *t'es tu fait Agrippa? comme toi empereur.*

(17) *Lactant.* V. 12.

(18) *Fragment reipub. Lib.* III. *apud Lactant.* V. 12

(19) *De legib.* I. 5.

(20) *Fragment. reipub. Lib.* III. *apud Augustin. Lib.* IV. *contra Pelagium.*

(21) *De legib.* I. 8. 9.

(22) *De finib.* II. 14. *De offic.* I. 4. *seq.*

(23) *De legib.* I. 9. On voit par ce passage qu'il avoit traité dans les livres de la république de la même matière, dont il est question ici.

(24. *De finib.* III. 19.

(25) *De Amicit.* 23. Ce Timon étoit un citoyen d'Athènes, lequel avoit vécu environ la guerre du Péloponèse, comme on peut juger par les comédies de Platon et d'Aristophanes, esquelles il est mocqué et touché comme malveillant et ennemi du genre humain, refusant et abhorissant toute compagnie et communication des autres hommes, fors que Alcibiade jeune, audacieux et insolent auquel il faisoit bonne chère, et l'embrassoit et baisoit volontiers, de quoi s'ébahissant Apémontas, et lui en demandant la cause, pourquoi il

chérissoit ce jeune homme là seul, et abominoit tous les autres; je l'aime, répondit-il, pour autant que je sais bien et suis sûr, qu'il sera cause de grands maux aux Athéniens. *Plutarq. Vie d'Antoin. traduct. d'Amiot.* Voy. encore sur ce Timon. *Mém. de Litt. tom.* 14. *pag.* 74. et le *Voyage d'Anacharsis. Ch.* 72. *pag.* 71.

(26) *De Amic.* 23.

(27) *De finib.* V. 8.

(28) *De natur. deor.* III. 15. *De legib.* I. 10.

(29) *De offic.* I. 7. 10.

(30) *De finib.* II. 14. V. 23. *De offic.* I. 4. 17.

(31) *De legib.* I. 12.

(32) *Fragment. de legib.* I. *apud Lactant.* V. 8.

(33) *De legib.* I. 12.

(34) *Fragment. reipub. Lib.* III. *apud Lactant.* VI. 8. Cicéron paroît avoir imité cette définition de la loi naturelle du premier livre de la rhétorique d'Aristote, ou de l'Antigone de Sophocle, *vers.* 456. et *seq.*

(35) *De legib.* II. 4.

(36) *De invent* II. 22. 53.

(37) *De leg.* II. 5. *et seq.*

(38) *De legib. ibid.*

(39) *De legib.* I. 15. 16. 17.

(40) *De legib.* I. 14. *seq.*

(41) *De finib.* II. 18. Ces mêmes argumens se trouvoient dans le traité de la république, comme Cicéron le dit ici.

(42) *De legib.* I. 17. Lactance. *Lib.* V. *cap.* 17, prétend que Cicéron est resté court, lorsqu'il a fallu réfuter les argumens de Carnéades contre la justice. On ne pouvoit cependant rien dire de mieux, et ceux qui ont traité le même sujet après lui, n'en ont pas dit davantage. Lactance ajoute que la justice que Cicéron a défendue, n'est point la justice naturelle, mais une justice purement civile, que Carnéades avoit raison de traiter de folie. Mais pour établir cette justice Cicéron a supposé l'homme dans l'état civil ou de société, pour lequel la nature l'a fait. Cet état ne sauroit subsister sans la justice. Elle vient donc de la nature.

(43) *De finib.* V. 22.

(44) *De legib.* I. 18.

(45) *De offic.* I. 7. 10.

(46) *De offic.* III. 5. 6.

(47) *Fragment. reipub. Lib.* III. *Non. proferre. De offic.* I. 8. II. 24. III. 15.

(48) *De offic.* III. 10.

(49) *De offic.* III. 5. 6.

(50) *De offic.* III. 7.

(51) *De offic.* III. 7. 8.

(52) *De legib.* I. 12. *De offic.* III. 3.

(53) *De offic.* III. 8. 9. Cicéron avoit pris l'histoire de Gygès, qu'on trouve fort au long à l'endroit indiqué ici, dans le second livre de la république de Platon.

(54) *De offic.* III. 12.

(55) *Ibid.* 13. 23.

(56) *Ibid.*

(57) *De offic.* III. 16.

(58) *Ibid.* 17.

(59) *Ibid.*

(60) *Ibid.* 23.

(61) *De off.* I. 10. III. 4. 25.

(62) *Pro Milone.* 3. 29. *de offic.* III. 4. 6.

(63) *Fragm. reipub. Lib.* III. *apud Augustin. Lib.* IV. *contra Pelag. et de civitat.* XIX. 21.

(64) *Fragment. ibid.* Ceci paroît être tiré d'Aristote, *politiq.* I. 3.

(65) *De off.* I. 11. III. 29.

(66) *De offic.* I. 11. *Fragm. reip. Lib.* III. *apud Augustin. de civitat.* XXII. 6.

(67) *Fragment. ibid. Non. de numer. et casib. ub. genitiv. pro ablativ. Pro leg. Manil.* 6.

(68) *Fragm. reip. Lib.* III. *apud August. de civit.* XXII. 6.

(69) *In Pison.* 18. 19.

(70 *Ibid.*

(71) *Fragment. epist. ex libro. incert. ad Nepot. apud Marcellin. Lib.* 21.

(72) *De finib.* II. 20. *Paradox.* II.

(73) *Fragm. reipub. Lib.* III. *apud Lactant.* V. 19. *Fragm. Lib. philosop. Non. despicere.*

(74) *Pro Sextio.* 67. 68.

(75) *Ibid. et fragm. reipub. Lib.* III. *apud Augustin. de civit.* XXII. 4.

(76) *Pro Sextio.* 68.

(77) *Frag. reip. Lib.* III. *Senec. epist.* 108.

(78) *De natur. deor.* II. 24. III. 19.

(79) *Paradox.* I. 3.

(80) *Fragment. reipub. Lib.* III. *apud Augustin. De civit.* XXII. 6.

(81) *Orat.* 33. *de offic.* I. 3. *De finib.* II. 2. *Vide Augustin. de civitat.* II. 21.

(82) *Fragment. reipub. Lib.* III. *apud Augustin. de civit.* II. 21. Voyez Plutarque, *des trois sortes de gouvernement*, *cap.* 19.

(83) *Fragment. reipub. Lib.* III. *apud. Augustin. de civitat.* XXII. 21.

LIVRE IV.

NOTES.

(1) *Tuscul.* I. 24. 25. *Fragment. reipubl. Lib.* IV. *Non. ubi accusativ. pro genitiv.* Indépendamment des indications résultantes des fragmens, Lactance *de opific. dei. cap.* 1, dit qu'il étoit question dans ce livre, de la nature de l'ame.

(2) *Tuscul. ibid.*

(3) *Ibid.* 27. *et Fragment. consolat.*

(4) *Fragment. reipub. Lib.* IV. *Non. mitis, aptam.*

(5) *Tusculan.* I. 28. 29. *De natur. deor.* II. 7.

(6) *De finib.* V. 21.

(7) *Tusculan.* III. 1. *De legib.* I. 17.

(8) *Fragment. ex libr. philos. Non. differre.*

(9) *De leg. agrar.* II. 35.

(10) *De fato.* 4. *de natur. deor.* II. 16. *De divinat.* I. 36. *Voyage d'Anachars. Ch.* 64.

(11) *De leg. agrar.* II. 35.

(12) *Pro Flacco.* 4. 27. *De orat.* I. 11. *Ad Quint. frat. epist.* I. 1. 5.

(13) *Pro Fonteio.* 10. *De provinc. consular.* 13. 14.

(14) *Tuscul.* III. 1. *De legib.* I. 17.

(15) *De legib. ibid.*

(16) *Tuscul.* III. 2.

(17) *Tusc.* II. 11. *De nat. deor.* I. 16. III. 38.

(18) *Fragment. reipub. Lib.* IV. *apud Augustin. de civit.* II. 14. *Tuscul.* III. 2.

(19) *De legib.* III. 13. *De divinat.* II. 2.

(20) *De finib.* V. 16. 17. 18. 19. 20.

(21) *De legib.* I. 6.

(22) *Fragment. ex lib.. philos. Non. capere.*

(23) *De off.* I. 34. II. 13. *Pro Coelio.* 17.

(24) *Tuscul.* II. 14. 15. V. 27.

(25) *Tuscul.* II. 16. 17.

(26) *Tuscul.* V. 34. *De finib.* II. 28.

(27) *De orat.* III. 15.

(28) *Pro Archia poeta.* 7.

(29) *De offic.* I. 26. *Fragment. ex lib. phil. Non. aequuleus.*

(30) *Tuscul.* II. 5.

(31) *Fragment. ex lib. philosop. Non. subigere. segetes. De orator.* II. 30.

(32) *Fragm. ex lib. philos. Non. imbuere.*

(33) *Brutus.* 56. *De orator.* III. 9. *De offic.* I. 30. *Fragm. reipub. Lib.* V. *Non. lentus.* Ephore et Théopompe, dont il est parlé dans le passage cité *De orator.* III. 9, étoient deux historiens grecs sortis de l'école d'Isocrate. Voyez encore *De orat.* II. 13. Dans un fragment du Traité de la Philosophie, Cicéron s'exprime ainsi ; « qu'y-a-t-il de plus doux » qu'Hérodote, de plus grave que Thucidide, » de plus précis que Philiste, de plus judi- » cieux que Théopompe, de plus agréable qu'Ephore » ? *Non. grave, acre, mitis.* C'étoient tous des historiens grecs. J'ai substitué, d'après les plus habiles critiques, le nom d'*Ephore* à celui de *Théophraste*, qu'on trouve dans plusieurs éditions. Voyez encore sur Hérodote et Thucydide, *Orator.* 12. 13. Cicéron assure qu'Hérodote et Théopompe étoient remplis de fables. *De legib.* I. 1. Sénèque dit la même chose d'Ephore. *Quaest. natur.* VII. 16.

(34) *De offic.* I. 2.

(35) *De Senect.* 13.

(36) *De finib.* II. 21.

(37) *Fragment. reipub. Lib.* IV. *Non. impurus et immane.*

(38) *Fragment reipub. Lib.* IV. *Non. fingere. Tuscul.* II. 11.

(39) *Tuscul.* IV. 32.

(40) *Fragment. reipub. Lib.* IV. *apud Augustin. de civit.* IX. 9.

(41) *Fragment. ibid. Augustin. ibid.*

Les personnages, dont il est parlé dans le texte, étoient tous des démagogues d'Athènes. Cléon avoit quelque éloquence, suivant Cicéron, *Brutus.* 7. Mais c'étoit un factieux. Plutarque *in Niciam*, le représente comme un homme sans naissance, sans véritable talent, et avec cela vain, audacieux, emporté, et par là même agréable à la multitude. La confiance qu'elle mit en lui, causa bien des maux à Athènes. Aristophane l'a joué dans ses comédies. Cléophon étoit un personnage du même genre.

Cicéron appelle Hyperbole un méchant homme. *Brutus.* 62. Il étoit fabricant de lanternes. Mercure interrogé dans l'acte III de la comédie d'Aristophane, intitulée *de la paix*, sur l'avantage que le peuple peut se promettre d'Hyperbole, d'Hyperbole, répond : « c'est que, comme il » est faiseur de lanternes, il aidoit les Athé- » niens, qui ne voyoient goutte dans leurs » affaires, à y voir un peu plus clair ». Périclès est beaucoup plus connu que les autres par son éloquence, et pour avoir gouverné Athènes, pendant quarante ans. Les auteurs comiques, qui le maltraitoient le plus, rendoient justice à ses grands talens. *De orat.* III. 34. La licence que la comédie se donnoit à l'égard de ces personnages, presque tous tirés de la lie du peuple, et élevés aux places, par jalousie envers les citoyens distingués, étoit un contre-poids nécessaire à l'exercice de leur autorité, qu'ils ne mesuroient pas toujours suivant la loi, mais qu'ils portoient aussi loin, que leur permettoit la populace, instrument de leur ambition. Voyez Xénophon, *De reipubl. Athenar.* 5.

Cette liberté de la comédie grecque étoit autorisée par les loix, ainsi qu'en convient Cicéron dans les fragmens cités ici, et *De orator.* III. 34. Pourquoi donc la censurer si amèrement? son opinion a peut-être été mal rendue par Saint-Augustin, qui avoue avoir tronqué les passages qu'il rapporte.

Quand les trente tyrans eurent été établis à Athènes, ils privèrent bien vite la comédie de la liberté, dont elle avoit joui jusques alors. Elle ne la recouvra pas même, après leur chûte. Ce ne fut pas seulement une révolution dans l'histoire du théâtre, mais encore dans le gouvernement. La liberté ne fut plus que chancelante à Athènes, depuis cette époque. Elle ne tarda pas même d'y être entièrement étouffée.

(42) *Tuscul.* IV. 2. *Frag. reipub. Lib.* IV. *apud. Augustin. de civit.* II. 9. C'étoit la peine des verges, qui étoit établie contre les auteurs des vers diffamatoires. *Horat. epist.* II. 1. Elle n'alloit pas toujours jusques à la mort. Quoiqu'il en soit, la peine de mort prononcée ici par les loix des XII Tables, dût être abrogée par la loi *Porcia*, qui l'interdisoit envers les citoyens Romains.

Sylla mit la diffamation au nombre des crimes de lèse-majesté, si nous en croyons un passage de Cicéron sur lequel les interprêtes sont divisés. *Ad familiar.* III. 11. Auguste en fit autant d'après son exemple. *Tacit. Annal.* I. 72.

(43) *Fragm. reipubl. Lib.* IV. *apud. Au-*

gustin. de Civit. II. 9. 13. 14. *Macrob. Saturn.* III. 14. Les comédiens furent plusieurs fois chassés de Rome et de l'Italie, sous les empereurs. *Tacit. Annal.* IV. 14. XIII. 26. XIV. 14. 15. *Histor.* II. 62.

Ils ne pouvoient paroître sur le théâtre, que vêtus d'une manière décente, et qui ne pût choquer la pudeur en aucune façon ; telle étoit la rigidité de l'ancienne discipline à leur égard. *De offic.* I. 35.

(44) *Fragment. reipub. Lib.* IV. *apud servium. Tuscul.* IV. 32. 33.

(45) *Tusculan. ibid.*

(46) *Fragm. ex lib. incert. de legib. apud Lact.* I. 2. *Frag. reip. Lib.* IV. *Non. clepere.*

(47) *Tuscul.* I. *princip.*

(48) *Pro Muraen.* 12.

(49) *Fragm. reipub. Lib.* IV. *Non. temulenta. Ad Herenn.* IV. 16. *Gell.* X. 23. *Plin.* XIV. 13. *Senec. epist.* 96. La défense faite aux femmes de boire du vin précède même l'époque, que l'on assigne ordinairement à la fondation de Rome. Voyez l'histoire rapportée par Lactance, I. 22, qui prouve que dès-lors encore, le mari étoit le juge de ce délit, qu'on mettoit sur la même ligne que l'adul-

tère, *Dionys Halycarn. Antiq.* II. 4. Du tems d'Arnobe, qui vivoit sous Dioclétien, l'interdiction du vin subsistoit encore pour les femmes, *Advers. gent. Lib.* II. *pag.* 947. Et Bouchaud dans son commentaire sur les loix des XII Tables, *pag.* 847, rapporte des preuves qu'elle n'étoit point entièrement abrogée dans le moyen âge.

(50) *Fragm. reipub. Lib.* IV. *Non. fama.* Plutarque, *Quaest. roman. Cap.* 6, assigne d'autres motifs à l'usage, où étoient les femmes de baiser leurs parens, en les saluant.

(51) *Act.* II. *in Verr.* I. 26. V. 11. Boire à la grecque avoit passé en proverbe. *Ibid. et Tusc.* V. 41. Nous parlerons ailleurs des excès de table, des Grecs de Sicile et d'Italie.

(52). *Act.* II. *in Verr.* III. 21.

(53) *Frag. reipub. Lib.* IV. *Non. ubi dativ. pro accusativ. et ignominia.* Les inspecteurs des femmes à Athènes, les reprenoient lorsqu'elles se conduisoient mal, et faisoient afficher leur jugement dans le Céramique. *Sigon. de repub. Athen.* IV. 3.

(54) *De leg.* II. 5. *et* I. 21. *Frag. reipub. Lib.* IV. *Non. jurgium à Lite. Gravina de ortu et progressu. Jur. Civil. pag.* 148. La loi

des XII Tables rappellée dans le texte et à laquelle le fragment cité ici, se rapporte évidemment, paroît ne concerner, que les *voisins*, c'est-à-dire, ceux qui avoient des propriétés limitrophes. Cependant le mot *adfines*, dont elle se sert, signifie aussi des alliés, *Fest. h. verb.* Nous avons donc cru pouvoir donner à cette loi un sens plus étendu. Si nous avions en entier cet endroit de la république, nous verrions sans doute, que Cicéron, qui y traitoit des moyens, dont les loix prévenoient les procès entre les citoyens, ne s'étoit pas uniquement borné, à ce qui concernoit ceux qui s'élevoient entre les propriétaires voisins. Les loix romaines donnoient des arbitres aux plaideurs en divers cas, qu'on peut voir dans les livres de Jurisprudence.

(55) *De orat.* I. 45.

(56) *De offic.* I. 7. 18. 19.

(57) *De offic.* II. 9. III. 17.

(58) *De offic.* II. 10. 11.

(59) *Fragment. reip. Lib.* IV. *Non. fides. De offic.* III. 25.

(60) *De offic.* I. 20. 21.

(61) *Ibid.* I. 31. *De orat.* III. 33.

(62) *De leg.* III. 18.

(63) *De offic.* III. 25.

(64) *Epistol. ad Quint. fratr.* I. 1. *Fragm. reip. Lib.* V. *Ad Attic.* VIII. 11.

(65) *Pro Mil.* 35. *pro Archia poeta.* 11. 12.

(66) *De offic.* II. 12. *Tuscul.* III. 2.

(67) *Epistol. ad Quint. fratr.* I. 1. 7.

(68) *Ibid. et De offic.* I. 25.

(69) *Epistol. ad Brut.* 15.

(70) *De offic.* I. 34.

(71) *Pro Cluentio.* 58.

(72) *De offic.* II. 7.

(73) *De offic.* I. 34. *Fragm. orat. pro Cornelio apud Asconium. De Haruspic. resp.* 12. Dans le discours sur les réponses des Haruspices, Cicéron dit que ce fut Scipion, qui accorda au sénat cette place distinguée dans les spectacles, tandis que dans le fragment du plaidoyer pour Cornelius, il dit seulement, qu'il laissa faire. Sous le consulat même de Cicéron, le tribun L. Roscius Othon fit accorder un privilège pareil aux Chevaliers romains, ce qui irrita beaucoup la multitude. *Philipp.* II. 18. *Pro Muraen.* 19. *Plin.* VII. 30. *Tacit. Annal.* XV. 32.

(74) *De offic.* I. 26. 34.

(75) *Frag. reip. Lib.* IV. *Non. blandiment.*

(76) *De legib.* III. 2.

(77) *De offic.* II. 15.

(78) *Ibid.* 16. Au lieu d'Aristote, des critiques lisent Ariston en cet endroit. Celui-ci étoit un philosophe stoicien. Ce que Cicéron attribue ici à Aristote, ne se trouve dans aucun de ses ouvrages.

(79) *Ibid.* 16. 17.

(80) *De offic.* II. 21. *Epistol. ad Brutum. ultim.*

(81) *Epistol. ad Quint. fratr.* I. 1.

Les tributs chez les Romains venoient de trois sources principales, suivant Cicéron, *pro lege Manil.* 6. Savoir *ex portu*, *ex decumis*, et *ex scripturâ*. Les droits appellés *Portoria* étoient des douanes établies à l'entrée de tous les ports. Les *Decumae* étoient le dixième du produit, que paioient les fermiers des domaines publics soit dans l'Italie, soit au-dehors. On peut voir de plus grands détails sur ce genre d'impots, *Act.* II. *in Verr.* III. 6. Les provinces y étoient soumises; mais les unes payoient une somme déterminée d'argent; d'autres une portion de leurs fruits. Il y avoit encore des droits sur le sel et sur les esclaves que l'on affranchissoit. Cicéron, *pro leg. Manil.* 6, remarque aussi que les provinces payoient à peine, ce qui étoit nécessaire à leur défense; qu'il n'y avoit que l'Asie mineure, qui, à cause de sa fertilité, produisit quelque chose au-delà. Voyez *Sigon. de Antiq. Jur. Civ. Roman.* I. 16.

(82) *De offic.* I. 7. *De finib.* III. 20.

(83) *De offic.* I. 16.

(84) *Fragm. reip. Lib.* IV. *Non. proprium.*

(85) *De offic.* I. 21.

(86) Polybe dans le IV liv. de son histoire, a très-bien décrit les causes des révolutions et de la décadence de Lacédémone. Elle étoit accoutumée à obéir à des chefs et à des rois. Cléomène renversa entièrement l'ancien gouvernement. Antigône affranchit Lacédémone de toute soumission, et lui donna ce qu'il appella la liberté. Tous ses habitans se crurent alors égaux et prétendirent avoir les mêmes droits. Ce sont les expressions de Polybe. Il n'y eut plus parmi eux que dissentions, partages de terres, proscriptions, exils et assassinats. Pour les faire cesser, ces hommes qui auparavant ne pouvoient pas seulement entendre prononcer le mot de servitude, furent obligés de se soumettre à Nabis, dont Polybe a éga-

lement décrit la tyrannie insupportable. Ce monstre en opprimant le dedans de ses états, faisoit trembler au-dehors toute la Grèce. Il ne fallut rien moins que la puissance romaine pour l'abattre. *Polyb.* IV. 6. 9. 18. XIII. 4. *De virtutib. et vit. Cap.* 24. suivant l'auteur du Voyage d'Anacharsis, *Chap.* 51, les loix de Lycurgue ne subsistèrent que quatre cents ans, sans altération.

(87) *De offic.* II. 22. *et seq.*

(88) *Fragm. reip. Lib.* IV. *Non. de Doctor. indagin. et Priscillian. Lib.* XV.

LIVRE V.

NOTES.

(1) *Fragm. reipub. Lib.* V. *apud August. de civit.* II. 21.

(2) *Pro Roscio Amerino.* 18.

(3) *Ibid.* Comme tous les sénateurs demeuroient dans leurs champs, on appelloit *Viatores*, ceux qui étoient chargés d'aller les convoquer. *De Senectut.* 16.

(4) *De senect.* 16. *De finib.* II. 4. *Pro Rosc. Amerin.* 18.

(5) *De Senect. ibid. fragm. reip. Lib.* III. *Non. apud.* Voyez Plutarque, *Vie de Caton le censeur*, et Pline, *histor. natur.* XVIII. 8.

(6) *Pro Roscio Amerin.* 14. 27. *Act.* II. *in Verr.* II. 61. III. 11.

(7) *De offic.* I. 42. *De senect.* 16.

(8) *De leg.* II. 10. *Act.* II. *in Verr.* III. 90.

(9) *De natur. deor.* II. 41. *Fragment. ex Arato apud Lactant.*

(10) Autres vers d'Aratus dans Stobée, *Serm.* 56, qui semblent faire la suite de celui cité dans la note précédente et que j'ai placés ici, pour cette raison.

(11) *Fragm. reip. Lib.* II. *Non. pecuniosus.* Voyez Pline, XVIII. 3. On ne pouvoit imposer à personne une amende plus forte de trente bœufs ou de deux brebis. *Festus mulcta et ovibus. Gellius.* XI. 1.

(12) *Fragm. reip. Lib.* II. *apud. Fronton.* Le territoire de Rome très-borné dans son principe, ne toucha à la mer que sous le roi Ancus, au témoignage de Tite-Live. Voyez *Sigon. de Antiq. Jur. Civil. Roman.* I. 2.

Polybe, *Lib.* I, prétend que les Romains n'avoient pas pensé à la mer avant la première guerre punique. Il rapporte cependant lui-même dans son troisième livre le traité fait en 245, sous les premiers consuls, avec les Carthaginois, par lequel les Romains ne pouvoient naviguer au-delà du beau promontoire. D'autres articles concernent le commerce. Il y eut un second traité en 402, et un troisième, lors de la guerre de Pyrrhus en 473. *Huet histoire du commerce et de la navigation des anciens. Chap.* 21.

Il falloit bien que les Romains même sous les premiers consuls, fissent quelque commerce, puisque Plutarque parle dans la vie de Publicola de la remise, qui fut faite aux pauvres du droit appellé *Portorium*, et qu'Amiot a traduit par *Gabelles*. C'étoit l'an 245 de Rome, avant J.-C. 507.

(13) *De offic.* I. 42. *Parad.* VI. 3. *Dionys. Halycarn. Lib.* II. Ces idées de Cicéron et des Romains sur le commerce étoient celles de tous les politiques grecs. Voyez Aristote, Platon, Xénophon, etc. *Esp. des loix* IV. 8.

(14) *Fragm. reip. Lib.* IV. *Non. portitor. Paradox.* VI. 3. Sur l'économie de Caton l'ancien, voyez Plutarque dans sa vie. *Espr. des loix.* XX. 14.

(15) *De senect.* 18. *De off.* I. 41. *Pro Plancio.* 12. *Gell.* II. 15.

(16) *Ad Quint. fratr.* I. 1. 4. *De sen.* 11.

(17) *De offic.* III. 31.

(18) *De senect.* 13.

(19) *De off.* II. 22. *Act.* II. *in Verr.* I. 21.

(20) *Ibid. et fragm. reipub. Lib.* II. *apud Fronton.*

(21) *Paradox.* V. 2. VI. 2. *Fragm. reipub. Lib.* III. *Non. largitas. De senect.* 16.

(22) *De orat.* I. 2. III. 33.

(23) *Philippic.* VIII. 10.

(24) *De legib.* III. 13. 14. *Ad famil.* I. 9.

(25) *De legib. ibid. et* II. 15. C'est dans son troisième livre des loix, que Platon attribue aux changemens opérés dans la musique, ceux arrivés dans le gouvernement d'Athènes. Cicéron, *de leg.* II. 15, explique comment l'influence de la musique aura pu produire un pareil effet. Il paroît que par la musique on entendoit anciennement tous les beaux arts. *Qu.* I. 16. Cicéron avoit composé un ouvrage, où il rendoit compte de sa conduite pendant son consulat. Boéce dans son Traité de la Musique en cite un fragment, où Cicéron raconte, que des jeunes gens ivres et excités encore par l'effet d'une musique très-vive, voulant enfoncer la porte d'une femme honnête, Pythagore calma leur insolente phrénésie, en ordonnant aux musiciens, de jouer sur un mode plus lent et plus grave.

(26) *De legib.* III. 12. 14.

(27) *Action.* II. *in Verr.* V. 18.

(28) *Ibid.* IV. 5. *Pro Cluentio.* 46.

(29) *De finib.* IV. 22.

(30) *De invention.* I. 4. *Fragment. reipub. Lib.* V. *Non. ubi nominativus.*

(31) *Brutus.* 12.

(32) *Brutus.* 7. 13. *Fragm. reip.* V. *apud Gell.* XII. 2.

(33) *Brutus.* 13. 95. *Orat.* 8. *Fragm. reip. apud. Diomed.* Voyez les Scholies de Sigonius sur les fragmens du cinquième Livre.

(34) *De orator.* I. 11. Quintilien II. 15, prétend que Cicéron n'a pas bien pris le sens de Platon. Voyez sur Gorgias le chap. 58 du Voyage d'Anacharsis.

(35) *Fragm. reip. Lib.* V. *Non. imbuere.* Sur les Rhéteurs, voyez *De orat.* I. 22. 23. *Orator.* 12. *De finib.* II. 1. *De amicit.* 5. *De natur. deor.* II. *princip.* On peut voir encore dans Lucien le portrait de ceux de son tems.

(36) *De orat.* 1. 8.

(37) *De orator.* III. 14.

(38 *Fragm. reip. Lib.* V. *apud Gell.* XII. 2. *De legib.* III. 18. *Brutus.* 13. *De orat.* II. 82.

(39) *Pro leg. Manil.* 14. *De offic.* II. 8.

(40) *De finib.* V. 22. *Tuscul.* I. 1. 42. *De offic.* I. 13. III. 22.

(41) *De offic.* I. 23.

(42) *De offic.* I. 23. III. 11.

(43) *Fragm. reip. Lib.* IV. *Non. excipere.* Ceci arriva après la bataille des Argynuses gagnée par les Athéniens, sur les Lacédémoniens, l'an 406 avant J.-C. *Xenoph. hist. graec.* I. 11. *Diodor.* XIII. 100. Cicéron parle encore de cette bataille *De offic.* I. 24. Socrate qui étoit un des juges fut le seul, qui, malgré la fureur du peuple déchaîné contre les accusés, opina pour les absoudre. Pavv a grand tort de dire qu'il ne désapprouvoit, que la forme de ce jugement. *Recherch. sur les Grecs. tom.* 1. *pag.* 223. La forme n'étoit pas plus atroce que le fond. Il n'y a qu'à voir l'Axioque de Platon, et on y trouvera les vrais sentimens de Socrate à cet égard. Cette injustice envers les généraux Athéniens, avoit dégoûté Montaigne du gouvernement populaire, qui lui paroissoit d'ailleurs le plus naturel et le plus équitable. *Ess. Liv.* I. *ch.* 3.

(44) *De offic.* I. 11. II. 8.

(45) *De offic.* I. 11.

(46) *In Verr. Act.* II. *Lib.* IV. 60. *Pro leg. Manil.* 14.

(47) *Fragment. Sallust. apud Augustin. de civitat.* II. 18. Carthage fut prise par Scipion l'an

l'an 607 de Rome, 147 avant Jésus-Christ.

(48) *De offic.* II. 21. 22. Ce Pontius Samnite, étoit sans doute celui par qui les Romains furent vaincus aux fourches-Caudines. Il avoit prévu la principale cause de la chûte de leur liberté. *De senect.* 12.

(49) *Fragment. reip. Lib.* III. *Non. mercatura.* Le commerce avoit fait naître bien des vices, parmi les Phéniciens. Homère leur donne les épithètes d'hommes fins, rusés et trompeurs. *Odyss.* XIII. v. 288. XIV. v. 415. *Plinius.* VII. 56. La tromperie ou le mensonge phénicien avoit même passé en proverbe. *Plat. de republic.* III. *pag.* 627. IV. *pag.* 642. *Mém. de Littér. tom.* 42. *pag.* 59. Nous avons vu dans le quatrième livre, que les Carthaginois issus des Phéniciens, n'étoient pas en meilleure réputation, que leurs pères.

On peut recueillir dans les ouvrages de Cicéron quelques notices sur le commerce des Grecs. Athènes jouit quelque tems de l'empire de la mer. Les Rhodiens s'illustrèrent par leur police navale et leur commerce. *Pro leg. manil.* 18. Corinthe placée sur un isthme fort étroit au centre de la Grèce, étoit dans une position très-favorable au commerce. Elle fut riche et puissante par son moyen. *De leg. agrar.* II. 32. L'isle de Délos, située au milieu de la mer Egée, fut encore un très-grand entrepôt, pour le commerce. *Pro leg. man.* 18. *Esp. des loix.* XXI. 7.

Les objets principaux du commerce du Levant, le seul presque que les Grecs faisoient, étoient la pourpre de Tyr, l'encens et les autres parfums, les habits de lin, les pierres précieuses, l'or et l'argent, quelques vins grecs, des esclaves d'Asie, les meubles de Délos, les vases de Corinthe, le blé, le miel, l'ivoire, les habits de femmes fabriqués à Malthe, les papiers de lin et les verres d'Egypte. *Act.* II. *in Verr.* II. 72. V. 56. *Pro Rabirio postum.* 14.

(50) *Pro Archia poeta.* 3. La Grèce vaincue subjugua elle-même son féroce vainqueur, et porta ses arts dans l'Italie encore agreste, dit Horace, *Epist.* II. 1.

(51) *De orat.* II. 40. *De offic.* I. 8. *Pro Rosc. Amerin.* 27.

(52) *Tuscul.* V. 35. *Paradox.* I. 4. V. 2, VI. 1. *Act.* II. *in Verr.* I. 21. III. 94. V. 48. *De offic.* I. 8. II. 22. *Pro domo.* 43.

(53) *Tuscul.* I. 1. IV. 3. *Pro Caelio.* 17. *De leg.* II. 15. *Pro Archia poeta.* 3.

(54) *Tuscul.* IV. 3. *Academ.* IV. 45. *De orat.* II. 37.

(55) *Academic.* IV. 2. *Somn. Scipion.* 2. Scipion avoit été envoyé en mission avec Sp. Mummius et L. Metellus, pour visiter l'Egypte, la Syrie, l'Asie et la Grèce, et y observer les dispositions des rois et des peuples. Plusieurs auteurs ont parlé de cet ambassade *Athenée* VI. *pag.* 273. *Justin.* XXXVIII. 8. *Valer. Maxim.* IV. 3. *Plutarc. Apoghtem.*

(56) *Tuscul.* IV. 3. *Ad familiar.* XV. 19. *Academic.* I. 2. *Pro Caelio.* 17. *Fragm. lib. philosoph. Non. glisco.*

(57) *De amicit.* 3.

(58) *De senectut.* 6.

(59) *De invention.* I. 3.

(60) *Fragment. reip. Lib.* IV. *apud Marcellin.* XXX.

(61) *Academic.* IV. 5. *De Haruspic. respons.* 19. *De finib.* IV. 24. *De amicit.* 12.

(62) *In Catilin.* I. 1. *Frag. reip. Lib.* V. *Non. ferocia.*

(63) *De Haruspic. respons.* 19.

(64) *Ibid. De orator.* I. 9.

(65) La vie des Gracques et leur fin funeste sont assez connues. Cicéron qui rendoit justice à leurs talens, applaudit en plus d'un endroit, de concert avec les meilleurs citoyens, au sort qu'ils éprouvèrent. *De orat.* II. 25. *Pro Mil.* 3. 27. *In Catil.* I. 1. *Philipp.* VIII. 4. Il les regardoit comme les auteurs de la ruine de l'autorité du sénat, qui étoit, suivant lui, la base de la constitution de la république. La cause qui les avoit aliénés du sénat étoit très-étrangère au bien public; et c'est à un ressentiment particulier, qu'ils sacrifièrent le bonheur de leur patrie. *De Haruspic. resp.* 20. Tib. Gracchus fut tué l'an de Rome 619, *avant J.-C.* 133. Ce fut la première fois, dit Velleius Patercullus, II. 3, que les querelles intestines des Romains firent verser du sang. Depuis lors le droit fut opprimé par la force; et ces querelles, qu'on terminoit auparavant par la conciliation, ne le furent plus désormais que par les armes.

Saturnin fut un tribun séditieux, qu'une cause pareille à celle des Gracques, excita contre le sénat. Il fut tué l'an de Rome 652. Les principaux sénateurs s'étoient armés contre lui. *Pro C. Rabirio.* 7. *et seq. Philipp.* VIII. 5.

Cicéron prit la défense de C. Rabirius qu'on accusoit de l'avoir tué. Il compare Saturnin à l'Hyberbole des Grecs, dont la méchanceté, avoit été jouée sur le théâtre, ainsi que nous l'avons vu dans le livre précédent. *Brutus.* 62. On condamna à l'exil un citoyen pour avoir gardé chez lui, un portrait de Saturnin. *Pro C. Rabirio.* 9.

(66) *Pro Cluentio.* 49.

(67) *De leg. Agrar.* II. 3.

(68) *Ad Attic.* VII. 3.

(69) *Pro Sextio.* 46. *In Catilin.* II. 8. *et seq.* IV. 7. 8. *Pro Syll.* 27.

(70) *Academic.* IV. 47. *Ad Attic.* IV. 3. *Pro domo.* 30. 33.

(71) *Pro Sextio.* 46. 47.

(72) *Fragm. ex lib.* III. *Academic. Non. digladiari.*

(73) *De offic.* I. 25. *De Harusp. resp.* 25.

(74) *In Verr.* III. 35. *De offic.* II. 8.

(75) *Pro Rosc. Amerin.* 6. 29. 32. 43.

(76) *Action.* II. *in Verr.* III. 35. *De offic.* II. 8. 9. Voyez encore *Salust. Catilin. cap.* 3.

(77) *Pro Roscio Amerino. cap. ultim.* Les guerres civiles avoient produit le même effet en France. Voy. *Montaigne*, *Lib.* II. *ch.* 27.

(78) *De offic.* II. 8.

(79) *Pro leg. Manil.* 13. 22.

(80) *Epist. ad Quint. fratr.* I. I. 11.

(81) *Action.* II. *in Verr.* V. 48.

(82) *Divinat. in Verr.* 3.

(83) *In Verr. Act.* II. *Lib.* III. 89. *De off.* II. 22.

(84) *De div. in Verr.* 3. *Act.* I. *in Verr.* 15. La corruption qui régnoit dans les jugemens fut une des principales causes de la guerre sociale. On prenoit d'abord à Rome, les juges parmi les sénateurs. Les Gracques transportèrent cette prérogative aux Chevaliers, qui avoient déjà le recouvrement des impôts. Ils commencèrent alors à faire un ordre à part. Drusus partagea les jugemens entre les sénateurs et les chevaliers. Sylla les donna aux sénateurs seuls ; Cotta aux sénateurs, aux chevaliers, et aux trésoriers de l'épargne. César exclut ces derniers. Antoine fit des décuries de sénateurs, de chevaliers et de centurions. La justice n'en fut pas mieux rendue. *Mém. de Litt. tom.* 37. *p.* 298. *tom.* 40. *p.* 71. *Espr. des loix.* VIII. 12. XI. 18. *Tacit. Ann.* XII. 60.

(85) *Frag. orat. Pro Oemil. Scaur. Act.* II. *in Verr.* III. 41. Publius Rutilius étoit au té-

moignage de tous les anciens écrivains, le plus honnête homme de son siècle. Lieutenant de Q. Mutius-Scévola, proconsul d'Asie, il avoit voulu défendre cette province des vexations des financiers. Il devint par là odieux à l'ordre équestre; il fut condamné à l'exil sur une fausse imputation de péculat. L'iniquité de ce jugement révolta même dans ce siècle de corruption. Tous les écrivains de ce tems en parlent. *Cicer. de orat.* II. 69. *Lips. variar.* II. 16.

(86) *De divin. in Verr.* 3. *Act.* I. 1. 2. 13. *Ad Attic.* I. 16. *De offic.* II. 21.

(87) *Ad familiar.* VIII. 14. *De Haruspic. resp.* 27. *in Pison.* 4. Il n'y avoit pas eu de censeurs pendant l'espace de vingt-six ans, depuis le gouvernement de Sylla, jusqu'à l'an 683 de Rome, 70 *av. J.-C.* L'on nomma cette année L. Gellius et Cn. Lentulus, qui exercérent leur charge avec beaucoup de sévérité. Ils exclurent plus de soixante-quatre sénateurs, accusés de divers excès. *Liv. epitom.* 98. La plupart n'en parvinrent pas moins aux charges publiques, tellement la force de la censure étoit affoiblie. Cette foiblesse parut encore mieux, lorsqu'en l'an 702, Appius

nommé censeur avec Pison, beau-père de César, voulut l'exercer avec une sévérité, que le déréglement des mœurs fit regarder comme ridicule, au témoignage de Cicéron, à l'endroit cité dans cette note. Les mœurs du censeur lui-même qui n'étoit point à l'abri de tout reproche, ajoutoient encore au ridicule de sa sévérité affectée. Appius et Pison furent les derniers censeurs de la république.

Le premier qui porta atteinte à la censure fut Clodius, qui en 695 fit rendre une loi, par laquelle il étoit défendu aux censeurs de noter un sénateur, s'il ne leur étoit dénoncé, et s'ils ne s'accordoient tous les deux à le condamner. *De Harusp. resp.* 27. Cette loi fut révoquée sept ans après ; mais la censure n'en acquit pas plus de force. On avoit reconnu en plusieurs occasions, la partialité et l'injustice, qui avoient dicté les jugemens des censeurs ; il n'en falloit pas davantage, pour ruiner une autorité, dont l'opinion faisoit toute la force. *Pro Cluentio.* 42. 43.

(88) *Fragm. orat. de liber. proscrip. apud Quintil.* XI. 1. *in Pison* 2. *Ad Attic.* I. 14. *Act.* II. *in Verr.* III. 35. *De leg.* III. 9.

Sylla avoit en quelque sorte ramené le gouvernement romain à son principe, qui étoit l'aristocratie, en rendant au sénat toutes les prérogatives, dont les Gracques l'avoient dépouillé. C'est ce qui, suivant Cicéron, donnoit encore quelque solidité à la république chancelante. Une de ses opérations les plus importantes, fut d'avoir mis fin aux usurpations et aux entreprises des Tribuns. Ces hommes déclarés inviolables et assurés en quelque sorte de l'impunité, avoient étrangement abusé de leurs pouvoirs. Souvent les prétendus défenseurs du peuple, se conduisirent comme auroient fait des brigands priviligiés. Ils s'arrogèrent des fonctions judiciaires. Ils citèrent devant eux non-seulement les particuliers, mais les consuls eux-mêmes, ces suprêmes magistrats de la république. Ils les condamnèrent à des amendes, ils les firent emprisonner. Maîtres de convoquer le peuple, quand ils vouloient; ils assembloient les comices par tribus; c'étoit dans ces assemblées populaires qu'ils régnoient; c'étoit là qu'ils haranguoient, sans qu'il fut possible de leur imposer silence; c'étoit là qu'écoutés comme des oracles, par une multitude jalouse des droits qu'elle avoit, comme de ceux qu'elle n'avoit pas, ils entraînoient les esprits et les suffrages, et dictoient ces plébiscites, qui depuis la loi *Hortensia*, quoique faits sans la participation du sénat, ne laissoient pas d'obliger tous les Romains indistinctement. Il est inutile de rappeller les excès, auxquels des tribuns séditieux portérent une aveugle populace, devenue le jouet et l'instrument de leurs fureurs, les loix injustes qu'ils promulguèrent, les scélérats qu'ils protégèrent, les séditions et les guerres civiles, qu'ils allumèrent.

Sylla dépouilla les Tribuns du privilège de faire des plébiscites, et même en partie du droit d'opposition. Quelques restes de ce droit, un vain phantôme de protectorat, voilà tout ce qu'il leur laissa. Il voulut qu'à l'avenir le peuple choisit ses tribuns, parmi lès sénateurs, et que ceux qui rempliroient cette place, ne pussent de leur vie exercer aucun autre emploi.

Mais après la mort de Sylla les prérogatives anciennes du tribunat lui furent insensiblement rendues, malgré les efforts du parti aristocratique, pour l'empêcher. C. Cotta encourut son indignation pour avoir donné non pas plus de pouvoir, mais un peu plus de dignité aux tribuns. Pompée acheva de leur rendre tout ce dont Sylla les avoit privés.

Depuis cette époque, dans le cours de vingt années de troubles, et quelquefois d'anarchie, qui précédèrent et préparèrent l'usurpation de César, divers tribuns, esclaves de leurs passions, ou de celles des hommes puissans, ne cessèrent par leurs harangues séditieuses d'allumer le feu de la discorde, d'enfanter plébiscites sur plébiscites, de se servir de la puissance législative pour faire le mal, du droit d'opposition pour empêcher le bien, de l'un et de l'autre, pour compromettre le pouvoir du peuple et l'autorité du sénat. Pompée finit par être la victime de cette puissance, dont il avoit été le restaurateur. César commença la guerre civile, sous le prétexte de prendre la défense des deux tribuns, qui s'étoient opposés au décret rendu contre lui. *Cicer. de leg.* III. 7. 9. 10. *et seq. Philipp.* II. 22. *Fragment. orat. pro Cornelio. Mémoires de Littérat. tom.* 25. *p.* 402. *et suiv.*

(89) *De amicit.* 12.

(90) *Pro domo:* 21. 30. 33. *De Haruspic.*

resp. 18. 27. *Pro Sextio.* 35. *De legib.* III. 11. *Fragment. orat. Pro Cornelio.*

(91) *Ad Attic.* I. 15. IV. 16. 18. V. 16. *Pro Muraena.* 32. 33. Voyez *Mém. de Litt. tom.* 39. *p.* 387. *et suiv.* On y trouvera des détails sur les manœuvres qu'employoient les intriguans et les ambitieux, pour obtenir ou corrompre les suffrages.

Il faut dire quelque chose ici des révolutions, qu'avoient éprouvées les assemblées populaires. Il ne paroît pas que la forme des comices eut changé jusques au tems des Gracques. C. Gracchus, au rapport de Salluste, *De republic. ordin. ad C. Caesar. orat.* II, voulut faire une loi portant, que l'on choisiroit par le sort la centurie, qui seroit la première appellée, dans les cinq classes, pour donner sa voix. C'étoit renverser toute l'économie de ces comices, établie par Servius Tullius. Car ayant divisé lescenturies en cinq classes et placé les plus nombreuses et les plus riches dans les premières, qui étoient appellées avant les autres pour donner leur suffrage, elles décidoient de tout, lorsqu'elles se trouvoient d'accord. Choisir au sort la centurie, qui donneroit la première son suffrage, c'étoit détruire l'influence des riches, puisque le sort pouvoit tomber sur une centurie de la dernière classe. On prétend que cette loi ne passa point. Cependant quelques passages de Cicéron feroient soupçonner, que l'usage de tirer au sort la centurie, qui donnoit la première son suffrage et qu'on appelloit à cause de cela, *Prérogative*, existoit de son tems. *Philipp.* II. 33. *Pro Plancio.* 20.

Les tribuns s'étoient particulièrement attachés à augmenter les prérogatives des comices par tribus, où ils régnoient en despostes, ainsi que nous l'avons déjà dit. Là, les prolétaires rejettés dans une classe impuissante dans la division par centuries, jouoient un grand rôle. Les artisans, les affranchis, les ouvriers, toute cette foule de fainéans, dont la ville abondoit, et qui ne respiroient qu'après les loix agraires et les distributions de grains, étoient toujours prêts à seconder les projets des factieux. *Liv. Lib.* IX. -- ils étoient partagés en plusieurs confrèries, qui avoient été supprimées, comme contraires à l'ordre public ; mais Clodius les fit rétablir et y en ajouta d'autres, formées de la lie de la ville et des esclaves. *In Pison.* 4.

Tite-Live IX. 46, dit que le censeur Quintus Fabius, l'an de Rome 450, avoit répandu tous ces gens là, dans quatre tribus, afin qu'ils ne se rendissent pas maîtres des comices. *Sigon. Lib.* II. 13. *Mém. de Littérat. tom.* 4. *pag.* 108. Car comme on comptoit les voix par tribus, leur influence ne pouvoit par ce moyen s'étendre que sur quatre. Mais cet arrangement avoit sans doute été détruit, puisque la populace de Rome aida si bien les Gracques, Clodius et leurs semblables.

Les affranchis faisoient encore une partie considérable du peuple. Tibérius Gracchus, censeur, l'an 585 de Rome, les plaça tous dans les tribus de la ville. Sans cette opération, dit Cicéron, nous n'aurions plus depuis longtems cette république, que nous soutenons à peine. *De orat.* I. 9. Les censeurs et avant eux les consuls, formoient et créoient, pour ainsi dire, tous les cinq ans le corps du peuple. Les affranchis furent répandus encore dans toutes les tribus, par la faction opposée à Sylla, qui de son côté révoqua cette loi. Mais l'an 686, le tribun Manlius leur donna de nouveau le droit de suffrage dans toutes les tribus. *Dio. Lib.* 36. *Fragment. pro Cornel.*

Mémoir. de Littérat. tom. 37. *p.* 324. *et suiv.* Clodius les favorisa aussi, ce qui prouve qu'ils étoient très-utiles dans les séditions. *Sigon. Lib.* II. 14. Il n'y avoit pas jusques aux Juifs, qui ne servissent d'instrument aux factieux. *Pro Flacco.* 28.

(92) *Act.* I. *in Verr. cap. ultim.* Quand on eut accordé le droit de citoyen à toute l'Italie, on créa huit tribus, pour y renfermer ceux qui voudroient l'exercer. Mais on les détruisit bientôt, pour les refondre dans les trente-cinq premières. *Neuport. sect.* I. *cap.* 1. §. 3. *Grand. et décad. des Rom. ch.* 9.

(93) *Ad Attic.* IV. 16.

(94) *De orat.* III. 33.

(95) *Pro Sextio.* 49. Ces assemblées s'appelloient *Conciones*, comme on voit par plusieurs passages des ouvrages de Cicéron. Elles étoient différentes des comices, et portoient le caractère de ceux qui les dirigeoient. Cicéron, *Ad Attic.* IV. 3, parle des assemblées orageuses de Métellus, téméraires d'Appius et enragées de Publius.

(96) *In Catilin.* II. 4.

(97) *In Catilin.* I. 13. *Pro Syll.* 27.

(98) *Pro Sylla.* 9. *De offic.* I. 22.

(99) *Ad Attic.* I. 16. 17.

(100) *Ad Attic.* I. 17.

(101) *In Pisonem.* 4. *Pro domo.* 9. 10. 21. *De Haruspic. respons.* 18. 27. *Ad Attic.* IV. 3. IX. 9. Nous avons déjà parlé dans une note précédente de ces colléges ou confréries d'artisans, dont on rapportoit l'institution à Numa, mais que le sénat fut forcé de supprimer, parce qu'elles troubloient l'ordre public.

Il y avoit de ces confréries établies en l'honneur de certaines divinités. Caton, *De senect.* 13, parle de celles, qui avoient été créées pendant sa questure, l'an de Rome 547, en l'honneur de la grande déesse.

(102) *De Haruspic. resp.* 28. *Ad Attic.* I. 18. 19. II. 1. IX. 11. *In Catilin.* II. 8.

(103) *Ad Attic.* II. 9. 18 19. 20. 21. *Pro Sextio.* 49. Pompée, César et Crassus s'étant réunis formèrent le premier Triumvirat, qui ne fut point de longue durée. *Velleius Paterculus.* II. 44.

(104) *De Haruspic. respons.* 28.

(105) *Ibid.* 25. *Ad famil.* VI. 6. *Ad Attic.* V. 5.

(106) *De offic.* I. 8. II. 8. 21. III. 21.

(107) *Ad Attic.* X. 8. *Fragment. ex lib. incert.*

incert. apud. Hieronim. super. obit. Paulin. Le passage cité des lettres à Atticus prouve la justesse avec laquelle Cicéron avoit jugé la domination de César. Car la lettre dont il est tiré, avoit été écrite avant sa chûte, qu'elle prédit d'une manière bien précise.

(108) *Ad famil.* XII. I.

(109) *Ibid.* X. 1.

(110) *Fragment. epistol. ad Planc. apud Gell.* I. 21.

LIVRE VI.

NOTES.

(1) *Tusculan.* I. 49. *Fragment. ex lib. incert. de legib. apud. Lactant.* III. 19.

(2) *Tuscul.* I. 34.

(3) *Ibid.* 38.

(4) *Tuscul.* I. *cap. ultim.*

(5) *Tusculan.* I. 47.

(6) *Ibid.* 48.

(7) *Frag. consolat. apud Lactant.* II. 19. Ce sont les paroles que Silène fait prisonnier par Midas, proféra, après avoir été vainement sollicité plusieurs fois de parler. Cette fable se trouvoit dans un ouvrage perdu d'Aristote, dont Plutarque *dans la consolation à Apollonius*, rapporte un long fragment. Théognide *dans Stobée*, *sermon.* 121, s'exprime aussi de la même manière.

(8) *Tusculan.* I. 34.

(9) *De senect.* 23.

(10) *Tuscul.* I. 34. 48.

(11) *Fragment. lib. philosoph. apud Aug. contr. Pelag. Lib.* IV. *De senect.* 21. Ce beau fragment du livre *de la philosophie* étoit tiré du Cratyle de Platon. Il nous explique les motifs du dogme de la transmigration des ames, qu'on trouve dans la théologie et dans la philosophie primitives, qui n'étoient d'ailleurs qu'une seule et même chose. On peut voir dans les fragmens de la traduction que Cicéron avoit faite du Timée de Platon, la manière dont se faisoit cette transmigration. Voy. encore *la Dissertation ci-après.* §. 2.

(12) *De senect.* 21.

(13) De *amicit.* 4. *De senect.* 21.

(14) De *natur. deor.* III. 35.

(15) *De legib.* II. 7. C'étoit là le préambule des loix, que Zaleucus passoit pour avoir donné à Thurium. *Stobeus. serm.* 42. *Diod.* XII. 20. Les savans ne sont pas d'accord sur le tems où Zaleucus a vécu, ni même sur son existence. On a contesté aussi l'authenticité de ce préambule, où l'on ne trouve pas cette précision, qui faisoit le caractère

des tems où Zaleucus, s'il a existé, doit avoir vécu. Le fond peut être de lui, et avoir été ensuite amplifié. Voyez *la Dissertation ci-après*. §. 2.

(16) *De natur. deor.* II. 30.

(17) *De legib.* II. 7.

(18) *Fragm. reip. Lib.* VI. *Non. expleri.*

(19) *De natur. deor.* I. 2.

(20) *De natur. deor.* III. 30. 35. *et seq. Tuscul.* V. 20. Le mot *Tympanidis*, qui se trouve dans le passage cité *de la nature des dieux*, a exercé depuis long-tems, la sagacité des critiques ; les uns l'ont pris pour la machine, au moyen de laquelle, on avoit élevé le cadavre de Denys sur le bûcher ; d'autres pour le nom de l'architecte, qui avoit construit ce bûcher. Suivant Diodore, *Lib.* XV, les funérailles de Denys furent faites près du château de Syracuse, au-devant des portes royales. Ces portes qui servoient d'entrée du château en la ville, étoient sans doute au nombre de cinq : car on les appelloit *Pentapyles* ; d'où le président Bouhier a conjecturé, qu'il falloit lire *Pentapylis*, au lieu de *Tympanidis*. Il ajoute qu'on trouve dans plusieurs manuscrits, des traces de cette leçon.

Philiste, historien Sicilien, avoit décrit la magnificence et l'éclat des funérailles de Denys. *Mémoir. de Littérat. tom.* 13. *p.* 16. *tom.* 18. *p.* 176. Voyez encore les remarques de Bouhier jointes à la traduction de d'Olivet, *de la nature des dieux*.

(21) *Fragment. reipub. Lib.* VI. *Non. de subito.*

(22) *De natur. deor.* III. 35.

(23) *De legib.* II. 17.

(24) *Tuscul.* V. 20 *et seq.*

(25) *De legib.* II. 17. *De Harusp. resp.* 18.

(26) *De Haruspic. resp.* 18. *in Pison.* 20. Voyez les Euménides d'Eschyle.

(27) *De legib.* II. 17. *in Pison.* 20.

(28) *De natur. deor.* I. 2.

(29) *Ibid.* I. 23. 42.

(30) *De natur. deor.* I. 42.

(31) *Ibid.* II. 67. *et Fragm. de nat. deor. apud Lactant.* II. 3.

(32) *Ibid.* I. 42. II. 28. *De divin.* II. 72. *Pro domo.* 40.

(33) *Ibid.* II. 28.

(34) *Pro domo.* 40.

(35) *Ibid. et de divin.* II. *cap. ultim.* Zaleucus disoit : que les hommes par la supers-

tition, transformoient les dieux en génies malfaisans.

(36) *De legib.* II. 11. 16. *De divin.* I. 54.

(37) *Action.* II. *in Verr.* IV. 59. *De leg.* II. 11.

(38) *Action.* II. *in Verr.* IV. 59.

(39) *De divinat. in Verr.* 2. *et seq. Action.* I. 2.

(40) *Act.* II. *in Verr.* IV. 50.

(41) *Fragment. reip. Lib.* VI. *Non. comparare, seditio.*

(42) *Ad Quint. fratr.* I. 1.

(43) *De natur. deor.* III. 2.

(44) *De natur. deor.* III. 2. 17. *Brutus.* 21. *Fragment. reipub. Lib.* VI. *Non. Samium.* Il est parlé dans ce fragment de deux espèces de vases sacrés, le *Simpulum* ou *Simpuvium* et le *Samium.* Les pontifes s'en servoient pour offrir du vin à la divinité à laquelle on sacrifioit. Le *Simpulum* étoit de terre et quelquefois de bois. Le *Samium* qui étoit aussi de terre tiroit son nom de l'Isle de Samos, où on le fabriquoit. *Lipsius Antiq. lect.* IV. 3. *Neupoort. sect.* IV. *cap.* 3. §. 10. On conserva toujours dans les sacrifices la simplicité de ces vases antiques, malgré les

progrès du luxe. *Plin. hist. nat.* XXXVI. 12. *et ibi Harduinus.*

(45) *De natur. deor.* III. 2.

(46) *De divinat.* I. 2. 40.

(47) *De divinat.* I. 16. *Fragment. reipub. Lib.* VI. *Non. firmiter.*

(48) *De natur. deor.* II. 3. *De Haruspic. respons.* 9. *Mém. de Littérat. tom.* 34. *hist. pag.* 113.

(49) *Pro domo. princ. De Harusp. resp.*

(50) *De legib.* II. 12. *De Haruspic. respons.* 9. *De natur. deor.* III. 2.

Le corps des prêtres étoit très-nombreux et très-imposant dans l'ancienne Rome. Cicéron en indique ici les principales branches. Il y avoit à la tête un souverain pontife, dont la dignité étoit si éminente, que les empereurs après la destruction de la république, en firent une de leurs principales prérogatives. Les Patriciens avoient au commencement la possession exclusive du sacerdoce, comme de la magistrature. La loi Ogulnia y fit participer les Plébéïens, à l'exception de quelques Sacerdoces qui restèrent toujours aux Patriciens. *Pro domo.* 14. *Liv.* X. 6.

C'étoit le collège des prêtres, qui dans le

principe nommoit ses membres. Le souverain pontife seul étoit élu dans les comices par tribus. Le Tribun Licinius porta une loi pour donner au peuple, la nomination de tous les prêtres. Lélius s'y opposa, ainsi qu'il le dit, *De amicit.* 14. Cela fut exécuté par la loi Domitia, l'an de Rome 650. Cette nomination se faisoit par dix-sept tribus seulement, comme nous l'avons dit ci-dessus *p.* 314. Les comices par tribus élisoient aussi les augures ; mais seulement parmi ceux, qui étoient présentés par le collège. *Philipp.* II. 2. 43. Voyez encore *Mém. de Litt. tom.* 4. *p.* 111.

(51) *De divinat.* II. 33. *De leg.* II. 13.

(52) *Voyez ci-dessus Liv.* II. *pag.* 66.

(53) *De divinat.* II. 33.

(54) *De legib.* II. 13. *De natur. deor.* II. 3.

(55) *De legib.* II. 17. *Pro Sextio.* 7. *in Vatin.* 6. *Pro dom.* 41. 42. 43. Clodius après avoir fait exiler Cicéron, fit détruire sa maison et élever sur l'emplacement un autel à la liberté, qui y étoit représentée par la statue d'une courtisane transportée de Grèce à Rome. Cicéron se plaint de cette violation de ses pénates, qui étoient des choses sacrées chez les Romains. Voyez les passages indiqués.

(56) *De legib.* II. 8. 9. 15. *Mém. de Litt. tom.* 31. *hist. p.* 116. *tom.* 34. *hist. p.* 115, *suiv.* Nous avons substitué *Pagondas* à *Diagondas*, qui se trouve dans toutes les éditions de Cicéron, d'après la conjecture de Meursius, *Attic. lection.* III. 23. Ce Pagondas étoit Bétarque à Thèbes, l'an 424 avant notre ère. Dans un fragment des loix de Zaleucus, il est dit : *que ceux qui veulent habiter notre ville, n'ayent pas d'autre religion, que celle de nos ancêtres ; qu'ils soient persuadés qu'elle est la meilleure de toutes. Heine. opuscul. volum.* 2. *p.* 22.

(57) *De legib.* II. 9. 15.

(58) *Act.* II. *in Verr.* V. 72. *De leg.* II. 14. *De natur. deor.* I. 42. Le second passage est pris d'Isocrate dans son Panégyrique. Ces mystères étoient une des institutions les plus sublimes de l'antiquité. Ils remontoient à l'époque la plus reculée et se retrouvoient sous différens noms, chez presque tous les peuples. La religion étant alors réunie à la science de la nature, suivant Cicéron. *De divination.* II. *cap. ultim.* Les mystères les renfermoient l'une et l'autre. Les dogmes et les préceptes y étoient envéloppés sous des allégories, dont

on ne donnoit la clef qu'aux initiés. Nous en parlerons encore dans la dissertation qui est à la fin de cet ouvrage. Varburton a cru retrouver dans le sixième livre de l'Enéïde, les spectacles et la doctrine des mystères. La dissertation qu'il a faite à ce sujet mérite l'attention des curieux. Outre les mystères d'Eléusis, Cicéron fait mention encore de ceux de Samothrace et de Lemnos, *De natur. deor.* I. 42, de ceux de Cérès, à Catane et à Enna, *Action.* II. *in Verr.* IV. 45. 49; de ceux de la bonne déesse, qui remontoient à Rome au tems des rois, *De Haruspic. resp.* 7. 17.

(59) *De legib.* II. 10. 11. Cette idée étoit bien digne de la philosophie de Pythagore, dont toutes les parties avoient une teinte religieuse. Au sujet des *Lares* nous observerons, que les Romains nommoient ainsi ce que les Grecs appelloient *Démons.* C'étoit du moins l'opinion de Cicéron. *Fragm. Tim.* 11. Les Lares étoient les ames des ancêtres, devenues les génies protecteurs des maisons et des familles.

(60) *De provinc. consular.* 6.

(61) *De legib.* II. 10. 16.

(62) *De legib.* II. 10.

(63) *De legib.* II. 12.

(64) *De leg. ib.* 20. 21. *et seq.*

(65) *De legib. ibid. Brutus.* 42. *Fragment. reipub. Lib.* IV. *Non. sanctitudo.* Il y avoit à Rome un droit Canon et un droit Civil, tout comme ils existoient chez nous. Les prérogatives de notre clergé, son rang, sa hiérarchie, comme la plupart de ses cérémonies, étoient imitées du clergé et des rites romains. Gouttières nous a donné un savant traité de l'ancien droit canonique romain.

(66) *De legib.* II. 22.

(67) *De leg.* II. 11.

(68) *Fragm. consolat. apud. Lactant.* I. 15. L'ancienne philosophie croyoit que l'ame participoit de la nature divine, et qu'étant séparée du corps, elle alloit se rejoindre à son principe, si elle ne s'étoit pas souillée de quelque crime, pendant son séjour sur la terre. C'étoit là le fondement du culte que l'on rendoit aux génies ou aux ames de ceux, qui s'étoient rendus recommandables par l'excellence de leurs vertus, ou par leurs bienfaits envers l'humanité. L'extrême tendresse que Cicéron avoit pour Tullia sa fille, le porta,

après la mort de cette fille chérie, à vouloir consacrer sa mémoire et à lui élever un espèce de temple ou *fanum*. Il se fondoit sur l'exemple des Grecs, de qui les Romains avoient pris la plupart de leurs coutumes, et qui avoient mis des hommes au nombre des dieux. Le fragment cité ici rappelle cette coutume des Grecs. Il faisoit partie du Traité *de la consolation*, que Cicéron composa à cette occasion, et qui s'est perdu. Voyez *la Dissertation sur le Fanum de Tullia*, *Mémoir. de Littérat. tom.* I. *p.* 370.

Ces hommes déifiés ou *génies*, étoient des dieux subalternes, qu'on ne confondoit point avec le dieu-suprême. On faisoit bien cette distinction dans les mystères; et c'est à tort qu'on a conclu d'un passage du Traité *de la nature des dieux*, qu'on y enseignoit que tous les dieux n'étoient que des hommes déifiés.

(69) *Fragm. reipub. Lib.* VI. *Non. mactare. Tuscul.* I. 2. IV. 2. *De leg.* II. 24. Ce fut l'origine des oraisons funèbres, dont il est encore parlé. *Brutus* 16.

(70) *Fragm. reip. Lib.* VI. *apud August. de civit.* IV. 13.

(71) *De offic.* I. 22. *et seq.*.

(72) *Fragment. republic. Lib.* VI. *Macrobius. Lib.* I. *in somn. Scipion.*

(73) *De amicit.* 4.

(74) Masinissa, roi de Numidie, avoit formé des liaisons très-étroites avec la famille des Scipions. Il conservoit à l'âge de quatre-vingt-dix ans toute la vigueur de la jeunesse. *De senect.* 10.

(75) C'est le premier Africain, dont il est question ici. L'alliance de Masinissa lui avoit été d'un très-grand secours pour vaincre les Carthaginois, et terminer la seconde guerre punique. Il étoit l'aïeul adoptif du second Africain, le principal interlocuteur du traité de la république, et qui le terminoit par le récit de ce songe.

(76) Les Gracques étoient les petits-fils du premier Scipion, par sa fille Cornélie, ainsi que nous l'avons dit ailleurs.

(77) D'Olivet regarde avec raison, comme des imaginations creuses, tout ce que Macrobe dit sur ce passage au sujet des nombres parfaits. C'étoient là des mystères théologiques des anciens, et particulièrement des Pythagoriciens, que Cicéron n'a fait qu'indiquer, et dont il ne donne pas l'explication. Pytha-

gore paroît avoir pris cela en Egypte, Voy. Plutarque *Isis et Osiris.*

(78) On dit en français la *voie lactée.* C'est un amas d'étoiles, qui par leur proximité et par leur arrangement tracent dans le ciel une espèce de chemin. Voyez sur ce sujet les diverses opinions des anciens, dans l'ouvrage attribué à Plutarque, *De placit. philosoph.* III. 1. (Olivet.)

(79) L'on n'a pas besoin de faire remarquer les erreurs de Cicéron en Astronomie. C'étoient celles de son siècle. On y avoit cependant quelque idée du vrai systême du monde, qui paroît n'avoir pas été inconnu à une partie de l'école de Pythagore. Cicéron lui-même parle de l'opinion d'Hicétas, Pythagoricien, qui disoit que la terre se mouvoit sur son axe, avec une grande rapidité, et faisoit ainsi paroître le reste du ciel en mouvement. *Academic.* IV. 39.

(80) On peut voir sur cette harmonie des sphères et son rapport avec la musique, la note huit de d'Olivet, sur le songe de Scipion; les *recherches* de Rochefort sur la symphonie des anciens, dans le *tom.* 41 *des Mémoires de Littérature*, et sur-tout le *Pantheon aegypt. prolegom.* §. 25.

(81) Voici encore une erreur géographique des anciens, qui croyoient la Zone-Torride inhabitable. Les partisans du systême du réfroidissement progressif de la terre, allèguent cette tradition antique, en preuve de leur opinion.

(82) Suivant une doctrine bien répandue dans l'antiquité, et qui s'étoit perpétuée plusieurs siècles même après l'établissement du christianisme, le monde devoit périr par des déluges ou des incendies, et renaître ensuite et se renouveller. Cicéron en parle en divers endroits. *De nat. deor.* II. 46. *Academ.* IV. 37. Ce renouvellement devoit être précédé de grands dérangemens dans les saisons et les astres. Delà les terreurs, qui chez tous les peuples, ont accompagné les éclypses, l'apparition des comètes, etc.

(83) Le renouvellement et la renaissance du monde, dont nous avons parlé dans la note précédente, devoient avoir lieu principalement à l'expiration d'une période fameuse, qu'on appelloit la grande année. En général on désignoit par ce nom, comme Cicéron le dit ici, et dans le Traité de la nature des dieux II. 27, la période qui ramenoit les planètes

au même point du ciel, où elles se trouvoient à une époque donnée, telle par exemple, que celle de la mort de Romulus, ou celle de la naissance du monde; ce qui caractérisoit plus particulièrement la grande année.

« Un cycle, dit l'abbé Barthélemi, qui re-
» placeroit les planètes à des points donnés
» du Zodiaque, comprendroit peut-être des
» millions d'années, et exigeroit des connois-
» sances en astronomie, que les anciens n'a-
» voient pas. Aussi firent-ils de vains efforts,
» pour en déterminer la durée ». *Mémoir. de Littérat. tom.* 41. *pag* 506. Sans convenir de cette ignorance en astronomie dans ceux qui conçurent la sublime idée de la grande année, il est certain que les anciens varièrent extrêmement, dans la durée qu'ils y assignèrent. Cela vint de ce que resserrant la grande année, dans des limites infiniment rapprochées, et ne la composant que du retour périodique au même point du ciel d'un plus ou moins grand nombre de planètes, ils la confondirent avec des périodes beaucoup plus courtes, que la grande année proprement dite. Voyez les diverses opinions sur cette durée, dans les *Mémoires de Littérature*, *tom.* 23. *pag.* 82,

et suiv. Astronom. ancienne de Bailly. p. 251. 264. 468.

Cicéron ne détermine point la durée de la grande année dans le passage du traité de la nature des dieux, II. 20, où il en parle. Il dit que cela forme une grande question, et qu'il faut cependant que cette durée soit fixe et déterminée. Mais dans un passage du Traité *de la philosophie*, qui nous a été conservé par Servius, *AEneid.* III. v. 284, il prétend que la grande année arrive au bout de 12954 ans. L'auteur du Dialogue, *De Causis corruptae eloquentiae. cap.* 16, qu'on donne communément à Tacite, attribue la même opinion à Cicéron. Toute cette doctrine sur le renouvellement et la renaissance du monde à l'expiration de la grande année, faisoit partie de celle des mystères. Ce renouvellement devoit ramener l'âge d'or; et quand on voulut flatter un prince, on supposa qu'il s'étoit opéré sous son règne. Tout cela tenoit beaucoup encore à la science de l'astrologie, dont tous les siècles ont été plus ou moins infatués. Voyez encore Barthélemi dans les *Mém. de Littérat. tom.* 41. *p.* 506.

(84) Ce raisonnement de Cicéron pour

prouver l'immortalité de l'ame est tiré de Platon. Voyez *Tuscul.* 1. 23. *De senectut.* 21.

(85) *Fragm. reipub. Lib.* VI. *Apud Macrobium. in somnium Scipion.*

(86) *Fragment. philosoph. Non. appendix. et apud. Augustin. de trinit. Libr.* IV. 2. *et* XIV. *cap. ultim. De amicit.* 4. *De fin.* V. 19.

DISSERTATION.

DISSERTATION

SUR

L'ORIGINE des sciences, des arts, de la philosophie et du luxe chez les Romains.

LES ténèbres les plus épaisses couvrent la naissance de Rome. On ne connoît d'une manière certaine, ni son origine, ni l'époque de sa fondation, ni même le nom de son fondateur. Car ce qu'on raconte de Romulus est sujet à mille difficultés. Les deux principaux historiens de la république, Tite-Live et Denys d'Halycarnasse sont rarement d'accord entr'eux. Les histoires modernes où on les a copiés, ne peuvent guères être, que des recueils de fables souvent contradictoires. S'il faut les en croire, les premiers habitans de Rome ne furent qu'un ramas de fugitifs et de bannis, uniquement occupés à piller les terres de leurs voisins et à enlever leurs filles, pour se procurer par la force, des femmes qu'on refusoit de leur donner volontairement. C'est du sein de ce peuple cependant, que sortirent ces loix admirables, par lesquelles les rois de Rome jettèrent les fondemens de sa grandeur et de sa prospérité; c'est lui qui vit élever ces monumens magnifiques, qui ont bravé par leur solidité les efforts de tant de siècles, et dont se glorifieroient les empires les plus vastes et les plus puissans.

Cicéron n'en savoit guères plus que nous sur ce point. Ici, il dit que Romulus pour peupler sa nouvelle ville, fut réduit à en faire un asyle d'avanturiers et de bergers (1); là, que du tems de ce prince, les lettres avoient déjà fait de grands progrès. Ailleurs, il ne peut croire, que la philosophie de Pythagore, qui avoit jetté un si grand éclat, dans cette partie de l'Italie, que l'on appelloit la Grande-Grèce, ne fut pas parvenue jusques à Rome, qui en étoit si voisine (2). Nous allons examiner jus-

---

(1) *De orat.* I. 9. *Pro Cornel. Balbo.* 13.

(2) *Fragm. reip. Lib.* III. *Apud August. de civit.* XXII. 6. *Tusculan.* IV. 1.

ques à quel point cette dernière conjecture est fondée. Mais auparavant rappellons le mystère et la réserve, que mettoient parmi les anciens dans la communication des sciences, les principaux des états et sur-tout les prêtres, qui en étoient presque par-tout les gardiens et les dépositaires exclusifs. Ils n'en faisoient part qu'aux membres de leur corps, de la capacité et de la discrétion desquels, ils s'étoient assurés par des épreuves réitérées. Ils rédigeoient rarement par écrit les résultats de leurs recherches et de leurs méditations; et quand ils le faisoient, ils cachoient les livres qu'ils avoient composés, avec autant de soin, que les connoissances, qu'ils renfermoient. Cette pratique étoit uniforme dans l'antiquité. On la retrouve par-tout en Orient, en Occident, en Egypte, en Perse, chez les Celtes, les Grecs, les Romains, etc. Elle existe encore aux Indes. De là vient la manie de presque tous les peuples, de cacher avec soin leurs livres sacrés: car, dans le principe, la religion consistoit principalement dans la connoissance de la nature, ainsi que Cicéron lui-même l'a dit dans plusieurs endroits.

Les sectes philosophiques, qui dans des

tems plus modernes, partagèrent avec les prêtres le dépôt des sciences, le gardoient avec autant de réserve qu'eux. Les philosophes avoient une double doctrine, l'une pour le vulgaire, et l'autre pour ceux de leurs disciples, qu'ils avoient reconnus dignes d'en recevoir la communication (3). Nous parlerons ailleurs de la pratique si connue des Pythagoriciens à cet égard. Cicéron lui-même atteste d'une manière bien positive, que l'usage des Académiciens étoit de cacher leurs véritables opinions, et de ne les revéler qu'à ceux, qui avoient persisté dans leur secte, jusques à la plus extrême vieillesse; et Platon dit tout aussi clairement, « qu'il n'a jamais écrit un mot, et qu'il n'écrira jamais rien sur les maximes de la vraie philosophie, qui ne doivent pas, comme celles des autres sciences, être confiées au papier qui nous échappe, mais à la mémoire, lorsqu'elle est sage et discrette ».

Platon justifie ce procédé, en disant, qu'il ne faut point exposer par une révélation in-

(3) Voyez le Fragment de la lettre d'Aristote à Alexandre, qu'Aulugelle nous a conservé. XX. 5.

discrette, les mystères de la nature au mépris de l'ignorance et du vice (4). Tous les esprits ne paroissent pas capables de les bien saisir. Combien d'ailleurs qui sont portés à en abuser, et qui ne sachant discerner le point, où il faut s'arrêter, s'enfoncent témérairement dans l'abîme des discussions philosophiques? Alors, même les plus habiles, suivant la comparaison ingénieuse de Cicéron, ressemblent à ces plongeurs, qui, lorsqu'ils sont dans l'eau, voyent très-obscurément les objets qui sont à leur entour, et pas du-tout ceux qui sont au-dessus d'eux (5). Les sciences étoient cultivées en silence, par des hommes d'une capacité éprouvée, au milieu du calme des passions rallenties par l'âge ou subjuguées par de longs efforts. Il est arrivé de là que les connoissances des anciens ont péri avec les corps, qui en étoient les gardiens. A peine en est-il échappé quelques débris, qui donnent une grande idée de l'ensemble.

C'étoit sans doute dans ces mystères si fameux de l'antiquité, que ces débris s'étoient

---

(4) *Platon. epist.* 3. 7.
(5) *Fragm. Acad.* II. *Non. urinari:*

le plus long-tems conservés. Cicéron, comme nous l'avons vu dans le sixième livre, dit *qu'on y apprenoit plutôt à connoître la nature des choses, que celle des dieux*. La science de la religion, ainsi qu'il le dit encore, étoit jointe à celle de la nature; les systêmes théologiques, n'étoient que des systêmes physiques, dont on méconnut ensuite l'origine, parce qu'on perdit l'intelligence des allégories et des emblêmes, qui les enveloppoient. La doctrine des mystères et la manière d'y enseigner, étoient les mêmes que celle des écoles des philosophes, et principalement des Pythagoriciens. Orphée passoit pour être l'instituteur des mystères. Le pythagorisme remontoit jusques à lui, comme nous le verrons plus bas. Il n'y avoit que les initiés à qui on revéla le secret des mystères, après les avoir fait passer par plusieurs épreuves. Ils ne pouvoient les publier sous des peines graves.

Voyons à présent quel fut à Rome l'état des sciences, dans les premiers tems; de quel pays elles y étoient venues. Nous verrons ensuite comment s'y introduisit la philosophie moderne des Grecs, et comment elle y causa une grande révolution dans les mœurs, les usages et par une suite nécessaire , dans le gouvernement.

§. I. *De la Grande-Grèce.*

Cicéron parle en plusieurs endroits en termes magnifiques de la Grand-Grèce, des villes nombreuses et puissantes, qui l'avoient décorée, mais dont tout l'éclat avoit disparu de son tems (6). Quoique l'époque de leur plus grande prospérité n'eut précédé le siècle de Cicéron que de trois ou quatre cents ans, il parle de leur histoire avec autant d'incertitude , que nous pourrions le faire nous-mêmes. Aucun des hommes illustres que ces villes avoient produits, ou dont elles avoient été le séjour, ne s'étoit-il occupé d'en écrire les Annales ? ou bien faisoient-elles de leur histoire un mystère, comme du reste des sciences (7) ? Quel fond doit-on faire sur ce

---

(6) *Tuscul.* I. 1. 16. IV. 1. 2. *De amicit.* 4. *Frag. Timœ. princip..*

(7) Les Tarentins avoient l'histoire de leurs Bouffons, mais non celle de leurs princes. *Mém. de Litt. tom.* 6. *p.* 21. Des fragmens de Diodore et le vingtième livre de Justin, remplis de fables et d'invraisemblances,

qu'on nous raconte des premiers siècles de Rome , quand on est si embarassé sur des tems plus récens et plus éclairés ?

Le pays auquel Cicéron donne le nom de Grande-Grèce , forme aujourd'hui une portion du royaume de Naples. Il s'en faut de beaucoup que son étendue égale celle de la Grèce proprement dite. Il n'est pas aisé de dire d'où lui est venue la dénomination de Grande - Grèce. Elle auroit d'abord appartenu à l'Italie entière , si l'on en croit Justin , parce qu'on y trouvoit par-tout des établissemens et des colonies grecques , et elle ne devint partticulière à la partie méridionale , que parce que ces établissemens y dominoient plus qu'ailleurs (8). Cette opinion est très-vraisemblable. Rome même, comme nous l'avons vu

---

voilà les sources principales de l'histoire de la Grande-Grèce. Cicéron ne parle pas avec plus d'assurance, de celle de la Sicile, que quelques-uns comprennent aussi sous le nom de Grande-Grèce. *Act.* II. *in Verr.* IV. 21. Il y avoit cependant été Questeur. Il l'avoit parcourue à diverses reprises. L'oraison *De signis* contre Verrès , en décrit les plus beaux monumens.

(8) *Danville Géograf. anc. tom.* 1. *p.* 207.

ailleurs, avoit un nom et une origine grecque (9).

L'extrême population de la Grèce, les dissentions de ses habitans furent, suivant Heyne, la principale cause de ces nombreuses colonies, qu'elle envoya en Italie; où elles étoient d'ailleurs attirées par la beauté du climat et par la fertilité et la dépopulation du pays (10). Il n'est point de mon sujet de parler en détail de l'origine et de l'histoire des diverses colonies de la Grande-Grèce. Je dirai seulement que les plus célèbres, furent Crotone, Sybaris, ensuite Thurium, Métapont, Locres, Elée, etc. (11)

§. II. *De la Doctrine de la Grande-Grèce.*

Les colonies de la Grande-Grèce devoient principalement leur célébrité aux philosophes et aux législateurs, qui l'avoient éclairée par leur

(9) Voyez ci-dessus *Liv.* I. *not.* 2, et les premiers livres de Denys d'Halycarnasse.

(10) *Heyne. opuscul. academ. vol.* 2. *p.* 12.

(11) Strabon, *Lib.* VI. *p.* 175, date les établissemens des Grecs en Italie, du tems de la guerre de Troie. On sait combien cette époque est encore incertaine. Pour de plus grands détails, voyez l'ouvrage de Heyne

doctrine et rendue heureuse par leurs loix. Le plus illustre de ces sages étoit Pythagore, originaire de Samos, et qui après de longs voyages par mer et par terre, étoit venu se fixer dans cette contrée. On le regarde communément, comme l'auteur de la philosophie de la Grande-Grèce. Cependant Cælius Rhodiginus avoit soupçonné, et ensuite Fréret et Heyne ont démontré, que la doctrine attribuée à Pythagore étoit antérieure à ce philosophe; qu'elle s'étoit accumulée pendant une longue suite de siècles, et qu'on ne l'avoit donnée ensuite sous son nom, que parce qu'il en avoit peut-être mieux saisi l'ensemble, ou qu'il l'avoit accrue par de nouvelles découvertes. Les deux derniers savans, dont je viens de parler, ont prouvé que Zaleucus et Charondas, législateurs célèbres de la Grande-Grèce, qu'on faisoit disciples de Pythagore, avoient vécu avant lui (12). Nous avons vu

---

que je viens de citer, et les Mémoires de Ste.-Croix, dans les derniers volumes de l'Académie des inscriptions.

(12) *Caelius Rhodigin. Antiq. lect.* XIX. 7. *Heyne loc. citat. Freret, Mém. de Littér. tom.* 14. *p.* 387.

ailleurs

ailleurs qu'on étoit tombé dans la même erreur, à l'égard de Numa. Cela venoit de la conformité que l'on appercevoit entre la doctrine de Pythagore et celle de tous ces fameux personnages. Mais s'ils avoient vécu avant lui, il est bien évident, qu'il n'étoit point l'inventeur de la doctrine qu'ils avoient professée (13). Telle étoit cependant sa célébrité,

---

et suiv. L'époque que Fréret et Heyne assignent à Zaleucus et à Charondas est très-incertaine. Car il est fort douteux, que le premier ait jamais existé. Timée l'a nié, pour contredire Théophraste, qui, ainsi qu'Aristote en a parlé, comme d'un personnage réel. Cicéron n'a osé prononcer entre eux. *De legib.* II. 6. *Ad Attic.* VI. 1. On varioit encore extrêmement sur son compte. Les uns en faisoient un berger, les autres un homme puissant.

St-Jérôme, *contr. Rufin. Lib.* III. *p.* 469, semble dire qu'on voyoit encore de son tems, dans les villes de la Grande-Grèce, les sentences des vers dorés attribués à Pythagore, gravés sur l'airain, et affichés publiquement. Les vers dorés n'étant pas de lui, cela ne devoit pas être bien ancien. On n'affiche la morale sur les murs, que quand elle est effacée dans les cœurs.

(13) Heyne prétend que les colonies établies dans la Grande-Grèce, y avoient apporté les coutumes, les mœurs, la religion et les loix de leurs métropoles.

que toutes les Sectes vouloient lui appartenir de quelque façon que ce fut ; et pour cela on ne s'embarrassoit pas trop, si la chronologie s'accordoit avec les faits, que l'on débitoit.

La vie et la mort de Pythagore sont encore remplies d'incertitude et d'obscurité. Les uns le font mourir dans son lit à Métapont, où il avoit trouvé une retraite, après avoir été obligé de quitter Crotone ; et les autres d'une mort violente, à la suite d'une sédition que l'envie, la jalousie qu'excitoit, et l'ombrage que faisoit une secte, qui renfermoit en elle toutes les lumières, avoient suscité contre lui. Son

---

Dans un mémoire sur les Orphiques, qui se trouve dans le ving-troisième volume de l'Académie des inscriptions, on prouve que le Pythagorisme n'étoit qu'une branche de cette secte, qui remontoit aux siècles les plus reculés de la Grèce. Orphée qu'on en croyoit le fondateur appartient aux tems fabuleux. Aristote, au témoignage de Cicéron, doutoit qu'il eût jamais existé. D'illustres savans modernes ne le regardent, que comme un personnage allégorique. D'autres pensent que Pythagore apporta de l'Egypte, les préceptes et le régime, qu'il prescrivit à ses disciples. Tout n'est que ténèbres et contradictions.

école en fut même, suivant quelques-uns, totalement dispersée. Mais les Pytagoriciens furent rappellés bientôt après. Leur crédit n'en devint que plus grand et leur école que plus florissante (14).

Tandis qu'on se battoit à Rome contre les Véïens, les Fidénates, les Tarquins; à Crotone, à Vélie, à Tarente, à Locres, on s'occupoit de problèmes de géométrie, d'astronomie; on faisoit des chefs-d'œuvre de méchanique. On y creusoit les idées les plus profondes de la théologie naturelle. Enfin on y dressoit des plans de morale et de politique, pour le bonheur des villes et des familles (15). L'école de Pythagore embrassoit toutes ces sciences; et c'est à juste titre que Cicéron dit, que les Pythagoriciens étoient seuls réputés Savans (16).

---

(14) *Mémoir. de Littérat. tom.* 45. *p.* 307.

(15) *Ibid. tom.* 29. *p.* 242.

(16) *Tuscul.* I. 16. Pythagore passoit pour très-instruit dans l'art des Augures et de la divination, qui étoit alors la science de la nature. On lui attribuoit des découvertes importantes en géométrie; et y il a apparence, comme nous le disons ailleurs, qu'il connoissoit le vrai système du monde. Archytas un de ses dis-

Pythagore suivant la coutume de tous les anciens sages, n'avoit rien mis par écrit. Sa doctrine étoit toute en allégorie ; et ceux qu'il jugeoit à propos d'y initier après de longues et pénibles épreuves, connoissoient seuls le sens des énigmes et des nombres, sous lesquels il l'enveloppoit (17). Le régime qu'il avoit imposé à ses disciples étoit très-sévere.

---

ciples les plus célèbres, étoit à-la-fois grand géomètre, grand méchanicien, grand musicien, grand magistrat, grand général. *Mem. de Litt. tom.* 17. *p.* 58. On cite de lui une colombe qui voloit pendant un tems déterminé. *Gell.* X. 12. Ocellus Lucanus autre disciple de Pythagore, dit que l'eau n'est qu'un air condensé. On en avoit ri, jusques à ce que la chymie moderne ait prouvé, qu'il avoit dit vrai. *Mém. de Litt. tom.* 29. *p.* 260. *Senec. natur. Quæst* III. 9. 10. Empédocle, également disciple de Pythagore, physicien et poète, se vante dans un poème, dont Diogène nous a conservé un fragment, d'exercer sur les élémens l'empire le plus étendu. Il fut du moins très-utile à Aggrigente sa patrie, par ses profondes connoissances en physique et en histoire naturelle. *Mem. de Litt. tom.* 10. *pag.* 54.

(17) *De nat. deor.* I. 26. *Tusc.* I. 17. Sur les nombres de Pythagore, voyez les Traités divers de Plutarque, et sur-tout *Isis et Osiris* ; *Pourquoi les Oracles ont*

Ils formoient une espèce de secte religieuse. On croit que leur régime avoit été imité de celui des prêtres égyptiens.

Tout ce qu'on sait de la doctrine de Pythagore a été recueilli des écrits de ses disciples. Le mystère qu'il en faisoit est cause qu'il y a de l'incertitude sur divers points. Ce que Ciceron dit de l'ame universelle, qui donnoit la vie et le mouvement à la matière, et étoit la source des ames humaines, fait partie de la doctrine Pythagoricienne, dont on trouve les bases principales dans le songe de Scipion. On croit communément que Pythagore enseignoit la métempsycose, et que les ames se purifioient, en passant par les corps de différens animaux. Mais des écrivains très-instruits ont prétendu que cette doctrine n'avoit été imaginée que pour le peuple, et que

---

cessé ; *Panth. aegypt. proleg. cap.* 50. *et seq.*, et Meursius, *Denar Pythag.* Cette manie des allégories étoit si grande chez les Orientaux, qu'ils ont voulu en trouver partout et principalement dans les livres sacrés. Il n'est pas de rêveries et d'extravagances, que cette idée n'ait produites. Les nombres de Pythagore en ont aussi enfanté un bon nombre.

la véritable opinion de Pythagore étoit, que les ames humaines venoient, après leur séparation d'avec le corps, se refondre dans l'ame universelle, dont elles étoient émanées (18). Cette doctrine étoit encore universelle, chez les anciens. Les Indiens l'ont conservée jusques à présent (19).

Les Pythagoriciens avoient beaucoup écrit sur la politique. On trouve dans Stobée, plusieurs fragmens de leurs ouvrages sur cette matière. On y apperçoit qu'ils avoient fait de la religion et de la morale, les fondemens de leurs institutions (20). On voit encore par ces

---

(18) Voyez l'entretien d'Anacharsis et d'un Samien, dans *le Voyage d'Anacharsis. tom.* 8. Le dogme de la métempsycose étoit très-répandu en Italie, du tems d'Ennius. *Lucret. de rer. natur. Lib.* I. 119.

(19) Cette doctrine étoit sur-tout celle des philosophes de la Grande-Grèce. *De amicit* 4. *De sen.* 21. *Tuscul.* I. 12. 16. *Fragm. timœi.* Mais pour que les ames pussent se rejoindre à leur principe, il falloit qu'elles se fussent purifiées des souillures, qu'elles avoient contractées, pendant leur séjour sur la terre.

(20) Voyez les fragmens du Traité *de la Justice* et *de la loi* d'Archytas, *de l'art de régner* de Diotogène et de Sthénidas, etc.

fragmens, qu'ils pensoient, que le meilleur des gouvernemens étoit celui qui résultoit du mélange de la royauté, de l'aristocratie et de la démocratie, opinion que Cicéron à soutenue dans le second livre de la république, d'après Archytas et Platon. Ainsi aucune des vérités, qui avoient éclairé ou consolé la terre, n'avoit échappé au pythagorisme. Ce fut la source où toutes les autres sectes vinrent puiser (21).

L'école de Pythagore qui étoit dans son plus grand lustre au tems de Platon, déchut peu-à-peu depuis cette époque. Les préceptes des Pythagoriciens n'avoient pu arrêter dans les villes de la Grande-Grèce les progrès du luxe et de la mollesse. Ils étoient déjà si excessifs, lors du voyage qu'y fit Platon, que ce philosophe en fut scandalisé. *Se gorger de mets deux fois par jour*, écrivoit-il aux parens et aux amis de Dion, *ne coucher jamais seul pendant la nuit, et autres choses semblables; voilà leur genre ordinaire de vie.* La division se mit encore parmi les habitans, et toutes ces causes réunies contribuèrent à la perte

(21) Photius, *Biblioth. p.* 1315.

de leur liberté et facilitèrent la conquête que les Romains firent de la Grande-Grèce. Elle étoit entièrement barbare au tems de Cicéron, si l'on excepte un petit nombre de villes, qui avoient conservé quelque goût pour les lettres (22).

§. III. *Des Sciences chez les premiers Romains.*

Les lumières qui brilloient avec tant d'éclat dans la Grande-Grèce, se propagèrent-elles jusques à Rome du tems de ses rois, comme le conjecture Cicéron ? Tout nous porte à le croire. La perfection de la législation romaine, dès son principe, prouve qu'elle avoit été établie, par des hommes au moins aussi éclairés, que ceux qui avoient donné des loix à la Grande-Grèce, même long-tems avant Pythagore. A Rome, comme dans la Grande-Grèce, on affecta d'attribuer à ce philosophe une doctrine et des usages, qui avoient existé avant lui, et de lui donner

---

(22) *Plat. epist.* 7. *Cicer. Tusc.* V. 35. *Pro Arch. poet.* 3. *Mém. de Litt. tom.* 45. *p.* 310. *et suiv.*

des disciples, qui l'avoient précédé dans l'ordre des tems (23).

Romulus et Numa étoient, comme Pythagore, très-instruits dans l'art des Augures et de la divination. Comme lui encore, Numa étoit savant en astronomie, puisqu'il fixa l'année chez les Romains, et leur apprit à accorder le cours du soleil et de la lune, par le moyen des intercalations, dont il chargea expressément le corps sacerdotal. Il avoit quelque idée du vrai système du monde, puisqu'il fit construire le temple de Vesta de forme ronde, « voulant représenter, dit Plu-» tarque, la figure du monde, au centre du-» quel les Pythagoriciens placent le feu, dont » Vesta est l'emblème (24) ».

Pline et Tite-Live assurent encore que

---

(23) *Tusculan.* IV. 1. 2. Plutarque, *Quest. rom. ch.* 10, parle d'un Castor qui avoit fait un parallèle *des institutions Romaines et Pythagoriciennes.* Numa vécut avant Pythagore, comme Zaleucus et Charondas : cependant une erreur commune les lui donnoit tous pour disciples. La doctrine attribuée à Pythagore étoit donc connue à Rome, comme dans la Grande-Grèce, long-tems avant lui.

(24) *De leg.* II. 8. *Plutarch. in Numa.*

Numa connoissoit le secret de faire descendre à volonté le feu du ciel (25). C'est sans contredit celui, qu'on a retrouvé de nos jours.

Les sciences à Rome, comme chez tous les anciens peuples, étoient enveloppées du secret et du mystère. Les prêtres en étoient les principaux gardiens. Nous avons vu ailleurs, comment les Patriciens étoient parvenus à dérober pendant long-tems au peuple, la connoissance du droit. Les Augures juroient de

---

(25) *Liv. lib.* I. *Plin. histor. natur.* II. 54. Ovide, *fastor*, III. v. 285. *et seq.* et Arnobe, *advers. Gent. Lib.* V. *princip*, racontent comment Numa surprit ce secret aux dieux Faunus et Picus, en les faisant ennivrer. C'étoit sans doute quelque ancienne allégorie, que les Annalistes romains avoient défigurée. Ovide n'en dit pas moins d'une manière positive, qu'il y avoit un art d'arracher Jupiter, emblême de la foudre, de sa demeure céleste. Il lui donne le surnom d'*Elicius*, ainsi que Pline, qui parle encore des surnoms de *Stator*, *Tonans*, *Feretrius*, donnés également à Jupiter, et qui expriment les diverses manières, dont la foudre agit. Le vers 833 du livre IV. des fastes d'Ovide, semble faire entendre, que Romulus connoissoit comme Numa l'art d'exciter le tonnerre. Ils étoient l'un et l'autre très-experts dans la science des Augures.

La divination par les pointes *ex acuminibus*, dont

ne révéler à personne la science augurale. Les livres qui la renfermoient s'appelloient les *Livres* par excellence. On les cachoit soigneusement au vulgaire (26).

Une des principales fonctions des Augures étoit de veiller à la conservation des vignes, des nouveaux plants, etc. (27) Leur science, comme celle des Haruspices, étoit donc fondée dans le principe sur des observations d'agriculture, de physique et d'histoire naturelle. Ce ne fut plus qu'un charlatanisme, lorsqu'on voulut en faire l'application à la politique, et deviner les évènemens futurs, par les mêmes

---

Cicéron fait mention, *De natur. deor* II. 3. et *De divinat.* II. 36, indique un autre procédé électrique. La plupart des commentateurs, par une modestie rare parmi eux, ont avoué ne rien entendre à ces passages. Ceux qui ont prétendu qu'ils étoient relatifs à ces feux, que l'on voyoit quelquefois à la pointe des piques, au rapport de Pline et de Sénèque, ont le plus approché du vrai. *Joann. faber. lexic. vo. acumen.* Il falloit cependant qu'on excita ces feux à volonté, puisque c'étoit un auspice militaire, que les soldats prenoient avant d'aller au combat. *Arnob. advers. Gent. Lib.* II.

(26) *Pro domo.* 15. *Mém. de Litt. tom.* 4. *p.* 21. *De natur. deo.* II. 4. *Ad Attic.* IX. 11.

(27) *De legib.* II. 8.

moyens qu'on prévoyoit les variations de l'atmosphère.

Le foyer de cette science étoit dans l'Etrurie, séminaire des Augures et des Haruspices romains (28). Sénéque nous a conservé quelques-unes des explications, que l'on y donnoit des météores et des autres phénomènes physiques. Elles sont excessivement ridicules (29). Mais alors la grande science de la nature étoit entièrement dégénérée. On avoit perdu la clefs des emblêmes, qui la couvroient (30). Il n'en étoit pas ainsi dans les premiers siècles de Rome. Pline rapporte que le roi Porsenna se défit d'un monstre, qui ravageoit le territoire des Volsiniens (Bolsennna), en y faisant tomber la foudre dessus (31). C'étoit le secret de Numa.

---

(28) *De natur. deor.* II. 4. *De divinat.* I. 18. 41.

(29) *Senec. natur. quœst* II. 32. 34. 41. 47. *et seq.*

(30) Cicéron lui-même, dans les livres *de la divination*, prend pour un personnage réel ce *Tagès*, que les Etrusques faisoient l'inventeur de l'agriculture, et dans lequel les savans modernes, n'ont apperçu qu'un personnage allégorique, emblême de ce premier des arts. *Mond. primit. tom.* 1. *p.* 49. 60.

(31) *Plin. histor. natur.* II. 54. Plus de neuf siècles

Ce dernier prince par un autre trait de conformité avec Pythagore, ne mit pas même

---

après Porsenna, lorsqu'en l'an 408 de notre ère, Alaric vint assiéger Rome, des Toscans assurèrent le préfet de la ville, qu'en suivant des rites connus dans leur pays, ils pourroient exciter la foudre et le tonnerre, et s'en servir, pour mettre en fuite l'ennemi redoutable, qui la pressoit. Ils citoient une épreuve récente qu'ils avoient faite de ce moyen. Le sénat délibéra gravement sur cette proposition; et le Pape innocent I, qui fut consulté, faisant, dit Zosime, *Lib.* V. *p.* 106, céder ses opinions au salut de la ville, consentit à ce que l'on tenta cette expérience. Mais ces charlatans pris au mot, n'eurent sans doute aucun succès, puisque ce fut avec de l'or et non avec la foudre, qu'on renvoya pour cette fois Alaric.

Les Etrusques et les Romains croyoient encore d'avoir le secret de transporter les moissons d'un champ dans un autre; d'attirer la pluie dans un lieu donné, ou de l'en détourner. Cicéron, *Apud August. de civ.* VIII. 18. *Serv. in Virgil. Eclog.* VIII. Les loix des XII Tables avoient des dispositions à ce sujet. *Senec. natur. quæst* IV. 7. Columelle, *De cultu hortor.* v. 338. *et seq.*, dit, que parmi les rites sacrés des Toscans, il y en avoit pour détourner les tempêtes, et calmer la fureur des vents. Constantin et Justinien en proscrivant les opérations magiques, eurent la bonhomie d'excepter celles, qui tendroient à garantir de la pluie ses loix par écrit; il y avoit enfin des mystères de la bonne déesse, qui remontoient à Rome au tems des rois (32).

Le gouvernement romain étoit précisément celui, que l'école de Pythagore jugeoit le plus parfait. On admire encore la magnificence et la solidité des monumens, qu'on attribue à quelques-uns des rois de Rome. La sagesse des loix qu'ils firent n'est point contestée. Cicéron mettoit celles des XII Tables au-dessus des productions de tous les philosophes. Quel peuple mérite de passer pour sage et pour éclairé, si celui-là ne le fut pas, dans les tems dont nous parlons? Ceux qui fondèrent, accrurent et illustrèrent la république,

---

et de la grèle les vendanges en maturité. *Cod. Theod.* et *Justin. De malefic. et Mathem.* De pareilles opinions auroient-elles pu venir dans l'esprit des hommes, si l'expérience ou la tradition confuse des anciennes connoissances ne les y avoit fait naître? on me dira peut-être, qu'il y a dans nos codes des loix, contre les sorciers, qui ne prouvent pas qu'il en existe. J'en conviens. Elles prouvent du moins, qu'on a cru de tous les tems, qu'il y avoit eu autrefois des hommes, qui avoient le secret de faire des choses extraordinaires.

(32) *De Haruspic. respons.* 7. 17.

en savoient sans doute un peu plus, que ceux qui la bouleversèrent et la détruisirent.

Cicéron accuse la noblesse de Rome d'avoir par sa négligence laissé tomber la science des Augures et des Haruspices. Car les nobles ou les Patriciens, comme nous l'avons dit si souvent, composoient d'abord seul le corps sacerdotal. On ne sauroit assigner l'époque de cette honteuse décadence.

§. IV. *De la Philosophie moderne des Grecs.*

Cicéron prétend que si le nom de philosophie est moderne, la chose est bien ancienne. Il l'a fait remonter aux siècles héroïques et même jusques aux tems fabuleux (33). Thalès fut en effet le premier philosophe connu, et son époque, qui ne date que de l'an 582 av. J.-C., est bien récente, ainsi qu'en convient encore Cicéron (34). Il commença le premier âge de la philosophie, qui dura jusques à Socrate.

Celui-ci pensa que la seule science digne d'occuper les hommes consistoit dans la mo-

(33) *Tuscul.* V. 3.

(34) *Fragm. philosoph. apud Lactant.* III. 15.

rale; que la connoissance des choses célestes, les recherches sur l'origine et le principe des choses, la grandeur et la marche des corps célestes auxquelles les philosophes, qui l'avoient précédé, s'étoient exclusivement livrés, quand même elles seroient aussi solides, qu'elles étoient vaines, ne pouvoient jamais rendre les hommes ni meilleurs, ni plus heureux. Il fut donc le premier à faire descendre la philosophie du ciel, à la placer dans les villes, et à ne l'employer qu'à traiter des bonnes mœurs, du bien et du mal, des vertus et des vices (35).

Ce reproche fait aux anciens philosophes d'avoir négligé la morale, pour ne s'occuper que de l'observation de la nature, n'est point fondé à l'égard sur-tout de Pythagore, qui suivant Cicéron lui-même, avoit donné des loix à la Grande-Grèce, et qui d'ailleurs apprenoit dans son école, non à discourir sur la morale, mais à la pratiquer. Socrate ne fut donc que le père de cette philosophie raisonneuse, de l'utilité de laquelle tout le monde n'est pas d'accord. On eut même de son vivant

(35) *Tuscul.* V. 4. *De orat.* III. 15.

de

de grandes préventions contre lui à Athènes (36).

Quoiqu'il en soit Socrate n'étoit point dogmatiste. Il n'affirmoit jamais rien, et se contentoit de réfuter les opinions d'autrui. Tout ce qu'il savoit, c'est qu'il ne savoit rien (37); étrange manière d'enseigner la morale. Il n'a rien laissé par écrit. Platon et Xénophon deux de ses disciples les plus distingués, lui ont fait dire, tout ce qu'ils ont jugé à propos. Le premier passe sur-tout pour avoir mis sous son nom ses propres idées. Il fait soutenir une infinité de dogmes à un homme, qui avoit la réputation de n'avoir jamais rien affirmé.

Nous ne suivrons pas Cicéron dans le détail qu'il donne des sectes, qui sortirent de l'école de Socrate. Toutes voulurent avoir cet honneur. On appelloit *Plébeïens* les philosophes, qui y étoient étrangers (38). Les

---

(36) *Voyag. d'Anachar. ch.* 67. Voyez encore l'opinion qu'en avoit Caton l'ancien, ci-après *note* 49.

(37) *Tuscul.* V. 4. *Acad.* I. 4.

(38) *De orat.* III. 15. *seq. Tus.* I. 24. *Ac.* I. 2. 4. IV. 44. Speusippe, neveu et successeur de Platon, forma la secte des Académiciens, tandis qu'Aristote et Xéno-

deux premières et les deux principales furent celles des Académiciens et des Péripatéticiens. Mais ces sectes différentes par le nom, s'accordoient sur le fond des choses. Toutes leurs disputes ne rouloient, que sur des mots. La jalousie, le plaisir de contredire ou de se distinguer, l'orgueil, l'antipathie formoient des sectes. Elles créoient de nouveaux mots, quand elles ne pouvoient imaginer des choses nouvelles. C'est ainsi qu'en usa Zénon, fondateur du Stoïcisme. C'étoient, comme dit Cicéron, non des philosophes, mais des hommes toujours prêts à disputer (39). Ils ne se ménageoient pas dans leurs disputes. Ils se faisoient les reproches les plus sanglans, et se disoient les in-

---

crate furent les chefs des Péripatéticiens. Antisthènes, autre disciple de Socrate, fonda les Cyniques, qui sous Zénon produisirent les Stoiciens. Aristippe qui se plaisoit dans les disputes sur la volupté, fut le chef de la secte Cirénaïque, d'où vinrent ensuite les Epicuriens. Il y eut encore les Hérilliens, les Mégariens, les Pyrrhoniens, qui tous vouloient appartenir à Socrate. La plupart de ces sectes passèrent, comme un éclair. Il n'en étoit plus question du tems de Cicéron.

(39) *Fragm. lib. philosoph. apud Aug. de Trin.* XIII. 5.

jures les plus grossières. Suivant les Stoiciens Epicure étoit un hébèté et un rustre (40). D'autres ridiculisoient la manière subtile et épineuse, dont les Stoiciens disputoient (41).

Le résultat de leurs recherches et de leurs disputes, ne fut pas d'une grande utilité, pour la société. Quoique les Académiciens et les Péripatéticiens eussent abandonné le doute de Socrate, et qu'à l'exemple des Pythagoriciens, ils se fussent adonnés à l'étude et à la contemplation de la nature, leur physique fut toujours mauvaise et souvent ridicule. L'histoire des animaux d'Aristote est le seul monument dans ce genre, qui ait mérité l'attention de la postérité.

Leurs argumens sur le droit et la justice, ne servirent la plupart du tems, qu'à obscurcir les vérités les plus certaines et les plus utiles au genre humain. Epicure sur-tout en combattant la providence et l'immortalité de l'ame, en sappant ainsi les fondemens de toute religion, contribua beaucoup au bouleversement

(40) *De finib.* II. 25. *De divnat.* II. 50. *Ad famil.* VII. 26.

(41) *De finib.* III. 1. 2. IV. 1.

des républiques grecques, et même de celle de Rome, où sa doctrine eut une grande vogue.

Parmi toutes ces sectes, Cicéron avoit choisi celle des Académiciens. Elle avoit de son tems éprouvé bien des variations, et elle languissoit dans la Grèce même, faute de sujets capables de lui faire honneur (42). Car, s'il est si peu de personnes, dit Cicéron, qui approfondissent bien un système, n'est-il pas plus rare encore d'en trouver, qui les possèdent tous, comme doit les posséder quiconque embrasse un parti, où il s'agit de parler et pour et contre tous les philosophes, dans la vue de trouver la vérité ? Les Académiciens modernes étoient revenus au doute de Socrate. Leur irrésolution n'étoit cependant pas telle, qu'ils ne sussent où s'arrêter. Ils ne disoient pas qu'il n'y eut rien de vrai, mais seulement que

---

(42) Arcésilas, Académicien célèbre, renouvella le doute de Socrate, dont les premiers Académiciens s'étoient écartés. On l'accusa pour cela d'avoir mis le désordre dans la philosophie. Carnéades modifia un peu ses opinions. C'est à cause de ces variations des Académiciens, qu'on divisa l'Académie en ancienne, moyenne et moderne. *Acad.* I. 4. 12. IV. 5. 21. 24, *et passim.*

le faux étoit tellement mêlé avec le vrai, et y ressembloit si fort, qu'il n'y avoit point de marque certaine, pour les distinguer sûrement. La probabilité à défaut de l'évidence devoit être, suivant eux, la règle du sage (43).

Cicéron a prouvé la prééminence d'un Académicien sur tous les autres philosophes, en le mettant aux prises avec eux, d'une manière aussi vive qu'agréable, dans un fragment précieux, qui nous a été conservé par St.-Augustin. « Toutes les sectes, dit-il, qui font profession de sagesse, donnent le second rang » au sage de l'académie, en prenant, comme » de raison, le premier pour elles. Mais celui » qui est le second, au jugement de tous, » peut, à juste titre, se regarder comme le » premier. Faites, par exemple, comparoître » un Stoicien ; car, c'est principalement con-

(43) *Academ.* IV. 2. *De natur. deor.* I. 6. *De off.* II. 2. Il faut cependant observer que le doute et l'irrésolution des Académiciens, cessoient quand il s'agissoit des loix, de la justice, de la vertu et du vice. Là, ils parloient en affirmant et en *régentant*, comme dit Montaigne à l'égard de Platon. Cette observation se vérifie encore mieux dans Cicéron.

» tre ceux de cette secte, que s'enflamme le
» génie des Académiciens. Si vous demandez
» donc à Zénon ou à Chrysippe, quel est le
» vrai sage, il vous répondra sans hésiter,
» que c'est celui, dont il a fait le portrait.
» Epicure au contraire, ou tout autre phi-
» losophe d'un sentiment opposé, le niera,
» et soutiendra que son sage, occupé sans
» cesse à se procurer du plaisir, est le véri-
» table. Delà naissent des débats. Zénon et
» tout le portique crient en tumulte, que
» l'homme n'est né que pour l'honnête, qui
» gagne les cœurs par son seul éclat, sans
» être accompagné d'aucun avantage exté-
» rieur, ni avoir besoin de l'appas d'une ré-
» compense ; que cette volupté d'Epicure est
» commune à tous les animaux, au rang des-
» quels il est indigne de réduire l'homme et
» le sage. Epicure au contraire appellant à
» son secours cette troupe d'hommes à demi-
» ivres, qui peuplent ses jardins, et qui,
» comme les Bacchantes, cherchent toujours
» quelqu'un, qu'ils puissent égratigner ou in-
» jurier ; vantant en présence du peuple le
» nom de volupté, les délices et la tranquil-
» lité, qui l'accompagnent, soutiendra vive-

» ment, que sans elle personne ne sauroit être
» heureux. Si, sur cette dispute, il survient
» un Académicien, il se contentera d'écouter
» les raisons de part et d'autre. S'il faisoit au-
» trement, et qu'il prit un parti, celui contre
» qui il se seroit déclaré, l'appelleroit insensé,
» ignorant, téméraire. Mais comme après leur
» avoir prêté à tous une oreille attentive, il
» finira par leur dire, qu'il ne sait qui a rai-
» son; demandez aux Stoiciens, qui vaut
» mieux d'Epicure, qui soutient qu'il est dans
» le délire, ou de l'Académicien, qui lui de-
» mande du tems, pour délibérer sur une
» chose aussi importante. Personne ne doute
» qu'il ne donne la préférence à l'Académi-
» cien. Tournez-vous ensuite vers l'Epicu-
» rien, et demandez-lui, qui il aime mieux
» de Zénon, qui l'appelle un animal, ou d'Ar-
» césilas qui lui dit : tu as peut-être raison,
» mais j'examinerai plus attentivement? N'est-
» il pas évident qu'il jugera le Stoicien in-
» sensé, et l'Académicien modeste et circons-
» pect (44) ».

---

(44) *Frag. ex libr. inc. Acad. apud Aug.* *Lib.* III. *contr. Academ.* Voyez encore *De div.* II. *cap .ult.*

§. V. *Des progrès et de l'influence de la Philosophie moderne des Grecs, chez les Romains.*

Les anciens romains se piquoient moins de science que de vertu. Ils se régloient plus par les mœurs que par les principes. Les connoissances qui existoient alors, étoient cultivées en secret par les prêtres. Le vulgaire ne s'occupoit que des devoirs et des obligations de la vie civile (45). L'introduction de la philosophie moderne des Grecs dérangea toute cette économie. Nous avons parlé ailleurs de l'étonnement de Fabricius, lorsqu'il entendit parler à la cour de Pyrrhus des principes de la doctrine d'Epicure (46). Des rhéteurs et des philosophes grecs, qui vinrent un siècle environ après s'établir à Rome, en furent chassés par des décrets du sénat (47).

---

(45) *De orat.* III. 33. 34. *Tuscul.* IV. 3.

(46) Le Voyage de Fabricius à la cour de Pyrrhus, eut lieu l'an de Rome 476, avant J.-C. 278.

(47) On prétendoit si peu que les connoisances philosophiques devinsent trop communes, que le Préteur Q. Pétilius fit brûler l'an 573, des livres qu'on préten-

Ce fut néanmoins à-peu-près à cette dernière époque que parut à Rome l'ambassade de Carnéades, de Diogènes et de Critolaus, dont il a été question dans le V. livre. Les Athéniens, suivant la remarque très-juste de Cicéron, n'auroient pas choisi des ambassadeurs si exercés dans les matières philosophiques, si les principaux de Rome n'en avoient pas eu déjà quelque teinture (48). Carnéades pour montrer la flexibilité de son talent et les ressources de son esprit, disputa fort longuement un jour pour la justice, et le lendemain pour l'injustice. Cela se passa

---

doit avoir trouvés dans le tombeau de Numa, parce qu'ils traitoient de la philosophie, et sur-tout de celle de Pythagore. *Plin. hist. natur.* XIII. 27.

Suétone, *De clar. Rhet. cap.* 1, donne pour date d'un premier décret rendu contre les rhéteurs et les philosophes, le consulat de Strabon et de Messala, l'an 591 de Rome. Il y en eut ensuite d'autres. *Gell.* XV. 11. *Plin. histor. natu. Lib.* XVII. *præfat.*

(48) Cicéron parle d'une plaisanterie faite à Carnéades par le Préteur A. Albinus, qui avoit écrit une histoire en grec. Les lettres grecques étoient donc connues alors à Rome. *Academ.* IV. 45. *Brut.* 21. *Gell.* XI. 8.

en présence d'un nombreux auditoire, et particulièrement de Galba et de Caton le censeur. Ces graves sénateurs furent effraiés des conséquences d'un savoir, au moyen duquel il seroit bientôt impossible de discerner le vrai du faux. Caton fut d'avis de renvoyer au plutôt ces ambassadeurs, sous quelque honnête prétexte, et il reprit en plein sénat les magistrats, « qui les détenoient si longue-
» ment, attendu mêmement que c'étoient des
» hommes, qui pouvoient facilement persua-
» der et faire accroire tout ce qu'ils vouloient;
» que quand il n'y auroit que cette raison,
» il falloit les renvoyer dans leurs écoles dis-
» puter avec les enfans des Grecs, et laisser
» ceux des Romains apprendre à obéir aux
» loix et aux magistrats de leur pays, comme
» auparavant (49) ».

L'avis de Caton fut suivi. Mais le goût pour la philosophie grecque s'irrita des obstacles

---

(49) *Lactant.* V. 15. *Quintil.* XII. 1. *Plutarq. vie de Caton, traduc. d'Amyot.* Le même Caton regardoit Socrate, comme un censeur et un séditieux, qui tâchoit par tout moyen de dominer en son pays, en pervertissant les mœurs et les coutumes, par des opi-

qu'on voulut mettre à ses progrès. Nous avons vu ailleurs que ce fut le second Africain, qui contribua le plus à la mettre en vogue. Caton même fut entraîné ; il apprit le grec dans sa vieillesse. La prévention contre la philosophie grecque se conserva néanmoins long-tems encore, parmi les personnes attachées à l'ancien esprit de la république. On la tournoit sans cesse en ridicule. Les plus indulgens trouvoient mauvais, qu'on perdit à une occupation qu'ils jugeoient frivole, un tems qu'on pouvoit employer d'une manière plus utile, au service de la république. Aussi n'y eut-il que l'Epicurien Amafinius, qui osa écrire sur ces matières, comme nous l'avons vu encore dans le cinquième livre. Cicéron qui les avoit étudiées dès sa jeunesse, n'en traita par ecrit que fort tard, et lorsque les révolutions de la république, en l'éloignant du timon des affaires, étoient comme la jus-

---

nions nouvelles. *Plut. ibid.* Cicéron, *De orat.* II. 66, rapporte un mot de son aieul, qui disoit : *que les Romains avoient comme les esclaves Syriens, qui etoient plus méchans, à proportion de ce qu'ils parloient mieux le grec.*

tification du travail, qu'il avoit choisi pour se distraire des malheurs publics (50).

Au milieu du débordement de cette philosophie étrangère et d'outremer, comme l'appelle Cicéron, l'ancienne philosophie italique et pythagoricienne avoit conservé quelques partisans. On connoît dans le siècle de Cicéron Publius Nigidius Figulus, son ami, dont il loue souvent la sagesse, la vertu, le patriotisme et la vaste érudition, et qu'il met de pair avec Varron, qui passoit pour le plus savant des Romains. Nous avons déjà remarqué à l'occasion de ce dernier, combien le savoir des plus habiles Romains étoit souvent ridicule et dénué de critique (51).

Nigidius avoit écrit sur l'histoire naturelle, l'astrologie, la physique, la grammaire, la théologie. Il ne nous reste de tout cela, qu'une traduction grecque d'un traité qu'il

---

(50) *Academ.* I. 1. *seq.* IV. 2. *De finib.* I. 1. *Tusc.* II. 1. V. 2. *De offic* II. 1. Cicéron fut obligé de faire un traité pour la défense de la philosophie. Il intitula ce Traité *Hortensius*, du nom de ce célèbre orateur, grand ennemi de la philosophie, et qui en étoit le principal interlocuteur.

(51) Voyez la *note* 20 du livre premier.

avoit fait sur les présages, que l'on peut tirer du tonnerre. Il avoit puisé sa doctrine dans les livres de Tagès ; et cet ouvrage contient les mêmes puérilités, que les Etrusques débitoient sur ce sujet, et dont Sénèque fait mention. On ne sauroit dire qui étoit plus risible de la science ou des savans (52).

Un autre philosophe de cette école fut Q. Sextius, contemporain de Jules-César, dont il dédaigna les faveurs, par attachement pour la liberté. Sénèque en fait le plus grand éloge. Il forma une secte, qui tomba presque en naissant (53). Les autres sectes des Grecs ne durèrent guères davantage. Leur éclat ne passa pas le siècle de Cicéron. Il n'en étoit presque plus question du tems de Sénèque (54). Il resta cependant à Rome des docteurs de sagesse, ou des hypocrites qui en faisoient une profession apparente. Tels étoient sans doute ceux, aux disputes desquels Néron

---

(52) *Cicer. ad famil.* IV. 13. *Timœus princip. Mémoir. de Littérat. tom.* 29. *p.* 197.

(53) *Senec. de ira.* III. 36. *Epist.* 59. *Nat. quaest.* VII. 32.

(54) *Senec. ibid.*

donnoit ses après-dîner (55). La secte Stoïque survécut néanmoins de quelques années à la liberté, dont elle avoit soutenu les derniers efforts. Cette secte enfanta encore les Soranus, les Thraséa, les Helvidius, etc., dont l'intrépide et fière vertu ne sut jamais fléchir devant la tyrannie. La mort ou l'exil fut la récompense de leur grandeur d'ame. On peut voir dans les derniers chapitres des Annales de Tacite, le récit aussi touchant que sublime de la condamnation des trois philosophes, que nous venons de nommer. Néron en faisant périr Thraséa et Soranus voulut, dit Tacite, assassiner la vertu même. Helvidius en fut quitte cette fois pour l'exil.

§. VI. *Des Arts et des Sciences.*

Nous allons parcourir succintement les diverses parties des arts et des sciences. Cicéron ne peut croire que Romulus, Numa, Servius Tullius, etc., aient été entièrement dépourvus d'éloquence. Comment, sans son secours, auroient-il pu manier si facilement l'esprit

---

(55) *Tacit. Ann.* XIV. 16.

du peuple, qu'ils avoient à gouverner (56)? Il ne fait cependant commencer la véritable éloquence, qu'après la fondation de la république. On vit paroître successivement un grand nombre d'orateurs. Mais leur talent ne fut long-tems que le produit brut de la nature. L'étude de la rhétorique, qui pouvoit le polir étoit défendue à Rome, par le même motif, que celle de la philosophie. L'une et l'autre parvinrent à briser les barrières que l'on vouloit y opposer, et les Grecs vinrent apprendre aux Romains l'art de raisonner et d'orner leur langage. Cette science ne s'enseignoit qu'en grec. Dans l'enfance de Cicéron, un nommé Plotius osa entreprendre de la montrer en latin. Il excita un grand concours. Cicéron ne put profiter de ses leçons, malgré l'envie qu'il en avoit, pour ménager le préjugé de ceux, qui croyoient que de pareils exercices ne pouvoient bien se faire qu'en grec (57).

Ce ne fut qu'au tems de ce grand orateur

(56) *De orat.* I. 9. Denys d'Halycarnasse prête aux premiers rois de Rome des discours, que les plus beaux tems de l'éloquence, n'auroient pas désavoués.

(57) *Frag. epist. Cicer. apud Suet. de Clar. Rhet.*

que la langue latine et sur-tout la prose, acquit son plus haut degré de perfection. Il fut lui-même le premier des orateurs de cette nation, qui mit aux choix des mots une attention particulière, et qui construisit sa phrase avec art (58).

Les vers des Saliens institués ou rétablis par Numa, l'usage de chanter dans les repas et les funérailles les louanges des grands hommes; la loi des XII Tables contre les vers diffamatoires, prouvent assez que la poésie fut connue à Rome de très-bonne heure. Il n'y eut cependant pas de poètes distingués.

---

(58) *Dial. de Caus. corr. eloq. cap.* 22. L'obscurité qui couvre l'origine des Romains, s'étend nécessairement sur celle de leur langue. Suivant Denys d'Halycarnasse, ils parlèrent d'abord grec; et cela devoit être, puisqu'il prétend que Rome étoit une ville grecque. L'asyle qu'y ouvrit Romulus, en attirant des gens de nations différentes, y introduisit une confusion dans le langage, qui produisit enfin la langue latine. Elle éprouva, comme cela arrive ordinairement, des variations successives. Elle fut rude et grossière dans son principe, à en juger par les fragmens des loix royales et des douze Tables; et encore s'il en faut croire Cicéron, *De leg.* II. 7, on en avoit adouci l'idiôme, dans

On

On en faisoit au reste fort peu de cas. Caton reprochoit à M. Nobilior, comme une chose très-honteuse, d'avoir mené avec lui un poète dans sa province. Ce poète cependant étoit Ennius (59).

Le premier poète tragi-comique fut Livius Andronicus italo-grec de naissance, et affranchi de M. Livius Salinator. Il donna sa première pièce, suivant Cicéron, l'an de Rome 514. Ennius naquit l'année d'après. Dans le même-tems parurent Nævius, Accius et ensuite successivement Plaute, Térence, Afranius, Lucilius. Ils travaillèrent presque toujours d'après des sujets grecs (60).

---

des recueils plus modernes. Quintilien, *Instit. orat.* I. 6, dit que les prêtres eux-mêmes, n'entendoient plus les vers des Saliens; et Aulugelle, XVI. 10, en dit autant des Juris-consultes, relativement au vieux langage des loix des XII Tables. Ce ne fut que vers le tems de la seconde guerre punique, que le langage romain commença à se polir un peu. La langue étrusque fut dans les commencemens la langue savante des Romains. Ils l'étudioient comme ils cultivèrent ensuite la langue grecque. *Liv. lib.* I. C'est qu'alors leurs sciences venoient principalement de l'Etrurie.

(59) *Tusculan.* I. 2. *De orator.* III. 51.

(60) *Brut.* 18. *Acad.* I. 3. *Tusc.* I. 1. *De sen.* 14.

La musique étoit connue à Rome du tems de Numa, comme le prouvent encore les chants des Saliens. Elle avoit perdu au siécle de Cicéron, l'antique gravité des modes, qu'on employoit dans les pièces de Livius et de Nævius (61).

La peinture fut cultivée de bonne-heure en Italie, chez les Etrusques. Il y avoit à Ardée, à Cère et dans d'autres villes, d'anciennes peintures, qui étoient au moins du tems d'Homère, et d'une époque fort antérieure aux habiles artistes de la Grèce (62). Fabius, surnommé Pictor à cause de son talent, homme d'ailleurs distingué par sa naissance, fut le premier peintre de Rome. Il y peignit le temple de la santé, l'an 450. Mais on parut faire

---

Gell. XVII. 21. *Vell. Patercul.* I. 17. Cicéron donne pour date de la mort de Nævius, le consulat de Céthégus et de P. Tuditanus, l'an 549 de Rome, cent-quarante ans avant le sien. Varron le faisoit vivre plus long-tems. Plaute mourut vingt après sous le consulat de P. Claudius et de L. Porcius, pendant la censure de Caton. *Brut.* 15. 18.

(61) *Quint.* I. 17. *De orat.* III. 51. *De leg.* II. 15.

(62) *Plin. histor. natur.* XXXV. 3. *Mém. de Litt. tom.* 25. *p.* 156.

si peu de cas de cet art, qu'il eut peu ou peut-être point d'imitateur. Le nom de Pictor resta à sa famille (63).

La sculpture étoit également connue chez les Etrusques. Tarquin l'ancien fit venir de Frégelles, Turianus pour faire la statue de Jupiter, qu'il vouloit mettre dans le capitole (64). Ce furent sans doute aussi des artistes Etrusques, qui firent ces statues des rois de Rome, dont il est parlé dans Pline et Cicéron, et qui existoient encore de leur tems. Ces statues devoient être à-peu-près aussi anciennes que ceux, dont elles représentoient l'image. Des républicains pouvoientbien ne pas les renverser ; mais à coup sûr, ils ne les auroient pas élevées (65).

La géométrie et les mathématiques, qui étoient si en honneur dans la Grèce, étoient peu cultivées à Rome. On n'y connoissoit de ces sciences, que l'arpentage et le calcul usuel. Sextus Pompeius, père du grand Pompée,

---

(63) *Tuscul.* I. 2. *Plin. ib.* XX. 4.

(64) *Plin. ib. Mem. de Litt. tom.* 25. *p.* 312.

(65) *Plin. ibid.* XXXIII. I. *Cicer. in Catil.* III. 8. *Pro Dejotar* 12. *De divin.* I. 13. II. 20. 21.

est le seul géomètre romain, qui ait eu quelque réputation (66).

L'astronomie fut connue très-tard des Grecs, comme des Romains. Sulpitius qui fut consul avec Marcus Marcellus, avoit fait un traité des éclipses. Il prédit aux soldats de Paul-Emile, celle qui arriva le jour de la bataille de ce consul contre Persée, qui se donna l'an de Rome 586, avant J.-C. 168. Il prévint par-là la fraieur, qu'elle auroit pu leur causer (67).

Quant à l'histoire, elle ne consistoit dans les commencemens à Rome, comme en Grèce, qu'en de simples annales, ou en un recueil de faits rédigés, suivant l'ordre des années. Tout ce qui concernoit les tems, les hommes, les lieux, les faits dignes de remarque, y étoit rapporté sans art et sans ornement (68). On y trouvoit aussi les contes les plus absurdes. On a reproché à Tite-Live les prodiges qu'il raconte. C'étoit bien pire dans les anciens An-

---

(66) *Brut.* 47. *Tuscul.* I. 2. *De offic* I. 6.

(67) *De offic.* I. 6. *De senect.* 14. *Plin. ib.* II. 12.

(68) Voyez sur ces Annales la *note* 19 du premier livre.

nalistes. Nous avons rappellé en passant, dans la note vingt-cinq de cette Dissertation, une fable concernant Numa. Elle se trouve néanmoins, dans des Annalistes qui vivoient vers les derniers tems de la république. Cicéron faisoit si peu de cas de tous ceux, qui s'étoient occupés jusques à lui de l'histoire romaine, qu'il prétendoit que cette partie manquoit encore à la littérature (69). Salluste, Tite-Live et sur-tout Tacite remplirent ensuite cette lacune.

Tels avoient été les progrès et les révolutions des arts et des sciences jusques vers la fin de la république. Il nous reste à voir les changemens qui s'étoient opérés dans les mœurs, à la même époque.

§. VII. *Progrès du luxe et de la corruption des moeurs chez les Romains.*

On a regardé comme un paradoxe, ce qu'a soutenu un philosophe moderne, que le luxe, la corruption des moeurs, et les progrès des

(69) *De orat* II. 12. *De leg.* I. 2. Dans l'énumération que Cicéron fait des anciens historiens romains. Il en a omis quelques-uns, qu'on trouve dans Tite-Live et dans Denys d'Halycarnasse.

sciences se suivoient constamment. C'est que l'on a pris pour des progrès, l'abus des sciences et la prostitution que l'on en a faite à tout venant. L'histoire romaine justifie cependant ce prétendu paradoxe. Nous avons vu dans le cinquième livre quelles étoient la simplicité, l'austérité des moeurs des anciens Romains. Leurs connoissances portoient une empreinte semblable. Renfermées dans le secret, on ne connoissoit leur existence, que par les avantages que l'on en retiroit. La sagesse et la prudence de ceux, qui en étoient les gardiens, en prévenoient l'abus. Des sophistes aussi vains que pervers, ne les faisoient point servir à détruire les vérités les plus utiles, et leur fausse et funeste philosophie, ne venoit point en subtilisant jusques au sentiment, jetter le dissolvant le plus actif, au milieu de cette foule d'opinions, d'habitudes, de moeurs et de préjugés, dont la magie forme tout le noeud des associations politiques. La science éclairoit, mais ne brûloit pas.

On ne dissertoit point alors sur la vertu, on la pratiquoit. Ce fut tout l'opposé, lorsque les Grecs eurent communiqué à-la-fois à l'Italie, leur luxe, leurs vices et leur philosophie. Cela arriva du tems de Caton, qui, comme nous l'avons dit, tenta d'arrêter un débordement, dont les conséquences l'allarmoient pour la république. Caton vivoit à la campagne, comme les anciens Romains. Il conduisoit lui-même la charrue et habitoit une maison, dont les murs n'étoient pas seulement crépis. Au milieu des plus grands emplois, il se distingua par la modestie de ses vêtemens, la simplicité de son équipage et la frugalité de sa table (70).

Tel fut encore le premier Africain. On trouve dans Sénèque la description de sa campagne, et des bains où il venoit se laver, pour se délasser des travaux rustiques, dont il faisoit sa principale occupation. La maison étoit très-simple: les bains étroits et obscurs (71). Quel est celui, s'écrie Sénèque, qui voudroit aujourd'hui se laver dans un tel réduit? C'est qu'on avoit fait un objet de luxe, de ce qui

---

(70) Plutarque, *Vie de Caton l'ancien.*

(71) *Senec. epist.* 86. Cette maison située au milieu d'un bois étoit construite de pierres quarrées. Deux tours en défendoient l'entrée. Une citerne qui ramas-

n'étoit d'abord qu'un objet de nécessité. Les bains dans les tems anciens n'étoient pas aussi fréquentés, qu'ils le furent depuis. On ne se lavoit le corps entier qu'une fois la semaine. On se contentoit les autres jours de laver seulement les bras et les jambes, pour en nettoyer la poussière, qui s'y attachoit en travaillant. Quelqu'un dira peut-être, qu'on devoit être bien sale alors, dit toujours Sénéque. Mais jamais les hommes n'ont été plus malpropres, que depuis que les bains ont été si nets (72). L'effet inévitable du luxe et son principal caractère est de tout pervertir ; de s'écarter non-seulement de ce qui est juste et conforme à la nature, mais de s'en éloigner autant qu'il est possible, et de faire tout ce qui y est opposé (73).

Le luxe produisit l'avarice et celle-ci tous les crimes, comme l'a dit Cicéron dans le

---

soit les égoûts des bâtimens et des jardins, pouvoit fournir de l'eau à une armée entière.

(72) *Senec. ib.* Nos prédécesseurs, disoit Varron, avoient l'haleine puante à l'ail et musquée de bonne conscience. *Non. cepe* et *cepa.*

(73) *Senec. epist.* 122.

cinquième livre. On eut recourt, pour en arrêter les progrès aux loix somptuaires (74). La force de la corruption entraîna bientôt ces digues impuissantes. La conquête de Carthage, de la Macédoine, de Corinthe, et ensuite la succession d'Attale, roi de Pergame, firent refluer à Rome des richesses immenses. Elles y entraînèrent les vices et les goûts dépravés, qui les accompagnent toujours. L'antique simplicité champêtre se perdit. L'agriculture fut abandonnée à des esclaves, que les victoires des Romains amoncelèrent en Italie. Cette terre, qui glorieuse, suivant les expressions de Pline, d'être cultivée par des mains triomphatrices, fournissoit amplement aux besoins de ses maîtres, devint stérile lorsqu'elle fut abandonée à des mains serviles. Rome fut obligée d'aller chercher au-delà des mers, les grains qui lui étoient nécessaires, et comme

(74) La loi *Oppia* si vivement appuiée par Caton, étoit destinée à réprimer le luxe des femmes; la loi *Cincia* à empêcher les présens des cliens à leurs patrons; la loi *De repetundis*, à punir les exactions des proconsuls; la loi *Fannia*, à borner les dépenses de la table, etc.

dit Tibère dans Tacite, sa subsistance dépendit désormais des caprices des vents et des hasards de la mer (75).

La jeunesse romaine saisit avidement les vices, les goûts dépravés et contre nature, dont les Grecs lui donnoient la leçon et l'exemple (76). La partialité, la vénalité les plus révoltantes s'introduisirent dans les jugemens. La corruption sur-tout de la noblesse fut à son comble ; l'oppression qu'elle exerça devint intolérable. Delà naquirent les guerres civiles, les proscriptions, les barbaries et les cruautés, qui en furent la suite. Le peuple romain qui se glorifioit d'avoir les loix les plus douces, qui eussent jamais existé, devint le témoin, l'instrument, ou la victime des plus inconcevables forfaits (77).

Quel horrible abus les satellites de Sylla

---

(75) *Annal.* II. I. 53.

(76) *Polyb. hist. Lib.* II. *p.* 1457. *De natur. deor.* I. 28.

(77) Voyez les détails des proscription dans Velleius Paterculus, II. 22. 26. Florus, III. 21. Appien de *Bell.-Civ.* Lucain, II. *vers* 100. *et seq.* Plutarque, *Vie de Sylla* et de *Marius.*

firent de la licence effrénée, qu'il leur donna! Cicéron a décrit en traits que le tems n'effacera jamais le luxe, le faste, l'orgueil, l'insolence, la rapacité de ce Chrysogone, celui des favoris de Sylla, qui sut le mieux faire son profit, du crédit dont il jouissoit auprès de lui. Ce valet digne d'un tel maître, au milieu des troubles, des brigandages et des proscriptions, remplit sa maison de tout ce qu'il avoit enlevé de plusieurs maisons illustres et opulentes (78). Le souvenir de ces désordres inouis laissa à Rome une sémence perpétuelle de divisions intestines.

La doctrine d'Epicure qui détruisoit les bases principales de la morale, convenoit parfaitement à des hommes, dont les loix de la justice gênoient la cupidité, et dont celles de la tempérance réprouvoient les goûts désordonnés. Ils en étoient tous les partisans. Dans leur nombre l'on comptoit sur-tout ceux, qui contribuèrent le plus à la destruction de la république (79).

---

(78) *Orat. pro Quint. Rosc. Amerin.*

(79) *Orat. post red. in Senat.* 2. 6. *In Pison.* 9. 28. 29. *De finib.* I. 7. On étoit divisé chez les anciens

Il est souvent question dans Cicéron d'un Sergius Orata, Epicurien très-renommé de son tems, et qui le premier fit faire des bains suspendus, et creuser à grands frais dans le sein des terres, des réservoirs, qui communiquoient avec la mer, et qui renfermoient des poissons qu'on avoit ainsi toujours sous la main (80). Orata mit encore le premier en vogue les huitres du lac Lucrin, si recher-

---

comme chez les modernes sur le compte d'Epicure. Cassius qui défendit avec Brutus la liberté expirante, étoit Epicurien. Un tel homme peut-il être soupçonné d'une morale dépravée ? Il y avoit sans doute diverses classes d'Epicuriens. Car Cassius, dans une lettre qui se trouve dans celles de Cicéron, *Ad famil.* XV. 19., prétend qu'Amafinius et les autres Latins, qui avoient écrit sur la doctrine d'Epicure, avoient mal interprété ce qu'il dit de la volupté, et que ce philosophe pensoit, *que l'on ne pouvoit vivre agréablement, si l'on ne vivoit justement et honnêtement.* Cicéron qui, dans le Traité *De finibus*, réfute tout ce qu'on dit pour la justification d'Epicure, convient, *De nat. deor.* I. 41, *qu'il recommandoit la sainteté et la piété envers les dieux.*

(80) *Fragm. lib. philos. Non. balneae. De finib.* II. 22. *Macrob.* III. 15. Saint-Augustin, *De vit. beat*, nous donne d'après Cicéron, cet Orata, comme un homme uniquement occupé de ses plaisirs, très-riche

chées par les gourmets de Rome (81). C'étoit près de Baies, du tems de l'orateur Lucius Crassus avant la guerre des Marses, qui commença l'an de Rome 663, qu'Orata avoit fixé son séjour, et établi le théâtre de ses jouissances. Cette côte étoit célèbre chez les Romains, par la beauté de son site et par les campagnes magnifiques et voluptueuses, dont elle étoit ornée. L'air même y inspiroit la volupté ; et la vertu n'en approcha jamais, sans

---

d'ailleurs, très-délicat, très-aimable et qui jouit toute la vie d'un grand crédit et d'un bonheur constant. Ce n'étoit pas un homme de très-bonne foi, témoin le procès qu'il soutint et dont il est parlé *De off.* III. 16. On le surnomma Orata, parce qu'il aimoit sur toutes choses les poissons dorés. Au moyen des viviers qu'il avoit inventés, on prenoit le poisson, même pendant qu'on étoit à table. On se plaisoit à remarquer en le voyant mourir la variété des couleurs, qui se peignoient en ce moment sur ses écailles. *Sen. quaest. nat.* III. 17. 18. Voy. encore *Cicér. Parad.* V. *Ad Att.* XI. 1. Cicéron fait mention aussi d'un autre Epicurien célèbre, nommé Thorius Balbus, *De finib.* II. 20.

(81) *Plin. histor. natur.* IX. 54. *Macrob.* III. 15. Suivant Pline, Orata savoit tirer partie de ses inventions, et c'étoit autant par avarice que par somptuosité, qu'il en avoit imaginé d'aussi recherchées.

y faire naufrage (82). Ce fut là que les proconsuls romains répandirent avec profusion les fruits de leurs rapines et de leurs brigandages. Le génie de Cicéron a immortalisé ceux dont Verrès se rendit coupable. Mais si Verrès est encore le plus fameux de ces brigands, il ne fut pas le seul. Quand on réfléchit qu'ils furent tous impunis et même protégés ; on peut se faire une idée de ce qu'étoient alors les moéurs romaines.

Les maisons construites avec tant de faste étoient meublées de même. On y avoit entassé les statues, les tableaux, les vases précieux, dont on avoit dépouillé les provinces et les alliés ; et ce qui, dit Cicéron, fut d'abord l'ornement des villes et des places publiques, devint celui des demeures des simples particuliers. A cette somptuosité dans les meubles et les batimens, se joignoient la mollesse asiatique dans la manière de vivre, la coquetterie dans l'habillement et dans la parure des deux sexes, la gloutonnerie et l'ivrognerie dans les repas (83).

---

(82) Voyez-en la description dans Sénèque, *ep.* 51.

(83) Sur le faste des habits et de la table de Verres,

Dans des cœurs absolument envahis par des passions si ardentes et si variées, l'amour de la patrie et du bien public, ne pouvoit plus trouver de place. La plupart des sénateurs ne s'occupoient que de leurs viviers, de leurs maisons de plaisance, des statues, des tableaux et des autres chefs-d'œuvres des arts, qu'ils possédoient. Le salut et la perte de la république, ne leur tenoient nullement à cœur. Cicéron, dont le patriotisme ne se démentit jamais, tenta vainement de redonner quelque ressort à ces ames énervées. Le feu sacré de la liberté étoit entièrement éteint en elles. Il n'y avoit plus de bons citoyens. La masse du peuple n'aspiroit qu'après le repos; et pourvu qu'elle en jouit, il lui étoit indifférent d'avoir un maître. Ces bras que tant de victoires avoient illustrés, et qui avoient si long-tems servi à étendre la gloire et la puissance de la république, le peuple romain ne savoit plus les

---

voyez les oraisons de Cicéron; sur la parure d'Hortensius, *Macrob.* III. 13. Voyez encore la description d'un souper de Metellus, dans un fragment de Saluste *Histor. Lib.* II. *et Fragm. Cicer. orat. pro Q. Gallo, apud Quintil.* VIII. 3.

employer, qu'à applaudir aux spectacles (84). Tout étoit ainsi disposé pour le despotisme, qui ne tarda pas à s'élever sur les ruines de l'ancienne constitution.

---

(84) *Ad famil.* I. 89. *Ad Attic.* I. 18. 19. 20. II. 1. VII. 7. XVI. 2. *Parad.* V. *Sallust. Bell. Catilin.*

F I N.

ERRATA.

Page 50, ligne 3, Au lieu de *différent*, lisez différant
Pag. 80, lig. 21. Au lieu de (12), lisez (11).
Pag. 95, lig. dern. Au lieu de (56), lisez (55).
Pag. 125, sommaire, lig. 9. Au lieu de *romaines*, lisez, des Romains.
Pag. 149, lig. 14. Au lieu de, ou Cécilius, *ou* Caton, lisez. ou Cécilius, Caton.
Pag. 206, lig. 12. Apres, rien de pareil, lisez (61).
Pag. 253, lig. 6. Au lieu de, *des* usages, lisez. les usages.
Pag. 358, lig. 1. Au lieu de *De offic. III*, lisez *De offic.* I.
Pag. 404, lig. 24. Au lieu de *V*. 5., lisez, VII. 5.
Pag. 412, lig. 10. Apres *De Harusp. resp.*, ajoutez 7.
Discours preliminaire, lig. 8. de la note, au lieu de 1728, lisez 1528.

Il s'est également glissé une erreur dans les chiffres indicatifs des pages, où du nombre 368, on a passé à 389.

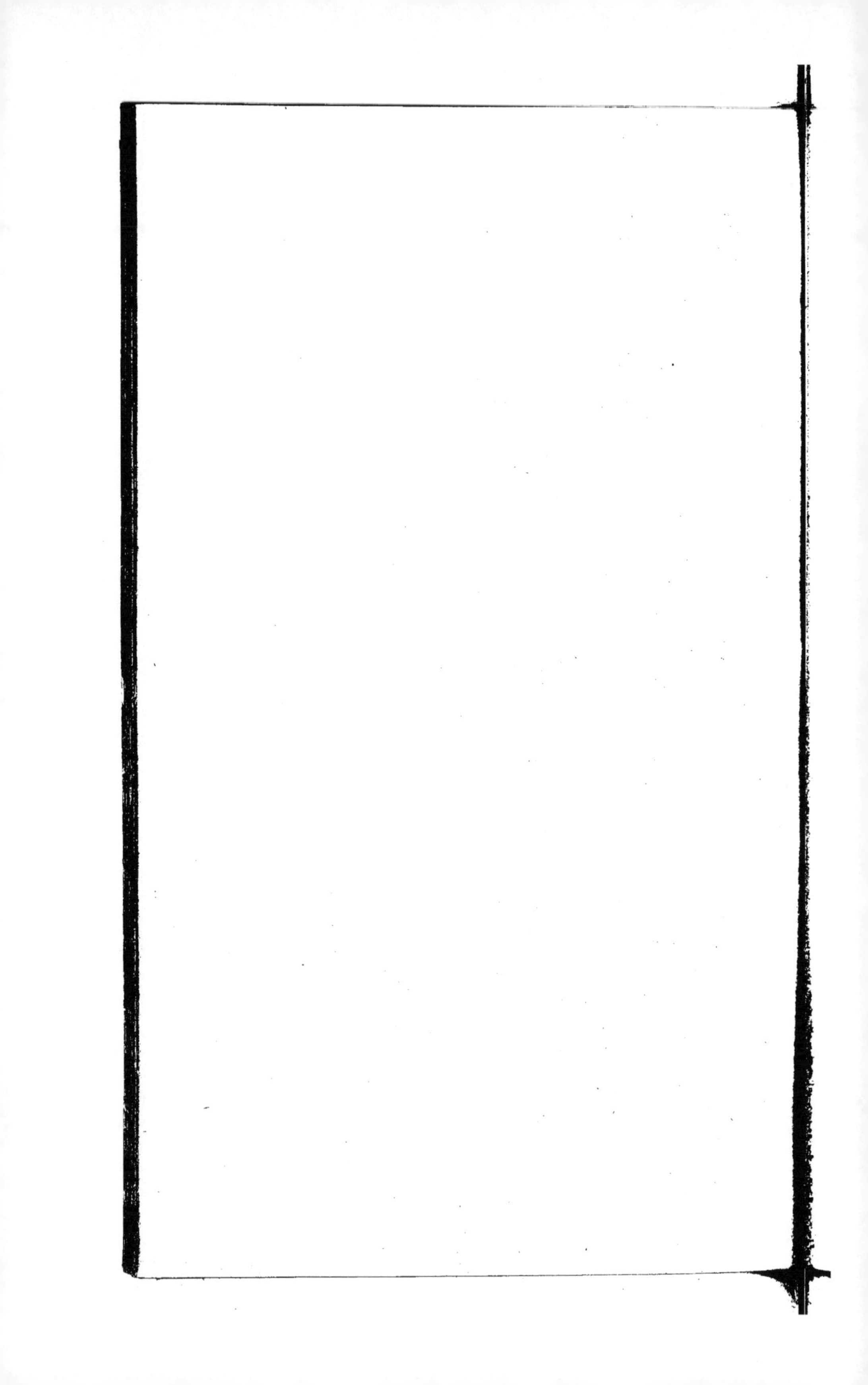

TABLE

DES MATIERES.

A

E

H

N

O

P

Q

R

SATURNIN,

S

FIN

Made at Dunstable, United Kingdom
2022-10-22
http://www.print-info.eu/

10084082R00312